W9-BNG-011

La MORT d'une PRINCESSE

Édition : Liette Mercier et Geneviève Thibault
Design graphique : Christine Hébert
Infographie : Chantal Landry
Révision : Élyse-Andrée Héroux
Correction : Odile Dallaserra

Catalogage avant publication de Bibliothèque et Archives nationales du Québec et Bibliothèque et Archives Canada

Desjardins, India, 1976-

La mort d'une princesse

ISBN 978-2-7619-4799-2

I. Titre.

PS8607.E758M67 2017 C843'.6 C2016-942610-6
PS9607.E758M67 2017

DISTRIBUTEURS EXCLUSIFS :
Pour le Canada et les États-Unis :
MESSAGERIES ADP inc.*
Longueuil, Québec J4G 1G4
Téléphone : 450-640-1237
Internet : www.messageries-adp.com
* filiale du Groupe Sogides inc.,
filiale de Québecor Média inc.

Pour la France et les autres pays :
INTERFORUM editis
Téléphone : 33 (0) 1 49 59 11 56/91
Service commandes France Métropolitaine
Téléphone : 33 (0) 2 38 32 71 00
Internet : www.interforum.fr
Service commandes Export – DOM-TOM
Internet : www.interforum.fr
Courriel : cdes-export@interforum.fr

Pour la Suisse :
INTERFORUM editis SUISSE
Téléphone : 41 (0) 26 460 80 60
Internet : www.interforumsuisse.ch
Courriel : office@interforumsuisse.ch
Distributeur : OLF S.A.
Commandes :
Téléphone : 41 (0) 26 467 53 33
Internet : www.olf.ch
Courriel : information@olf.ch

Pour la Belgique et le Luxembourg :
INTERFORUM BENELUX S.A.
Téléphone : 32 (0) 10 42 03 20
Internet : www.interforum.be
Courriel : info@interforum.be

Imprimé au Canada

02-17 (2)

Dépôt légal : 2017
Bibliothèque et Archives nationales du Québec
ISBN 978-2-7619-4799-2

Gouvernement du Québec – Programme de crédit d'impôt pour l'édition de livres – Gestion SODEC – www.sodec.gouv.qc.ca

L'Éditeur bénéficie du soutien de la Société de développement des entreprises culturelles du Québec pour son programme d'édition.

Conseil des Arts du Canada — Canada Council for the Arts

Nous remercions le Conseil des Arts du Canada de l'aide accordée à notre programme de publication.

Financé par le gouvernement du Canada
Funded by the Government of Canada | Canada

Nous reconnaissons l'aide financière du gouvernement du Canada par l'entremise du Fonds du livre du Canada pour nos activités d'édition.

INDIA DESJARDINS

La MORT d'une PRINCESSE

roman

Une société de Québecor Média

À Olivier. Juste parce que.

NOUS AVONS TUÉ UN MAGNOLIA

J'ai rêvé de l'amour plus que je l'ai vécu. Je m'en rends compte maintenant, quand je regarde derrière. J'ai perçu comme de l'amour des sentiments qui étaient tout autres. Je ne saurais mettre le doigt, par contre, sur ce que c'était. Peut-être que parfois, on rêve si fort que nos illusions prennent le dessus sur la réalité.

Quand j'ai emménagé dans cet appartement, sur la rue Saint-André, je n'avais aucune conscience que ma vie était teintée d'illusions. Des illusions que je m'étais moi-même créées. Un bonheur auquel je croyais. Mais si j'avais eu la lucidité que j'ai aujourd'hui, j'aurais relevé plein d'indices révélant que quelque chose clochait. Que je devrais me réveiller d'un rêve qui m'empoisonnait, dans lequel je m'étais plongée moi-même. Pourquoi ? Pour ne pas souffrir si je découvrais que ce que je vivais n'était pas à la hauteur de mes rêves ? Je ne sais pas. Peut-être que si j'avais affronté la réalité, le magnolia ne serait pas mort.

Il était magnifique, ce magnolia. Il était situé juste devant l'appartement et il fleurissait vers le mois de mai. Des fleurs splendides. Roses et blanches. Sa forme aussi était grandiose. On aurait dit plusieurs ballerines en tutu exécutant avec élégance des jetés à travers les branches, qui se déployaient de façon majestueuse vers le ciel, sans vraiment s'entremêler. Les gens s'arrêtaient pour le prendre en photo. C'était avant l'invention d'Instagram, dans le temps où on prenait des photos seulement pour son plaisir personnel, pour pouvoir les regarder à temps perdu chez soi, alors c'était, pour ainsi dire, particulier. On pourrait même ajouter sans exagération que ça nous rendait fiers d'avoir devant chez nous un si bel arbre, dont la beauté forçait les gens à s'arrêter. On avait l'impression d'être un attrait touristique de la rue Saint-André. On s'amusait à voir les gens par la fenêtre s'exclamer d'émotion devant notre arbre.

Je dis « notre » arbre. Mais l'appartement n'était pas à nous. C'était une location. Nous n'avions pas assez d'argent pour posséder réellement ni un arbre, ni un condo. Nous avions vu dans le journal *Voir* que l'appartement était à louer. À l'époque où c'était encore un journal hebdomadaire. À l'époque où les gens ne se fiaient pas à des tendances sur Twitter pour découvrir le nouveau groupe émergent, mais à la couverture de ces journaux qu'on voyait traîner dans les cafés. Cet hebdo servait à ça, mais aussi à trouver des appartements. Même pas de photos. Ça me semble impensable aujourd'hui. Archaïque, même. Les petites annonces commençaient par la localisation. Ensuite, quelques mots coupés. Et se terminaient par le prix. C'était court, parce qu'on payait au mot :

SAINT-ANDRÉ. Rdc. 3 càc. Aire ouverte.
Cachet. 950 $.

Je ne veux pas sonner comme une vieille trentenaire nostalgique, mais dans le temps où on épluchait nos annonces sans photos, l'instinct était souvent un bon baromètre. On a visité l'appartement. C'était lui. Je le savais. Je l'avais senti à l'annonce. Je l'avais senti en entrant. Ce serait parfait ! Et même si on avait besoin de chacun un bureau à la maison, si un jour on voulait des enfants, on pouvait très bien s'arranger avec l'espace qu'on avait. On pourrait rester ici des années.

Ça faisait déjà quatre ans qu'on se fréquentait. Ça ne semblait pas être une option d'habiter ensemble. Il disait que notre relation était parfaite parce qu'on avait chacun notre espace. J'avais fini par m'en convaincre moi aussi. Jusqu'à ce que je me retrouve chez lui, avec ma valise, et que j'aie un petit accès à une parcelle de lucidité et que je me dise que je n'en pouvais plus de vivre entre chez lui et chez moi. Que j'aimerais ça, moi, habiter avec mon chum. Je n'étais pas si étrange que ça. Je n'étais pas si antimoderne que ça. C'était juste mon désir profond. Peut-être un restant de mon éducation, aussi. Peut-être un romantisme acquis par mimétisme, transmis par les modèles de la société ? Ou par les comédies romantiques hollywoodiennes ?

Aujourd'hui, c'est bien vu de casser tous les moules, tous les modèles. Et il ne faut pas se juger. Non, non. Tout le monde peut choisir de vivre l'amour comme il le souhaite. Un couple qui emménage après quatre ans, c'est de la plate banalité. Qui veut vivre le quotidien avec l'autre ? Ça tue l'amour, non ? À ce moment-là, on commençait à vouloir contourner ces règles. Mon ex était peut-être un précurseur, au fond. Celui qui a contribué à briser les moules. En refusant l'engagement. En refusant qu'on soit un couple stéréotypé. Aujourd'hui, il est la norme. À l'époque, il était un pionnier. L'homme qui assume son refus de reproduire le modèle du couple traditionnel. Et moi, j'étais un vestige d'une époque bientôt révolue.

Le problème est que moi, ce n'était pas à cause d'une norme que j'avais envie d'habiter avec lui. J'étais amoureuse. Je voulais vivre avec lui, avoir des projets. Ce matin-là, j'ai simplement eu envie de pouvoir organiser une activité, sans devoir retourner chez moi pour aller chercher ce qu'il me fallait. J'ai été une enfant du divorce. Je sais ce que c'est avoir deux maisons, avoir tout en double, vivre dans mes valises. Et je n'aimais pas ça. Avoir l'impression de n'être chez moi nulle part. De ne pas avoir de quartier général. Une chambre qui serait mon espace où se trouvent tous mes secrets. Devoir toujours dire à mes parents que la situation me convenait, que c'était le fun au fond d'avoir deux maisons et tout en double, pour les ménager. Parce que si j'avais exprimé une préférence pour ma chambre chez ma mère, ça aurait fait de la peine à mon père et vice-versa. Cacher, au fond, que je trouvais que la situation n'était pas idéale, pour la simple raison que ça ne servirait personne d'en parler. Qu'auraient-ils pu faire? J'avais naïvement pensé qu'à l'âge adulte, je pourrais avoir enfin mon quartier général. Que si j'étais amoureuse de quelqu'un, on pourrait vivre dans un seul endroit. Et que je ne serais pas obligée de lui cacher la vérité d'un désir de cohabitation, pour ne pas lui faire peur, pour ne pas le faire fuir. Mais à l'époque où on voulait briser des moules, ça ne se passait pas comme ça.

Parce que si quelqu'un disait: «Je t'aime, mais je ne suis pas prêt à m'engager, à ce qu'on vive ensemble», il fallait capter les zones grises. Il fallait analyser cette phrase et comprendre: «Je t'aime, mais la société a créé un moule et nous sommes plus forts que ce moule. Brisons ensemble les barrières.» C'était tellement rétrograde de dire: «Je t'aime et j'ai envie de vivre avec toi.»

J'ai explosé, ce matin-là, devant ma valise. Je n'avais pas ce qu'il me fallait pour passer la journée. Avec le recul, je me dis que j'aurais peut-être dû partir à ce moment précis. Mais l'illusion était grande et elle était nourrie par l'espoir. Et c'est facile de dire des choses comme ça lorsqu'on n'a plus le nez collé à la situation. J'ai éclaté en sanglots. En sous-vêtements. Devant ma valise. Pathétique. Si je pouvais inventer une machine à voyager dans le temps, j'embarquerais dedans juste pour aller me donner une claque. Je me dirais: «Ressaisis-toi et quitte immédiatement ce gars qui t'invente des raisons juste pour ne pas s'engager avec toi! Parce qu'au fond, il ne t'aime pas et il y a une vie meilleure qui t'attend si tu scrutes l'horizon. » Il est arrivé derrière moi. M'a demandé ce que j'avais. Je lui ai tout déballé. De la vie dans les valises à mon désir de cohabitation. Je crois qu'il a même été question d'ultimatum. Du genre : « Si tu m'aimes, tu vas habiter avec moi. » Il m'aimait, parce qu'il a dit oui. Et j'ai vécu un élan de bonheur intense de voir qu'après quatre ans, ma patience et ma compréhension et toutes mes tentatives de n'embarquer dans aucun moule étaient récompensées. Je n'ai pas réalisé que c'était le fruit de mon propre ultimatum et qu'au lieu d'être un moment amoureux, c'était une prise d'otage.

La veille de la signature du bail, je l'ai vu faire une crise d'angoisse. Je lui ai dit que tout irait bien.

Tout n'est pas si bien allé.

Et nous avons tué un magnolia.

Nous avons emménagé dans cet appartement en avril. Nous avons vu fleurir le magnolia quelques semaines plus tard. Pour la première et dernière fois. Peut-être que le sentiment qui nous parcourait, quand on regardait par la fenêtre les gens s'extasier devant notre arbre, était une façon de nous convaincre que nous étions bien. Est-ce que j'ai inventé cette scène où une fois, nous étions assis sur le divan, et on a aperçu des gens à travers la fenêtre qui s'arrêtaient pour le photographier et où il m'aurait serrée dans ses bras en disant : « On est bien ici, hein ? » Ça fait peut-être partie de ces souvenirs que j'ai inventés pour survivre à la triste réalité de ne pas être aimée et de ne pas le réaliser.

Le magnolia n'a jamais refleuri. L'année suivante, en mai, les fleurs n'ont pas poussé. Personne ne s'est arrêté devant ce tas de branches noircies. Et quelques mois plus tard, je quittais les lieux. Je n'ai pas remarqué tout de suite que les fleurs n'ont pas poussé. Je l'ai remarqué seulement par la suite. Chaque année, en passant devant cet appartement que je n'habite plus, je voyais les branches mortes devenir de plus en plus noires et s'assécher. Aujourd'hui, cet arbre n'existe plus. Il a été coupé. Effacé de la surface terrestre. Plus personne ne pourra le voir. Sauf ceux qui l'ont pris en photo dans toute sa splendeur, et je n'en fais pas partie. Parce que je ne pensais pas que j'avais besoin de le faire. Puisqu'on ne prenait pas systématiquement des photos de tout ce qu'on trouvait beau, on s'en faisait plutôt un souvenir dans notre tête. Je ne saisissais pas l'importance de me souvenir de lui. Je pensais qu'il serait éternel. Maintenant, on documente tout, à tout moment, et on le publie sur les réseaux sociaux. Peut-être qu'on a découvert que la mode de garder les souvenirs dans notre tête manquait de précision quand on avait envie de revivre un beau moment. Si le magnolia était là aujourd'hui, je mettrais une photo de lui sur mon compte Instagram. Mais il n'en reste aucune trace.

Je suis devant la façade de cet appartement. Je ne sais pas trop ce que je fais ici. Peut-être que c'est ici que tout a commencé. Ou que tout s'est terminé. Je ne sais pas par quel bout prendre tout ça. J'ai eu besoin de revenir ici. Comme un petit voyage dans le passé de ma propre histoire. Pour voir s'il y avait encore un petit peu de vie dans tout ça. J'ai peut-être pensé, à tort, que je trouverais la réponse derrière cette clôture de la rue Saint-André. Que je pourrais effacer mon passé, comme ce magnolia, et repartir sur de nouvelles bases, même si je ne sais pas comment.

Je regarde, je cherche un indice de ma présence sur ces lieux, un indice de la présence du plus beau des magnolias, disparu. Les nouveaux locataires ne peuvent imaginer que leur jardin a déjà accueilli un si bel arbre.

Comment expliquer qu'un arbre qui est reconnu pour résister aux maladies soit mort si vite après notre arrivée ? Comment expliquer qu'avec nous, il n'a survécu qu'un printemps ? Certains auront leur explication scientifique. Ma théorie ne l'est pas. Je pense que nos conflits ont aspiré son énergie vitale. Mon malheur à moi, surtout. Il m'a peut-être entendue hurler. Il a peut-être entendu mes sanglots. Il n'avait aucune énergie à laquelle s'abreuver. Sa mort est survenue en même temps que la mienne. Pas ma vraie mort. Puisque je suis toujours en vie. Mais la mort de celle que j'ai décidé de tuer. Celle qui croyait. Celle qui se berçait d'illusions. Celle qui était conciliante. Celle qui est entrée dans cet appartement en pensant y faire sa vie, y fonder une famille. Celle qui aurait peut-être permis au magnolia de continuer à fleurir si elle avait vécu l'amour au lieu de le rêver.

2008

— Sarâh Dufour? me dit l'agent de sécurité en regardant mon visage pendant que je place mon sac ainsi que tous mes effets personnels dans un bac gris pour les envoyer au scanner.

— Euh...

Je regarde tour à tour ma photo de passeport qui me donne l'air d'une évadée de prison, et mon chum qui n'aime pas que je dise ce que je m'apprête à dire, surtout à un agent de sécurité. Après cinq ans de relation, Gabriel et moi communiquons presque par télépathie. J'admets que ma réponse pourrait porter à confusion. Je pourrais donner l'impression d'avoir usurpé une identité, mais ce n'est pas le cas. Je n'aime simplement pas qu'on écorche mon prénom. Alors je ne peux m'empêcher de préciser, en mettant bien l'accent sur le deuxième « a » :

— Sarah.

Me faire appeler « Sarâh » me fait grincer des dents. Je trouve ça très laid. En plus, pourquoi massacre-t-on seulement le deuxième « a » au Québec? C'est vraiment un mystère pour moi. Je préfère de loin « Sarah ». C'est plus élégant, non?

Quoique je dois avouer que j'ai un double standard. Je n'aime pas qu'on m'appelle Sarâh, mais je dis parfois « chocolât », « là-bâs », « fais pas çâ », « etceterâ ». Ce n'est probablement pas mon seul paradoxe.

L'agent de sécurité me regarde, sans broncher, sans non plus se reprendre (ce que j'aurais trouvé courtois).

Gabriel semble me dire : « T'aurais pu laisser tomber cette fois-ci... Un agent de sécurité! »

Il me trouve un peu condescendante lorsque je fais ça. Il pense que je devrais en laisser passer quelques-unes. Que quelqu'un qui m'appelle « Sarâh » ne le fait pas pour m'insulter, que c'est seulement sa façon de parler et que je ne peux rien y changer. Ce qui est faux, car au début de notre relation, il m'appelait « Sarâh » et à force de lui répéter de m'appeler

« Sarah », il a fini par s'habituer. Il faut dire que mon nom ne sonne jamais vraiment naturel dans sa bouche. Je préfère donc les surnoms d'usage : « Chérie », ou encore « Princesse » (en de rares occasions).

Mais je jure que je ne voulais pas être condescendante avec l'agent de sécurité. Il travaille avec le public, c'est important de bien prononcer les noms. À la limite, le fait que je le reprenne bonifiera ses futures relations avec les voyageurs qu'il côtoie. C'est une petite attention toute simple et normale. Et je ne lui ai pas lancé ça de façon arrogante. J'ai tenté d'être le plus détachée et amicale possible. J'ai même souri, j'ai parlé doucement et j'ai pris un air timide. On ne pouvait s'y tromper ! Peut-être que, selon sa perception, mon sourire était hautain. Il faut dire que c'est la nature qui m'a faite ainsi, la bouche par en bas, alors quand je souris, il faut que j'exagère le mouvement de mes lèvres, ce qui peut avoir l'air faux.

— ... qu'est-ce qu'il y a là-dedans ? continue-t-il en pointant ma bouteille d'eau.

Je veux bien éviter de me montrer condescendante, mais il me semble qu'il n'est pas nécessaire de maîtriser parfaitement l'espagnol pour savoir qu'Aquafina est de l'eau... Bizarre qu'il ne s'en rende pas compte. À moins que savoir lire ne fasse pas partie des prérequis pour être agent de sécurité.

— Euh... de l'eau.

— Pouvez-vous en boire une gorgée ?

— Oui, tantôt, sûrement, dans l'avion.

— Pouvez-vous en boire une gorgée devant moi ?

Cet agent de sécurité commence vraiment à se montrer impoli, non ? Je devrais aller avertir ses supérieurs qu'il abuse de son pouvoir ! Si ça se trouve, c'est une espèce de tordu qui a des fantasmes bizarres, dont celui de regarder les filles boire de l'eau. L'agent de sécurité attend.

— Nous sommes obligés de demander ça. Ça pourrait être un liquide dangereux. Explosif. Vous étiez supposée le jeter avant d'arriver ici. Vous n'avez pas vu qu'on demandait aux gens de laisser leur bouteille d'eau à l'entrée de la sécurité ?

— Euh, oui.

En fait, j'ai caché ma bouteille pour ne pas avoir à m'en payer une autre. Je croyais que ça fonctionnerait. Je suis écolo, comme tout le monde, mais surtout très économe. Je m'abstiens de le dire. À ma défense, je ne voyage pas souvent. Et j'avoue que même si je n'ai pas pris l'avion depuis plusieurs années, je sais très bien qu'on ne peut plus apporter d'eau, mais je croyais naïvement qu'en la cachant bien, on s'en sauvait. Peut-être qu'en en buvant et en prouvant ainsi à l'agent que c'est de l'eau et que je ne m'empoisonne pas ni n'explose sur place, ça va passer.

Je prends une gorgée.

— Ça va comme ça ?

— Oui, mais vous ne pouvez pas traverser avec cette bouteille, je vais devoir la conserver. Vous pourrez vous en acheter une autre de l'autre côté de la *gate*.

Je m'abstiens de tout commentaire.

Je récupère mon sac qui réapparaît dans son bac gris, remets mes souliers, ma veste et je fouille machinalement dans mon sac pour sortir ma bouteille de Purell et me désinfecter les mains.

— Vous allez devoir me laisser ça aussi, mademoiselle.

Mon Purell ? Non, je ne peux pas le laisser. Je me lave les mains avec ce produit au moins cinquante fois par jour ! J'y suis habituée. Je ne peux monter dans un avion sans ça. C'est inconcevable. Je le regarde, affolée, tenant fermement ma bouteille.

— Désolé, c'est le règlement. Pas de contenant de plus de cent cinquante millilitres dans l'avion.

— Je vous en supplie ! Je veux juste me laver les mains, pas fabriquer une bombe !

Je m'en suis sortie sans fouille rectale.

Apparemment, « bombe » est un mot qu'on ne doit pas prononcer devant des agents de sécurité à l'aéroport. Bon, je le saurai maintenant.

Ils se sont contentés de nous regarder, consternés par ma phrase, et ont menacé de nous faire passer un interrogatoire. J'ai tout arrangé, je ne me souviens plus trop comment à cause de mon énervement. J'ai seulement lancé quelques phrases bien placées et après quelques minutes, les agents et moi avions déjà développé une certaine complicité.

Il faut dire que les relations publiques, ça me connaît. Je suis relationniste de presse depuis maintenant sept ans. Je sais comment tourner une situation malencontreuse en ma faveur. C'est mon métier.

L'un des agents de sécurité m'a même confié que sa femme était comme moi et m'a expliqué que si on utilise trop de Purell, les germes se propagent davantage puisque les mains s'assèchent. Ah. Je ne le savais pas. Il faudrait, selon lui, que j'achète de la crème à mains pour contrer la déshydratation. J'ai dit, sur un ton chantant, l'index levé : « Dans un contenant de moins de cent cinquante millilitres si je veux prendre l'avion », et je lui ai confié ma bouteille géante de Purell en lui faisant promettre de la donner à sa femme.

À la suite de cet événement regrettable (nous, spécialistes des relations publiques, savons comment amenuiser l'impact d'une situation en choisissant nos mots), nous avons traversé le détecteur de métal. Les agents de sécurité m'ont saluée avec de grands sourires auxquels j'ai répondu par des clins d'œil amicaux. Gabriel et moi avons traversé tous les corridors, escaliers roulants et tapis roulants nous menant à notre quai d'embarquement. Pendant ce trajet, Gabriel, en contenant sa colère pour ne pas envenimer la situation, ne cessait de répéter : « Ton hostie de Purell, ton hostie de Purell. »

Puis, nous avons pris place sur les bancs noirs d'où on peut observer le tarmac à travers de grandes fenêtres pour s'assurer que notre avion est bel et bien soumis à toutes les règles de sécurité (ce n'est sûrement pas fait pour ça, mais c'est mon activité principale en ce moment).

Je suis nerveuse. Ça fait tellement longtemps que j'ai pris l'avion.

En attendant l'embarquement, je mange des chips. Et des jujubes. Et un biscuit aux brisures de chocolat. J'aime penser qu'au *duty free* des aéroports, tout est aussi *calorie free*.

L'annonce de l'embarquement me fait sursauter. Je jette le reste de mes jujubes. (Ma meilleure amie, Anik Simard, a inventé un régime qu'elle appelle le « *trash diet* » : on peut manger n'importe quoi lors de nos fringales, à condition de ne jamais conserver les restes. Ce régime ne fait perdre aucun poids, mais au moins on ne mange pas nos restes juste pour ne pas gaspiller. « Notre corps n'est pas une poubelle », tel est son credo. En tant que chocolatière, elle réussit à vendre des tonnes de chocolat en répandant ce « régime de vie ». Gâtez-vous, et jetez ou donnez le reste !) J'essuie en vitesse mes mains pleines de graisse de chips sur le côté de mon jean (faute d'avoir mon Purell) et me dirige vers l'appareil qui nous conduira à notre destination.

Walt Disney World.

Une idée de Gabriel.

Tous nos amis nous demandaient si on n'était pas un peu fous, pourquoi des adultes iraient dans un parc d'attractions familial. Ils disaient qu'on aurait tout le temps d'y aller quand on aurait des enfants, mais qu'en attendant, on devrait aller en Italie, en Grèce, voir le monde. Mais on avait envie de s'amuser. Comme ces dernières années ont été presque entièrement consacrées au travail, Gabriel a pensé que ce serait intéressant qu'on choisisse une destination où on aurait du plaisir, où on retomberait en enfance, sans responsabilités. J'avoue qu'au départ, j'aurais préféré un tout-inclus sur le bord de la mer. Ou tout autre endroit où on aurait pu se reposer et passer du temps ensemble, ce dont on manquait beaucoup. Quelque part où j'aurais pu lézarder au soleil en feuilletant des magazines de vêtements et de produits de beauté que je ne peux me payer. Juste pour rêver. Me mettre le cerveau à off en ne regardant que des trucs superficiels. Gabriel est du genre à moins décrocher lorsqu'il est inactif, alors sa tendance naturelle est de travailler, même en vacances. Il disait qu'être inactifs sur le bord d'une plage ne nous permettrait pas de décrocher. J'ai finalement acquiescé à son idée de voyage, car j'ai peut-être un peu le même problème. Il peut m'arriver moi aussi d'avoir quelques idées pour les clients que je représente, même en vacances. Il y a deux ans, nous avons séjourné dans une petite auberge à Mont-Tremblant. J'ai tout de suite eu l'idée d'une promotion avec une de mes clientes qui est chanteuse, car le lieu était très inspirant. J'ai parlé au directeur de l'auberge, appelé l'agent de la chanteuse, et pris quelques notes pour la campagne de presse. C'était le premier week-end d'amoureux que Gabriel et moi pouvions nous payer depuis des mois. Il me le remet toujours sur le nez quand je lui dis que j'ai envie de passer un moment romantique avec lui. Il me rappelle toujours que ce week-end-là, supposé être ce que je voulais, « romantique », s'est transformé en week-end de travail et de meetings. Bien honnêtement, je ne croyais pas que ça le dérangerait, car il est toujours du genre à répondre à ses mails, travailler sur ses campagnes de pub pendant nos rares congés. Ce week-end-là, il faut dire que la réunion que j'avais réussi à obtenir avec le directeur de l'auberge adonnait en même temps que le massage qu'il m'avait offert en cadeau et que je l'ai raté. Comme l'auberge n'accordait pas de remboursement, il y était allé à ma place, lui qui déteste se faire masser. Surtout que seul un massothérapeute était disponible. Gabriel le raconte encore comme une expérience extrêmement traumatisante, car il a réussi à se détendre, mais il a eu une érection en plein massage.

Même si Gabriel m'a toujours encouragée dans mon travail, cette fois-là, le week-end s'était terminé en solide engueulade. Il me disait que je travaillais trop. Ce à quoi j'avais répliqué qu'il travaillait aussi énormément et que je ne m'en plaignais jamais. Qu'on faisait ça pour notre avenir. Maintenant, les choses se sont tassées. Une simple petite remise en question d'amoureux qui nous a permis d'avancer. On ne vivait pas ensemble et j'ai pensé que c'était ce qui nous épuisait. Pas seulement physiquement, mais en tant que couple. Que ce serait plus facile de passer des moments ensemble si on vivait dans le même appartement. Il était réticent à faire ce pas, mais il en est venu à la même conclusion que moi, qu'habiter ensemble serait bénéfique, que nous étions rendus là. Mais nous n'avions pas le temps, ni les moyens, de prendre des vacances. Depuis, j'ai signé plusieurs nouveaux clients, et mon salaire est devenu raisonnable ; j'ai engagé une adjointe, allégé mes tâches, et j'ai pu me permettre de prendre ces vacances. Et j'ai convaincu Gabriel d'en prendre aussi.

Les agents de bord nous accueillent dans l'appareil, et nous prenons place dans nos sièges. Gabriel me propose le hublot. Je le remercie en lui lançant un regard plein de reconnaissance et il range nos sacs dans le compartiment à bagages.

Règles de sécurité d'usage. Bouclage de ceinture. Fermeture d'appareils électroniques. Sentiment très intense qu'une catastrophe incroyable se produira. Décollage. Deuxième sentiment très intense qu'une catastrophe incroyable se produira. Pilote qui nous salue dans un interphone qui émet tellement de friture qu'on ne saisit aucun mot. Troisième sentiment très intense qu'une catastrophe incroyable se produira. Impression d'être dans des montagnes russes. Stabilisation de l'appareil. Extinction des consignes lumineuses. Rallumage d'appareils électroniques. Premier sentiment de sécurité en regardant les nuages.

La dernière fois que j'ai pris l'avion, je sortais avec Jason Tessier, un chanteur populaire. En fait, il l'est devenu pendant que nous étions ensemble. Je l'avais rencontré à mon travail, j'étais relationniste adjointe dans une grosse boîte de relations de presse. Je montais les dossiers de presse, faisais les clippings, les suivis pour les télés, les pitchs dans les médias communautaires... Peu à peu, je faisais ma place. Mais ma *boss,* Hélène Melançon, agissait en tyran. Je me souviens qu'elle m'a déjà passé ce commentaire: « Quand tu travailles, tu n'es pas assez souriante. » Je n'avais pas compris. Il me semblait avoir toujours été souriante avec les clients, très sociable, comme toute relationniste de presse qui se respecte. Elle avait précisé qu'elle n'avait pas à se plaindre de mon humeur avec les clients, mais lorsque j'étais à mon poste de travail. Donc, selon elle, lorsque j'écrivais un communiqué de presse à l'ordinateur, j'aurais dû afficher un sourire de top modèle pour ne pas gâcher l'ambiance de travail dans la compagnie. J'avais regardé autour de moi si mes collègues écrivaient en souriant. Et personne ne sourit devant un écran d'ordinateur. (Bon, j'admets qu'à regarder sur mon passeport, si j'ai ce visage lorsque je ne souris pas, ça fait peur, mais il me semblait que ce commentaire était déplacé si ça n'affectait pas la qualité de mon travail.)

Jason et moi avions fait faire notre passeport en même temps, car nous devions aller tourner un de ses clips au Mexique et j'étais en charge de coordonner la promo là-bas. C'est d'ailleurs pendant ce voyage que notre relation a débuté. Une relation tordue et difficile qui a donné naissance à une chanson intitulée *Le courage du naufrage*. Maintenant, chaque fois que je l'entends à la radio, je change de poste.

À mon retour de ce voyage, Hélène m'a lancé: « Tu es naïve et débutante! » parce que je n'avais pas apporté assez d'albums et que ça avait nui au passage de Jason dans une radio mexicaine, que je ne m'étais apparemment pas assez bien occupée du réalisateur, qui s'était plaint de mon travail et qui aurait préféré être accompagné d'une coordonnatrice plus expérimentée. Ce qu'il avait omis de dire, c'était que j'avais repoussé toutes ses avances. Me reprochait-on mes erreurs ou de ne pas avoir satisfait les attentes d'un pervers ? Je n'avais pas osé me défendre avec cet argument. Bref, mes journées étaient constamment alourdies par des commentaires démotivants de ma *boss*. J'aurais bien aimé me venger en écrivant une version québécoise du *Diable s'habille en Prada*. Dans son cas, par contre, ç'aurait été davantage *Le Diable s'habille mal,* car elle n'avait aucun goût vestimentaire. Mais oui, je le confirme. J'étais naïve et débutante. Je faisais des erreurs de novice. En amour, autant que dans mon travail. Comme ne pas apporter assez de CD dans un voyage de promo. Comme ne pas réagir si mon chum me disait qu'il s'était fait offrir une pipe dans sa loge par une groupie. Comme oublier de dire à un journaliste qu'il y avait un embargo pour la critique d'un disque. Comme m'excuser à mon chum de lui avoir fait une scène parce qu'il préférait aller prendre un verre avec son guitariste au retour de sa tournée plutôt que de me voir. Comme omettre de dire à une chanteuse qu'elle ne devrait pas révéler qu'elle est enceinte à son deuxième mois pour ne pas que les journaux s'emparent de la nouvelle et qu'on ait du *damage control* à faire si elle perd son bébé. Comme répondre « je comprends » quand mon chum me disait qu'il préférait aller tout seul à Paris pour enregistrer une chanson parce qu'il avait peur d'avoir à s'occuper de moi alors qu'il allait être stressé et que, de toute façon, lorsqu'il serait une grande vedette là-bas, on vivrait là six mois par année, ensemble. Naïve et débutante. J'avais encaissé l'insulte, parce que je savais au fond de moi qu'elle était justifiée. J'ai même essayé d'être plus souriante à mon ordinateur en écoutant de la musique, mais elle m'a dit que ça gâchait l'ambiance que quelqu'un soit devant son ordinateur avec des écouteurs. Aucun moyen de m'en sortir. J'ai quitté la boîte quand elle m'a porté le coup fatal. Elle m'a dit que j'avais deux semaines pour trouver un gros client, pour lui prouver que j'étais un atout dans la compagnie. Que je ne pouvais prouver que j'étais une bonne relationniste de presse seulement en écrivant des communiqués et «en faisant la belle dans les partys pour me pogner ses clients».

J'ai passé la nuit suivante à réfléchir.

Et j'ai eu une illumination: fonder ma propre compagnie de relations de presse. Si j'étais capable de trouver un gros client pour Hélène Melançon, je le serais pour moi. J'ai remis ma démission le lendemain. J'ai ensuite laissé Jason en lui suggérant de baiser avec toutes les groupies qu'il voulait de ce côté et de l'autre de l'Atlantique.

J'avais vingt-six ans.

J'ai fait plusieurs sacrifices pour fonder ma compagnie de relations de presse, Sarah Dufour Communications (pas très original, mais efficace). Et j'ai par la suite rencontré Gabriel Bédard, un gars très différent de Jason, qui m'a tout de suite fait vibrer parce qu'on partageait les mêmes rêves, la même vision de la vie, et qu'on s'encourageait mutuellement dans la poursuite de nos buts.

Je me suis donné deux ans pour tenter de réussir à mettre ça sur pied et trouver assez de clients pour être indépendante. J'ai décidé de me diversifier, de ne pas faire seulement des relations de presse dans le milieu artistique, mais aussi du côté du voyage, de l'alimentation, de la restauration, d'événements spéciaux. Ça a été énormément de travail. De temps. Mais à trente ans, j'avais assez de clients pour gagner un salaire satisfaisant.

De son côté, Gabriel travaillait en pub dans le but de devenir un directeur de création respecté, responsable de comptes importants. Il cherchait à se démarquer en prenant le plus de contrats possible avec l'ambition de gagner des prix et, ainsi, à devenir une référence dans le domaine et à être pris comme associé dans une grosse boîte.

Pendant toutes ces années, nous n'avons pu faire aucun voyage. Mais on se disait qu'on investissait dans notre avenir.

Je range mon passeport en pensant qu'il faudra que je m'en fasse faire un autre bientôt. Pour le prochain, je vais essayer de m'arranger et de pratiquer un semi-sourire pour avoir l'air moins bête. Puis je sors de mon sac la brochure qui nous a été envoyée lorsqu'on a réservé notre voyage en ligne.

Bien calée dans mon siège en écoutant de la musique, je contemple le document bleu indigo de Disney. Il y a le château de Cendrillon et la Fée Clochette qui donne un coup de baguette qui fait apparaître une centaine d'étoiles scintillantes, sous lesquelles quelques mascottes à l'air dynamique nous envoient la main. « *Walt Disney World, where dreams come true* », annonce la brochure. Je me tourne vers le hublot et je pense à mes rêves. Quels sont-ils ? J'ai tout ce que je désire. Une carrière qui me permet de bien gagner ma vie, des amis merveilleux, un chum formidable. J'aimerais avoir des enfants avec Gabriel. J'ai trente et un an. Ça fait cinq ans que nous sommes ensemble. Cinq ans qu'on travaille comme des fous. Et on commence à voir le bout du tunnel. On commence à avoir des salaires raisonnables. Ça me semble être le cours naturel des choses. Je me tourne vers lui et lance :

— Un jour, nous irons à Disney avec nos enfants.

Il me prend la main et sourit. Je l'embrasse. Il a eu une bonne idée de nous faire retomber en enfance comme ça. Oh ! C'est peut-être pour ça qu'il voulait qu'on aille là ! Tellement romantique ! M'annoncer qu'il veut qu'on fonde une famille à Disney ! Quelle histoire à raconter à nos enfants ! Je leur dirai : « Un soir, votre père m'a emmenée manger au resto du château de Cendrillon et il m'a annoncé, en prenant une noix de beurre en forme de Mickey qu'il a étendue sur son pain, qu'il voulait fonder une famille. » Parce qu'après avoir tout misé sur nos carrières, nous sommes rendus là. Le *timing* est parfait !

WHERE DREAMS COME TRUE

C'est encore plus magique que ce que j'avais imaginé ! Impossible de ne pas retomber en enfance aussitôt qu'on met les pieds ici. La joie de vivre des gens qui y travaillent, les parcs tout propres, les attractions qui vous en mettent plein la vue. Chaque moment est une expérience programmée pour vous mettre un sourire dans le visage. J'ai d'ailleurs tellement souri depuis que je suis ici que j'ai de nouveaux muscles dans les joues.

Seul petit problème : les files d'attente sont interminables. Tout est pensé pour que ça ne paraisse pas trop long. La file d'attente fait partie de l'aventure à chaque attraction. Car on y explique sa fabrication ou on y expose des objets ayant servi à l'inspiration, etc. N'empêche que c'est long. Nous attendons présentement pour l'Everest à Animal Kingdom et j'ai chaud. Je découvre des endroits sur mon corps où je ne m'imaginais même pas que je pouvais transpirer. Je suffoque. Je fabrique un éventail de fortune avec la carte du parc et je fais un peu de vent devant mon visage en me tournant vers Gabriel, qui lit un article sur les explorateurs de l'Everest. Je lui demande :

— Pis, qu'est-ce qu'ils disent ?

— Ben, lis.

— J'ai tellement chaud ! On dirait que mon cerveau ne fonctionne plus.

— Ils parlent un peu de l'histoire. Des premiers explorateurs. Vraiment intéressant. Je crois que j'aimerais ça escalader l'Everest un jour.

— Oh on pourrait faire ça ensemble !

— Si ça te tente. C'est pas quelque chose qui s'impose. C'est dangereux. Ça demande beaucoup d'entraînement. Pas sûr que tu tripperais.

Je continue de secouer la carte du parc qui commence à se décolorer dans mes mains. Quelle idée de venir en Floride en juillet ! Gabriel reste concentré sur sa lecture, les yeux fixés sur un panneau. Une petite fille déguisée en princesse passe entre mes jambes et ça me fait sourire. Sa mère s'excuse en italien.

— Gabriel, on est venus ici pour passer du temps ensemble, on pourrait parler un peu pendant qu'on attend ?

Il se tourne vers moi.

— De quoi tu veux qu'on parle ?

— J'sais pas, de n'importe quoi ! Qu'est-ce que tu lisais ?

— Ben... je viens de te le dire.

— Oh ! Je sais ce qui peut être le fun ! On se pose des questions impossibles. Genre... Qu'est-ce que tu ferais si tu apprenais que la terre va exploser demain ?

— Oh... c'est fatigant, ça.

— Allez ! Joue ! C'est drôle !

— Ok. Je sais pas... Un trip à trois.

— Un trip à trois ? Mais c'est ta dernière journée sur terre !

— C'est un de mes fantasmes. Je l'ai jamais réalisé. J'aimerais ça le réaliser avant que la terre explose. Qu'est-ce que tu ferais, toi ?

— Ben, je voudrais être avec toi ! Franchement, ce sont mes dernières vingt-quatre heures sur terre...

— Tu pourrais être là au trip à trois. Ça te tenterait pas ? Une nouvelle expérience avant que la terre explose ?

Il y a environ deux ans, Gabriel a eu un malaise cardiaque. Nous sommes tout de suite allés à l'urgence. Lorsque la médecin est entrée, nous avons tous les deux figé. Une belle fille du genre mannequin, blonde, fin vingtaine, avec une queue de cheval qui rebondit style monitrice de camp de vacances, un pantalon noir ajusté, un chandail qui découvrait ses épaules, des sandales à talons hauts rose fuchsia et les orteils pédicurés. Très belle. Très sexy. Pas de sarrau. Pas l'image qu'on se fait d'un médecin hors série télé. Je lui ai demandé :

— Vous êtes médecin ?

Elle a dit oui. Je lui ai lancé, incapable de m'en empêcher :

— Vous êtes vraiment sexy !

— Sexy ?

Je l'ai regardée d'un air entendu en me demandant comment une fille peut se mettre du vernis à ongles, des petites sandales à talons hauts roses, des pantalons noirs serrés aux fesses et un décolleté plongeant et penser qu'elle fait « madame Sciences pures » ! Bien sûr, j'ai fait les relations de presse d'assez de jeunes chanteuses pour savoir qu'on ne choisit pas son habillement pour être « sexy », mais qu'il s'agit bien « d'un choix personnel et qu'il ne faut pas juger ou condamner quelqu'un selon son apparence, ni se baser là-dessus pour faire de la personne un objet d'admiration, mais se concentrer sur les compétences et blabla », mais n'empêche, je ne pouvais m'imaginer ce que ça devait être de passer sa journée debout dans un hôpital avec des talons hauts. Juste une soirée et j'ai mal au dos. Comme elle semblait offusquée par mon commentaire, j'ai ajouté :

— Euh... c'était un compliment.

Ensuite, quand elle a examiné Gabriel, lui palpant la poitrine et lui flattant (selon mon point de vue) le ventre, j'ai pensé : « Ah ben, ça aurait l'air de ça, un trip à trois. » Et, comme je lui aurais fait un garrot à la gorge avec son tube à transfusion et que je lui aurais crevé un œil avec ses talons, j'ai pensé que cette expérience n'était vraiment pas pour moi.

Je regarde Gabriel qui attend ma réponse et je répète :

— Moi, je voudrais passer mes dernières heures avec toi, je suis déçue de voir que tu voudrais faire un trip à trois.

— Un *threesome,* ça dure pas toute la journée. L'autre fille peut venir faire ça et s'en aller après, et ensuite je pourrais passer une super belle journée avec toi.

— Oui, mais l'autre fille, ce serait sa dernière journée aussi, et elle accepterait de venir faire la figurante avec un couple ?

— Toi et moi serions peut-être les deux seules personnes sur terre à savoir qu'elle va exploser.

— Pis on ne lui dirait pas ? Ça me semble assez insensible de l'utiliser pour un fantasme sans l'informer que ce serait la dernière chose qu'elle ferait avant que la terre explose. Et d'ailleurs, si on était les seules personnes sur terre à savoir qu'elle va exploser, on ne devrait pas organiser un point de presse pour l'annoncer ? D'ailleurs, comment on l'aurait su ?

— Peut-être que je serais sismographe et que j'aurais découvert un *pattern* dans les tremblements de terre qui pointerait vers un séisme imminent.

— Mais t'es pas sismographe.

— Hostie, c'est une affaire hypothétique que tu as toi-même inventé, Sarah ! Je ne suis pas sismographe, et la terre ne va pas exploser non plus !

— *Anyway,* tu ferais un trip à trois pis tu ne monterais pas l'Everest avec moi !

— Argh… je ne suis plus capable !

— Ok, on change de sujet.

— Non, je parle de nous deux.

UNE AUTRE VERSION DU CONTE DE FÉES

« Il était une fois (on ne sait pas quand, mais dans ce temps-là, la précision importait peu car les auteurs ne disaient jamais une date précise dans leurs histoires) une belle princesse (comme c'était à l'époque médiévale, elle devait être pleine de points noirs à cause de la poussière, ne jamais prendre sa douche puisque la douche n'avait pas été inventée et faire ses besoins à même sa crinoline. Donc, beauté relative...), qui est tombée en amour avec un prince. On ne sait jamais vraiment pourquoi, puisque souvent, le prince n'arrive que vers la fin de l'histoire, juste à temps pour le mariage. En plus, ils avaient entre seize et dix-huit ans, donc il est possible qu'ils confondaient amour et crise hormonale.

« Alors, pourquoi se retrouvaient-ils ensemble ? Souvent, c'était parce que lui était prince (le groupiisme existait, même à cette époque) et que la princesse était bonne pour faire le ménage, qu'elle avait les cheveux longs, qu'elle avait la bonne taille de pieds, qu'elle était capable de détecter un pois sous une pile de matelas ou qu'elle se droguait aux pommes injectées de substances illicites. Et les contes se terminaient par "Ils vécurent heureux et eurent beaucoup d'enfants" ?

« *Bullshit !*

« Cendrillon et son prince n'ont pas du tout vécu heureux ! Ils ne se connaissaient pas, n'avaient rien fait pour connecter. Je suis sûre qu'à cause d'un crash boursier, le prince a fait faillite. Cendrillon a dû reprendre son seau d'eau et sa serpillière. Au fil des années, à force de faire du ménage, elle a commencé à faire de la corne sur les doigts et à avoir des cors aux pieds. Son mari étant toujours à la taverne, personne n'avait beaucoup de temps à consacrer à leurs enfants qui ont fini drogués à la bave de dragon, et au lieu de chanter : "Un jour mon prince viendra", Cendrillon nettoyait le plancher à grands coups de rage. En plus, comme il était tombé amoureux d'elle principalement pour ses pieds, il a commencé à se confier à ses comparses de taverne sur la qualité détériorée du pédicure de sa femme et il a sauté la clôture avec une de ses sœurs, car, le quotidien tuant le couple, il s'est mis à rêvasser à ce qu'aurait pu être sa vie s'il n'avait pas été obnubilé par sa quête de la femme à la chaussure de vair, qui évidemment, après le mariage, a perdu tout son charme et son mystère. Après leur divorce, comme elle avait développé des techniques de nettoyage assez pointues, elle a parti son commerce, fait fortune, et obtenu la garde des enfants en prouvant au juge que son mari était alcoolique et incompétent pour l'éducation. Celui-ci a perdu son permis d'équitation et milite maintenant pour les droits des princes à la garde partagée des enfants.»

Je suis saoule. Du moins, c'est que m'a dit l'employé de Disney World qui m'a gentiment traînée du château de Cendrillon jusqu'à l'autobus me conduisant à mon hôtel lorsque je lui ai raconté ma version des *happy ends* et que j'en étais rendue à la conclusion, c'est-à-dire: «Faque les châteaux avec les feux d'artifice pis toute, c'est de la grosse marde!» Semble-t-il que je faisais peur aux enfants.

Quand je suis montée, chancelante, dans l'autobus, le chauffeur m'a accueillie avec un grand sourire scintillant en me disant: «*Have a magical night!*»

Si je me rappelle bien (c'est un peu flou), j'ai tenté de lui donner un coup de poing dans la face, mais j'ai visé à côté, je suis tombée sur lui et j'ai vomi à ses pieds.

Hoquet.

LE GRAND DÉPART

— Je t'avais dit de ne pas aller à Disney. Gang de morons!

Anik crie presque. Puis, elle range un chandelier dans une boîte.

— C'est pas à cause de Disney, franchement!

Je reprends le chandelier et je l'emballe dans une serviette pour ne pas qu'il casse les assiettes placées en dessous.

— Si tu reprends tout ce que je fais, ça va nous prendre trois ans à faire ces boîtes-là.

Anik Simard, ma meilleure amie, est venue m'aider. Nous nous sommes rencontrées à l'université, dans le cours d'audio, pendant le bac en communication. Nous devions réaliser un projet en équipe, nous étions par hasard assises une à côté de l'autre et nous ne nous sommes jamais quittées depuis. Anik a été recherchiste un an, a fait une dépression, est allée en Belgique, a rencontré une chocolatière, Viviane Bastien, a pris des cours avec elle, en est tombée amoureuse, l'a ramenée au Québec, et elles ont ouvert ensemble une chocolaterie. Anik a voulu un enfant, Viviane l'a accompagnée dans ses démarches en clinique de fertilité et trois mois après la naissance de Romy, Viviane l'a quittée pour un homme et est retournée en Belgique. Anik a racheté ses parts et dirige maintenant seule ce commerce. Ça n'a pas été de tout repos avec un enfant en bas âge, mais elle a pu compter sur ses parents pour l'aider. Romy a un an aujourd'hui, et mon amie est encore amère de cette rupture. Lorsque je lui ai annoncé que c'était terminé avec Gabriel, elle n'a presque pas sourcillé et m'a simplement offert son aide pour mon déménagement. Comme si c'était inévitable. La chose la plus normale du monde. Cette relation a fait d'elle une personne cynique, même si elle ne l'admettra jamais. Elle dit toujours que sa rupture lui a fait réaliser qu'elle pouvait très bien se débrouiller seule, et que c'était très bien ainsi. Et que j'aurai cette même révélation maintenant que je ne suis plus avec cette grosse larve (ses mots) de Gabriel.

J'ai passé le reste du voyage à dormir sur le bord de la piscine de notre hôtel et Gabriel est allé faire les attractions qui l'intéressaient. Il n'arrêtait pas de dire qu'on pourrait en reparler à notre retour. Qu'il voulait m'expliquer. Qu'il sentait qu'il avait encore plusieurs expériences à vivre avant de fonder une famille. Il a dit qu'il avait besoin d'aventures sexuelles *wild*. Qu'avec moi, c'était devenu plate. Le genre de monologue que j'aurais pu entendre dans un film sur les difficultés d'être un homme moderne qui s'ennuie dans son couple. Alors que de mon côté, je croyais qu'on travaillait pour un rêve de vie commun et que même si nos occupations nous éloignaient, l'amour nous tenait ensemble et on se retrouverait à destination.

En repensant à tout ça, je prends un paquet de cartes de souhaits déposées dans la bibliothèque que Gabriel tient à conserver. J'attrape un crayon et je raye le nom de Gabriel agressivement. Anik me regarde et demande :

— Qu'est-ce que tu fais ?

— Je raye le nom de Gabriel des cartes que je veux garder.

— Pourquoi tu voudrais garder ça ?

Elle me prend le paquet des mains et le met au recyclage. Elle me pointe ensuite une rangée de livres. Je dis :

— Emballe tout !

Puis, elle me montre une boîte pleine de magazines et me demande ce que je veux faire avec ça.

— Oh, cette boîte-là est complète, on peut la fermer.

— Un paquet de magazines ?

— C'est une collection.

— Jette-moi ça. Ton nouvel appartement est grand comme ma main !

— Mais tu ne comprends pas, j'ai le premier numéro du *Elle Québec*, le PREMIER ! Un collectionneur pourrait m'en donner très cher !

— Recyclage. Repars en neuf.

— Tu sauras que ma collection, c'est une véritable encyclopédie !

— Une encyclopédie ?

— Mais oui ! Si je veux savoir comment s'habillaient les filles en août 1991, j'ouvre mon *Elle Québec* d'août 1991. Si je veux savoir ce que les femmes pensaient de l'infidélité en septembre 1997, j'ouvre le *Elle* de septembre 1997. Ça peut aussi servir d'inspiration quand je cherche des idées pour des campagnes de promo !

Je me demande si ce n'est pas dans un de ces magazines que j'avais lu un article intitulé « La fellation est-elle réellement une infidélité ? » ou quelque chose comme ça, où on expliquait les différentes zones d'infidélité en montrant que certaines étaient plus acceptables que d'autres. Par la suite, j'avais accepté que Jason se laisse faire des fellations après ses spectacles.

Mon amie me regarde. Je la regarde.

— T'as raison, je jette tout ça.

LA CLÉ

Mon nouveau bail est signé. L'appartement est libre et je pourrai déménager dans quelques jours. Je ne change pas de quartier mais je me rapproche de chez Anik. Ma mère est venue avec moi à la signature du bail. J'étais contente parce que j'aurais pu me désister à la dernière minute. Reculer. Penser que j'allais trouver mieux. Juste une raison que je me serais donnée pour rester avec Gabriel encore un peu. Ce qui n'aurait pas été une bonne idée. Cet appart (le nouvel appart), il est vraiment chouette et je vais être bien dedans.

Quand je suis rentrée chez moi (chez moi et Gabriel), j'avais oublié ma clé. Je la voyais par la fenêtre, sur le porte-clés près de la porte. Je n'oublie jamais mes clés. Et là, je venais d'aller signer un nouveau bail et je suis revenue et je ne pouvais entrer. Comme si ce n'était déjà plus chez moi. Ma mère et moi sommes restées devant la porte, sous la pluie, à rire comme des folles de cette situation embarrassante, puis je me suis mise à pleurer. Elle m'a prise dans ses bras, sans dire un mot, tout en tentant de nous protéger avec le parapluie. J'ai été obligée d'appeler Gabriel, qui dort chez un ami depuis deux semaines. J'ai repris un peu mes esprits avant qu'il arrive. Quand je l'ai vu, j'ai imaginé tout ce que ne serait jamais notre vie, celle dont je rêvais encore avant notre voyage. Des enfants, des voyages, un mariage peut-être, et vieillir ensemble…

Gabriel a ouvert la porte. Ma mère nous a quittés en lui lançant des regards agressifs, ce que j'aurais préféré qu'elle s'abstienne de faire.

Alors, je suis entrée dans mon futur-ancien-appart. Celui que je croyais quitter un jour pour une maison. Une maison qui aurait accueilli une famille. Je ne croyais pas partir d'ici pour un appartement de fille célibataire, trop petit pour accueillir ni famille, ni personne. Juste moi. Et mon ordi. Et peut-être quelques produits pour le bain parce que la salle de bain est assez grande pour que je puisse y accumuler des produits que je vais acheter juste parce que ça sent bon et que sur le coup, acheter quelque chose qui sent bon me fera oublier le reste.

On a enlevé nos manteaux mouillés. Puis, Gabriel m'a regardée longuement, a commencé à pleurer et s'est assis dans le salon en se prenant la tête dans les mains et en disant:

— Je veux qu'on parle.

J'ai pris place à côté de lui sur le divan et j'ai eu droit à un semblant d'explication. On travaillait trop. Moi, j'étais dans mes premières et lancements le soir, et lui faisait de longues heures pour ses contrats de pub et du réseautage pour rencontrer des clients. À travers tout ça, il avait besoin de se changer les idées. Aucune série télé ne captait son attention. Il m'a parlé de Facebook. Trouvant que ça consommait beaucoup de temps, j'avais perdu l'intérêt d'y aller environ deux semaines après m'être inscrite et j'avais fermé mon compte. Pas lui. Il s'y est accroché. Puis, une fille est apparue dans la section «*People you may know*». L'amie d'un ami d'un ami. Elle l'a *poké*. Il l'a «*pokée back*» (ses mots). Ils ont commencé à s'écrire. Il est devenu un peu accro à cet échange qu'il ne voyait pas comme une menace à notre couple, mais plutôt comme un divertissement. Peu à peu, les échanges par courriel ne leur procuraient plus le même effet qu'au début. Ils ont commencé à s'envoyer des textos. Puis à se téléphoner. Puis à se voir. Il jure qu'il ne m'a pas trompée. Mais que ça lui a fait remettre notre relation en question...

Je ne cesse de penser à cette situation où Jason m'avait parlé de la fellation qu'il avait eue d'une groupie. Il revenait d'un show à Sherbrooke quand il m'avait raconté ça comme si de rien n'était. C'était la rançon de la gloire, disait-il. Il semblait surpris que je sois fâchée. Je ne devrais pas plutôt être fière d'être celle avec qui il choisit de dormir? Je devais me montrer ouverte à la vie de rock star qu'il avait choisi de mener, l'accepter comme il était. Et j'avais trouvé l'article qui posait la question : « La fellation est-elle réellement une infidélité ? » où on expliquait les différentes infidélités. J'avais accepté que mon chum, une fois de temps en temps, reçoive ce don incroyablement généreux de groupies en pâmoison. Et maintenant, je me demande : est-ce qu'être accro à une conversation quotidienne avec quelqu'un est une infidélité ? Est-ce qu'un article de magazine féminin dira un jour que c'est tout à fait acceptable ? Ma tête tourne. Est-ce vraiment une explication convenable sur la fin de nous ? J'aurais aimé que la discussion me permette un peu plus de comprendre pourquoi cette rupture, pourquoi nos vacances gâchées, pourquoi ce déménagement. Mais rien n'a de sens. Je ne reconnais plus du tout le gars qui se trouve en face de moi. J'ai l'impression de me retrouver devant un étranger. Un étranger pour qui j'ai un jugement absolument condescendant. Facebook ? *Poke* ? Texto ?

— C'est pas comme si je t'aimais plus, je suis mêlé. Va-t'en pas. On va s'arranger. On va régler ça. On va passer par-dessus.

J'ai un mouvement de recul et un sentiment de colère me submerge.

— « Va-t'en pas » ? Mais pourquoi tu me dis ça maintenant, alors que mon bail est signé et que mes boîtes sont toutes faites ?

— Je sais pas. Je suis visuel.

Rupture amoureuse: 31 ans.
Peine d'amour, si on juge que ça doit durer la moitié de ma relation: 2 ans et demi. 33 ans et demi.
Chum de transition: 6 mois. 34 ans.
Peine d'amour de chum de transition: 3 mois.
Recherche intensive de l'homme de ma vie: 1 an. 35 ans.
Chum/passion torride: 1 an. 36 ans.
Déception amoureuse à la suite de ma passion torride: 6 mois. 36 ans et demi.
Phase durant laquelle je penserai que tous les hommes sont nuls: 6 mois. 37 ans.
Recherche intensive de l'homme de ma vie: 3 mois (il y a quelques erreurs que je ne commettrai plus).
Homme de ma vie: Relation d'un minimum de 2 ans avant de penser fonder une famille, question de ne pas aller trop vite en affaires, d'apprendre à nous connaître, de se bâtir des souvenirs communs que nous pourrons raconter à nos enfants. Donc, je tombe enceinte à 39 ans et j'ai mon premier enfant à 40 ans. Si ça fonctionne tout de suite parce qu'à cet âge-là, j'ai entendu dire qu'on est moins fertile.

Bref, pas de temps à perdre. Je n'ai aucun temps à consacrer à ma peine d'amour de Gabriel. Ni à un chum de transition. Ni à une passion torride. Ni à une phase durant laquelle je penserai que tous les hommes sont nuls. Il faut savoir faire des choix. Je passe tout de suite à l'homme de ma vie/père de mes futurs enfants. Et pas le temps d'attendre que Gabriel ne soit plus mêlé si je ne veux pas avoir quarante ans quand je vais fonder une famille.

Je tapote mon bureau avec mon index en fixant l'écran de mon ordinateur. Pleurer sur mon triste sort, très peu pour moi ! Déjà que mon horaire était trop chargé pour un déménagement et que je me suis tapé ça toute la fin de semaine ! Je n'ai pas de temps à perdre. Je dois regarder en avant. Je clique sur quelques dossiers ouverts. Je devrais appeler tel ou tel journaliste pour lui proposer tel ou tel artiste émergent, ou travailler sur ce nouveau compte, celui d'une compagnie de voyages à rabais qui cherche à obtenir une notoriété, mais je repousse mes tâches depuis une heure. J'en suis à mon deuxième café et ça n'a aucun effet sur ma productivité.

Je décide de me réinscrire à Facebook. Tout est encore là, intact, comme si je n'avais jamais quitté le réseau social. Je vais immédiatement consulter la page de Gabriel. Son statut : « A perdu la tête ». Hum... Je me demande s'il dit ça parce qu'il regrette d'avoir causé notre rupture où s'il a perdu la tête pour une autre fille, comme celle dont il me parlait, par exemple. Je consulte la liste de ses amis pour voir si je ne découvrirais pas qui est la fille en question. Les noms défilent devant mes yeux. Comment pourrais-je trouver qui est cette fille parmi cent seize amis ?

Il faudrait que j'écrive un statut qui signifie que je vais très bien et que ma vie dans mon nouvel appartement est absolument grandiose. Ainsi, si Gabriel consulte ma page, il verra à quel point je ne me morfonds pas en son absence. Que je suis très bien capable de vivre sans lui. Devrais-je trouver une citation célèbre ou composer quelque chose de mon cru ?

Je clique sur un sondage sur Montréal. Bon, ça ne me retardera pas trop d'y répondre.

Meilleurs bars pour draguer ?

La drague, ça n'a jamais été mon fort. En tant que nouvelle célibataire, ça m'angoisse un peu. Ma technique de séduction se limitait jusqu'à tout récemment à dire à mon chum, vautré dans son linge mou: «Mon amour, ça te tente-tu?» Je comprends qu'il ait pu trouver ça plate... En même temps, que faisait-il de plus de son côté pour pimenter à part aller voir ailleurs?

Les cafés trippants (et/ou ceux qui offrent du café équitable)?

Euh... Je sais qu'il y a un gros snobisme par rapport au café et tout, mais (et je ne l'avouerai jamais publiquement) un café c'est un café, non?

Où peut-on fumer la shisha?

C'est quoi, la shisha? Mon Dieu! Je ne suis plus du tout à jour dans les tendances. Pourtant, ma job devrait me permettre d'en être à l'affût.

Les meilleurs restos de cuisine du monde?

Le St-Hubert, ça compte? Quand on fait des sacrifices parce qu'on met toutes nos économies pour monter une entreprise, c'est ce qu'on peut se payer. En plus, ils offrent une brochette thaïlandaise, et des fajitas, donc de la bouffe internationale... (Bon, j'avoue que là, j'exagère juste un peu.)

Je sursaute au son de mon téléphone. C'est Anik. Elle veut savoir comment je vais après mon premier week-end dans mon nouvel appartement. Samedi, elle est venue m'aider à défaire mes boîtes, à assembler mes nouveaux meubles et à ranger mes choses. Si elle n'avait pas été là, je crois que les boîtes seraient encore fermées et qu'on m'aurait internée, seule issue envisageable d'après moi, après que j'ai lu les instructions pour assembler les meubles. Je n'aime pas faire partie de ces gens clichés qui trouvent que ce genre d'instructions est du chinois, mais voilà, je semble faire partie de la norme.

— Oui, ça va. La chambre est un peu bruyante, mais je vais m'habituer.

— Mets des bouchons. T'as aimé le chocolat à la cardamome?

— J'en achèterais une caisse.

— Merci. Je vais essayer de le vendre aujourd'hui.

— N'oublie pas, souris et essaie de parler des côtés positifs du produit.

Parfois, Anik est assez expéditive. Exaspérée que des clients (au moins un par semaine) lui demandent le secret de la Caramilk, elle a un jour répondu :

— C't'un moule, crisse ! Un moule !

Ce qui, bien sûr, a fait fuir le client qui n'a plus jamais remis les pieds dans la boutique. Heureusement, son commerce va très bien. À ses débuts, je lui ai fait une superbe campagne de relations de presse et son histoire, la recherchiste en dépression qui part en Belgique et se découvre une nouvelle passion (nous avons d'un commun accord conclu qu'il n'était pas nécessaire qu'elle parle de sa relation amoureuse qui a mal tourné avec la chocolatière), a charmé tout le monde. Un journaliste super sympathique a accepté de raconter son parcours dans une de ses chroniques en échange d'une entrevue exclusive avec un client-vedette de l'agence. Depuis cet article, je reçois souvent des demandes d'entrevues pour elle. Anik a acquis une belle crédibilité dans son domaine. En plus, je dois avouer qu'avoir une amie qui peut vous fournir du chocolat de grande qualité dans des moments comme celui que je vis, c'est assez pratique.

— Anik, si sur Facebook Gabriel a écrit dans son statut qu'il « perd la tête », tu crois que ça veut dire qu'il est triste à cause de nous deux ou qu'il vit un coup de foudre intense ?

— *Fuck* Facebook.

Daphnée, mon adjointe, entre dans mon bureau à ce moment et me demande si elle peut me parler. Je raccroche avec Anik, et Daphnée s'assoit avec un air mi-solennel, mi-nerveux.

— J'ai eu une offre d'emploi dans une grosse boîte de relations publiques. Je m'occuperais de gros comptes, voitures, champagne. Ce n'est pas seulement des relations de presse, c'est l'image du produit, c'est...

— Des heures de fou.

— Je suis désolée...

— C'est une offre que tu ne peux pas refuser. Je ne peux pas l'accoter. Et je suis certaine que tu seras magnifique.

Magnifique? Le terme est un peu fort. Mais je ne voulais pas lui montrer la boule qui m'est montée dans la gorge devant cette impression que tout s'écroule autour de moi.

Je la serre dans mes bras. Et elle sort de mon bureau en me promettant que sa dernière semaine sera ultra-productive et qu'elle mettra ses dossiers à jour. Daphnée est extraordinaire. Lui faire miroiter que je pourrais lui offrir plus ne serait pas honnête. Je ne peux que la laisser aller, même si me passer d'elle et trouver quelqu'un d'aussi efficace pour la remplacer sera vraiment difficile.

J'ouvre le compte des voyages à rabais. J'en aurais tellement besoin que ça va sûrement m'inspirer des idées de génie. Je clique sur le document et je lis le travail que j'ai déjà fait. Puis, je retourne à nouveau sur Facebook, sur la page de Gabriel. Je me demande ce qu'il fait en ce moment. Son statut n'a pas changé. Bon, pas étonnant, ça fait à peine dix minutes qu'il l'a publié. Je continue de penser à ce que je pourrais écrire qui laisserait croire que, depuis que j'habite dans mon nouvel appartement, la vie est absolument palpitante et que je ne me morfonds pas ou même que j'ai commencé à fumer la shish-machin.

Le téléphone sonne encore. Il faudrait sérieusement que je trouve une nouvelle sonnerie car celle-ci m'agresse. Je réponds:

— Sarah Dufour.

Je ne sais pas pourquoi j'ai commencé à répondre au téléphone en disant mon nom. C'est une habitude à laquelle je ne voudrais pas m'accrocher. Ça m'énerve.

— Bonjour, avez-vous cinq minutes pour répondre à un sondage sur la consommation ?

— Non.

— Ça ne prendra que cinq minutes.

— Je sais, vous me l'avez déjà dit et j'ai dit non.

— Ça ne prendra que quelques minutes de votre temps.

Si je réponds à un sondage sur Facebook, je peux peut-être faire un effort pour ce jeune homme qui tente comme tout le monde de gagner sa vie et qui doit être payé au nombre de sondages qu'il fait par jour. Je prends une grande inspiration et j'expire.

— Bon, ok.

— Quel âge avez-vous ?

— Trente et un ans.

— Donc, entre vingt-neuf et trente-six ans.

— Quel sens de la déduction.

— Dans les six derniers mois, avez-vous travaillé pour une entreprise œuvrant dans le domaine de la publicité ?

— Hum... Relations publiques, ça compte ?

— Euh ! C'est juste écrit « publicité », ça doit être correct. Quel est votre statut social ? Célibataire ? Mariée ? Divorcée ?

— C'est quoi le rapport avec le sondage ?

— Nous dressons votre portrait pour voir si cela cadre avec ce qu'on veut savoir.

— Ce n'est pas de vos affaires !

— C'est pour le sondage. C'est seulement pour dresser votre profil pour savoir si vous êtes admissible au sondage.

— Vous m'avez appelée, vous avez insisté et je vous ai dit oui, si ça ne me rend pas « admissible », on n'a plus rien à se dire, bonne journée !

Statut Facebook :

... pense que son téléphone sonne trop. Je songe à changer pour une sonnerie plus zen. Des suggestions ?

J'efface. Autant annoncer tout de suite que je suis rendue *loser*.

ATTRAIT POUR LE VIDE

Je vieillis. Non, ce n'est pas à cause des rides. Ni le fait que je ne sache pas ce qu'est la shisha (en fait, je le sais depuis que je l'ai trouvé sur Google). Ni non plus à cause de ma cellulite qui pourrait me déprimer vu qu'elle est très apparente par les temps qui courent. (On dirait qu'une rupture nous rend conscientes de nos moindres défauts, car on se demande toujours si la cause en est un certain laisser-aller corporel qui nous a rendues moins attrayantes même si on sait pertinemment que tout est sûrement plus complexe que ça.) Ni de quelques cheveux blancs (avec une bonne teinture, ça se camoufle facilement). Ni non plus de mes seins douloureux à cause de mon ovulation (phénomène bien inutile pour le moment, à moins que je réussisse ma stratégie de course folle contre ma montre biologique).

La vraie preuve est que nous sommes vendredi soir et je n'ai envie de rien d'autre que de regarder une émission de cuisine. Avec son invité, l'animatrice, une femme élégante mi-cinquantaine, cuisine un rôti de bœuf. Je suis attentive. Pour toute l'émission. Je salive même lorsque l'animatrice dit : « Après la pause, la succulente recette de pâtes au jambon. » Je prends même des notes. Mais ce n'est pas le pire. Immédiatement après l'émission, je vais sur le site Internet et je fais imprimer les recettes, pour pouvoir les refaire. Non, ce n'est vraiment pas ça le pire. Le pire, c'est que j'imagine la réaction de Gabriel s'il goûtait à ces succulentes recettes que je lui concocterais, sans lui dire, bien sûr, que ça vient d'une émission culinaire. Que si je lui avais cuisiné des plats de ce genre avant, il ne serait pas allé sur Facebook rencontrer la fille qu'il « *may knew* » et qu'il « *sure knows* » maintenant. Je sens mon féminisme s'envoler au fil de mes pensées rétrogrades. Et je me juge.

J'ai un faible pour une animatrice mi-cinquantaine. Je la trouve même sensuelle. Elle connaît tout de la cuisine et elle donne de bons conseils culinaires. Sa façon de goûter la bouffe est sensuelle. Elle aime tout. Même les choux de Bruxelles ont l'air bons quand elle y goûte. Elle fait des « hmmm », « oh ouiiii », « ohhhh » chaque fois qu'elle croque dans quelque chose. Je me demande si Gabriel aurait continué à avoir du désir pour moi si j'avais croqué aussi sensuellement que cette animatrice dans des choux de Bruxelles.

L'émission se termine et il n'est pas assez tard pour que j'aille me coucher. Même si j'ai la preuve que je vieillis, je ne suis pas rendue à me coucher à vingt et une heures non plus. Peut-être que je pourrais me louer une petite comédie romantique. Que je regarderais en mangeant des cupcakes. Rien de compliqué.

Je me résigne à sortir de chez moi. J'enfile un chandail par-dessus mon t-shirt trop grand, un jean pour remplacer mon bas de pyjama, et je me dirige vers le club vidéo en regardant par terre. Je ne veux croiser personne dans cet état. Surtout pas les gens qui profitent du fait que c'est vendredi soir pour avoir du fun.

— Bonsoir ! me crie-t-on lorsque j'entre dans le club vidéo.

Je grommelle un bonsoir sans regarder les commis et je marche à travers les allées. Je choisis une comédie romantique. L'histoire m'importe peu, en autant que ça finisse bien. Je me dirige vers la caisse. Je dépose mon film sur le comptoir en cherchant ma carte d'abonnement.

La commis, une jeune brunette à lunettes d'environ dix-neuf ans, regarde le film avec dédain et demande :

— Vous êtes sûre que vous voulez louer ça ? Ce n'est pas très bien coté.

Elle se tourne vers son collègue en lui montrant le boîtier avec le même dédain en plus d'un rictus et fait : « Tsss. »

Son commentaire condescendant me pique à vif. Et aucune phrase puisée à même mes connaissances en relations publiques ne me traverse l'esprit. Je me surprends moi-même à dire :

— J'ai-tu le droit de louer ce que je veux, tabarnak?

Elle écarquille les yeux et ouvre la bouche et s'en va tranquillement classer des DVD dans la section Nouveautés. Son collègue, du même âge, du même genre intello, me regarde et la défend:

— Ben, elle voulait seulement vous donner un conseil… Elle étudie en cinéma et connaît…

— Un conseil? J'ai trente et un ans. Croyez-vous qu'à mon âge, je n'ai pas assez de jugement pour choisir les films que je veux et qu'il faille absolument que je me fie à une étudiante en cinéma qui travaille dans un club vidéo pour me dire quoi louer? Il faudrait que quelqu'un lui apprenne que si elle veut donner des conseils, ce n'est pas la façon de faire! Sur ce, j'aimerais payer et partir écouter mon navet en paix, s'il vous plaît.

Dans mes rêves les plus fous, j'aurais fait une sortie triomphale et on m'aurait applaudie. Dans la réalité, tout n'a été qu'un grand malaise. Je suis sortie en regardant par terre comme à mon arrivée. Je reviendrai mettre le film dans le dépôt de nuit. Et je ne louerai plus jamais un film dans un club vidéo.

Statut Facebook:

Besoin d'autre chose que de cupcakes…

Rendons-nous à l'évidence. Le célibat ne sera pas facile.

COMMUNIQUÉ POUR DIFFUSION IMMÉDIATE

Objet : Choix culturels
Statut : Important

Nous avons eu vent du penchant de certaines de nos concitoyennes pour certains artistes, livres, films et/ou formations musicales qui ne figurent pas parmi les choix culturels admis par le Service de police du mode de vie (SPMV) de votre quartier.

En élisant domicile dans le quartier le plus hip en Amérique du Nord (*Wallpaper*, décembre 2007), tout citoyen doit accepter de se soumettre à l'obligation de réserver ses centres d'intérêts à des choix culturels qui :

a) sont reconnus internationalement par le Cercle des Critiques ;
b) ne jouent pas sur les ondes des radios et télévisions commerciales ;
c) relèvent de l'avant-garde ;
d) n'ont jamais obtenu de cotes d'écoute enviables ;
e) n'ont jamais été entendus dans la radio d'une Honda Civic avec un néon mauve en dessous ;
f) ne seront jamais diffusés ou vendus dans des endroits tels Cinéplex, pharmacie, épicerie, ascenseur ou magasin à grande surface qui refuse de se syndiquer.

Nous sommes persuadés que cette déviance est aussi accidentelle que passagère. Ainsi, nous accordons une période de probation aux contrevenantes. Celles-ci auront sept (7) jours pour modifier radicalement leurs choix culturels sans quoi des mesures pourraient être prises, pouvant aller jusqu'à l'expulsion pure et simple dans un quartier satellitaire et/ou sur la ligne verte.

Contact :
Roze-Alexye Desjardins-Bellavance
Officier de prévention
div. Votre Quartier

-30-

MISMATCH

Message de ma mère : « Salut ma belle ! Je me demandais ce que tu faisais. Lolita, descends de la table ! Scuse-moi, la chatte était montée sur la table. Qu'est-ce que je disais, donc ? Ah oui, ben rappelle-moi, faudrait que je te dise quelque chose. »

Je l'appelle. C'est son mari, Claude, qui répond.

— Oui allo ?

— Hey, salut Claude. Ma mère m'a appelée, elle est là ?

— Oui, elle est là.

— Je peux lui parler ?

— Oui, tu peux.

Chaque. Fois. Chaque fois que j'appelle chez ma mère, mon beau-père fait cette blague où si je ne demande pas précisément : « Tu me la passes ? », il ne lui donne pas le téléphone. Il fait ça depuis que j'ai eu mon premier appartement.

Après le divorce d'avec mon père, ma mère a été une quinzaine d'années célibataire. Puis, elle a rencontré Claude, un bon vivant avec qui elle s'est remariée quelques années plus tard. Quant à lui, mon père a multiplié les fréquentations sans jamais s'engager et il a plongé dans le travail. Il y a deux ans, il a rencontré une Québécoise qui a ouvert un salon de coiffure en Floride et il a décidé de prendre sa retraite et de s'établir là-bas. Nous devions louer une voiture et lui rendre visite, Gabriel et moi, pendant nos vacances à Disney World, mais étant donné ce qui s'est passé, nous avons devancé nos billets d'avion pour pouvoir rentrer plus tôt.

Ma mère prend le téléphone.

— Il faut que je te dise quelque chose.

J'entends Claude rire en arrière. Comment fait-il pour rire de la même blague depuis dix ans ? Je lève les yeux au ciel.

— Oui, c'est ce que j'avais cru comprendre sur ton message.

— Mais tu me diras si j'ai bien fait.

— Ok…

— J'ai fait quelque chose et je ne sais pas si j'ai bien fait.

— Oui… c'est ce que j'avais compris. Aboutis, maman.

— L'autre jour, à la chorale…

— Hu-hum…

— J'ai parlé avec Monique Lachance, Monique Lachance, t'sais, c'est une amie de la chorale, t'sais son mari est parti et maintenant elle habite un tout petit appartement, j'avoue que je suis pas trop d'accord avec son choix d'armoires pour la cuisine, elle a tout changé et elle a choisi du bleu marine, qui veut mettre du bleu marine dans sa cuisine, ça fait plus salle de bain, en tout cas, ah pis le bleu marine ne matche pas du tout avec son plancher, en tout cas, Lolita descends de là, j'ai dit!

— Maman?!

— Bon, je parlais avec Monique et je lui disais que j'avais une fille de trente et un ans. Et là…

— Oh non!

— Elle m'a dit qu'elle avait un fils de vingt-huit ans…

— Non!

— Il est ingénieur, c'est un gars très bien, il vit seul en appartement depuis huit ans. Il est mature. Il n'a jamais été marié, mais il a habité pendant deux ans avec une fille. Ça s'est terminé parce qu'il était prêt à avoir des enfants et pas elle. Ils n'étaient plus à la même place…

— Maman…

— Mais Monique m'a demandé si t'aimais les gars marginaux.

— Que veux-tu dire?

— Il a une queue de cheval.

Oh my God!

Je raccroche et je souhaite que tout ça ne soit qu'un mauvais rêve. Ma mère doit voir que malgré ma volonté de passer rapidement par-dessus ma peine d'amour, je ne vais pas bien. Et elle essaie de m'aider. Je l'apprécie, dans un sens. Mais le fait qu'elle veuille me présenter un gars dont la marginalité se résume à porter une queue de cheval me déprime encore plus que d'être devenue célibataire au moment où j'étais prête à avoir des enfants. Bientôt, elle va m'offrir en cadeau des photos de chats encadrées et à ce moment, je saurai que c'est terminé pour moi.

Gabriel me manque particulièrement ce matin. Quand j'ai emménagé ici (disons, les premières heures), j'ai ressenti un soulagement. Il y a même eu un moment où je me suis sentie en vacances. Mais ça fait quelques semaines maintenant, et je ne sais pas si c'est la fatigue ou un sentiment d'échec, mais il me manque. Me réveiller à ses côtés. Me chicaner un peu avec lui parce qu'il a pris toute la couette et que j'ai froid. Coller mes pieds sur lui et le faire crier parce qu'ils sont glacés. J'ai du mal à m'expliquer tout ce qui s'est passé. Aller vivre ensemble dans cet appartement de la rue Saint-André me semblait pourtant une bonne idée. Vivre le quotidien, c'est ce qui nous manquait. Il y a forcément quelque chose qui nous a conduits vers la fin, mais aujourd'hui, ces souvenirs m'échappent. Je ne me rappelle que ses yeux qui me regardaient et où je percevais de l'amour. Mais est-ce que c'est ce que je percevais vraiment ou seulement ce que je voulais percevoir? Aujourd'hui, j'ai l'impression que je ne le connais plus. Même la dernière fois que je l'ai vu, je n'avais pas l'impression que c'était le gars avec qui j'avais vécu.

En mangeant mon bol de céréales, je prends conscience de ma solitude. Combien de temps elle durera? Trop longtemps si je m'apitoie sur mon sort et je dois arrêter ça, maintenant. Et chasser les souvenirs qui remontent. Et surtout, me débarrasser de cette envie de l'appeler pour lui demander plus d'explications que ce qu'il est capable de me donner et qui reste insatisfaisant pour moi. Lui demander encore pourquoi c'est fini ne changera rien au fait que c'est fini.

Ma mère a raison, je dois passer à l'action. Je pense que c'est ce qu'elle tentait surtout de me dire. Elle non plus n'est pas fan de l'apitoiement.

Je décide de la rappeler.

— Salut maman, est-ce que je te dérange ?

— Oh non, pas du tout, c'est juste que je suis aux toilettes.

— Euh... Tu fais pipi ou... ?

— Disons que c'est personnel.

— Ben écoute, je vais te rappeler !

— Ce n'est pas grave, tu ne me vois pas, ça ne me dérange pas.

— Bon, je vais te rappeler d'accord ?

— Mais non mais non ! J'ai fini là.

Je pousse un soupir de découragement.

— Maman... je me sens un peu, je sais pas...

— Triste ?

— Oui.

— C'est normal, ma chouette. C'est pour ça que je pense que rencontrer...

— Pour les *blind dates,* je ne suis pas prête.

— C'est la queue de cheval, hein ?

— Mais non, mais non ! J'aimerais peut-être essayer de rencontrer par moi-même.

— T'sais, j'ai été célibataire longtemps... Si je peux te donner un conseil, la clé est de ne pas t'intéresser qu'aux gars qui t'intéressent. Ouvre tes horizons. Par exemple, une queue de cheval, ça fait différent.

Je ris et je prétexte avoir un autre appel pour pouvoir raccrocher. Son conseil m'a complètement déprimée. Comme si elle me disait qu'au fond, il fallait que je fasse des compromis sur mes désirs. Mais quelle idée de me confier à ma mère, aussi ! Je n'ai plus dix ans. Je suis une adulte. Elle dit souvent qu'elle préférait la dactylo aux ordinateurs. Elle fait partie de cette génération qui pense qu'on ne peut tout avoir et qu'on est né pour un petit pain. Et elle n'a aucune pudeur à répondre au téléphone quand elle est aux toilettes. Elle est d'une autre époque. J'ai mon propre chemin à suivre.

Il faut que je sorte de ma torpeur. Est-ce moi qui ai pris la décision de partir ? Je ne sais plus. Gabriel voulait tout arranger. Traverser une crise, ça se peut. Est-ce mon orgueil qui m'a poussée à partir même s'il me demandait de rester quand il a vu mes boîtes de déménagement ? Était-ce parce que j'aurais aimé une déclaration plus romantique que : « Pars pas. Je suis visuel » ? Était-ce de la paresse de ma part devant les démarches pour rétablir tous les changements d'adresse et céder mon nouveau bail ? Je ne sais pas. Pour l'instant, tout ce que je fais, c'est rester enfermée dans mon nouvel appartement, que je n'aime pas tant que ça, à écouter des chansons tristes que je n'aurais jamais pensé aimer et à regarder la page Facebook de Gabriel. J'aurais préféré qu'on se sépare en 2004 et qu'avoir accès à lui virtuellement ne soit pas possible. Tout arrive en même temps. J'ai perdu celui que je croyais être l'homme de ma vie, qui m'a fait mal en me laissant tomber en plein voyage. Et, dans le même lot, j'ai également perdu un appartement que j'aimais, des rêves et une adjointe. C'est beaucoup d'un seul coup.

Je me secoue et je décide de m'inscrire sur tous les réseaux de rencontres existants.

Difficile de trouver quelque chose à écrire qui soit concis et efficace. On ne veut pas utiliser les mots « nuit » et « lit », pour ne pas attirer les *one-night,* et on ne peut pas non plus utiliser le mot « vie », pour ne pas faire peur. Ce n'est pas compliqué : je cherche le grand amour, et assez vite, car ayant vécu une rupture à l'âge où l'horloge biologique sonne, je n'ai plus beaucoup de temps pour réaliser mes rêves de famille... Mais comment l'écrire sans faire fuir ? Je mens avec une annonce légère.

Ce qui est bien avec Internet, c'est que tout va très vite, et la vitesse, c'est ce que je cherche d'abord et avant tout vu que je n'ai pas de temps à perdre. J'ai une compagnie à faire rouler. Je ne vais quand même pas consacrer des heures à la recherche de l'homme de ma vie comme si c'était un travail à temps plein. Mais faire des compromis sur ce que je veux, comme le suggère ma mère ? Ça non.

MONSIEUR CRÈME GLACÉE VANILLE

Je n'aurais jamais cru que ce serait si facile. Mais je crois qu'en très peu de temps, j'ai trouvé le bon.

Il s'appelle Jean-Philippe. Il m'a écrit sur le site, je lui ai répondu. On a eu quelques échanges. Et vraiment, j'ai trouvé que c'était un gars très intéressant. Un architecte. Il dit qu'il est prêt à s'engager, à avoir une famille. C'est une réelle révolution, les rencontres par Internet. Je comprends pourquoi plusieurs personnes utilisent maintenant ce service. Les bars, c'est un peu déprimant. Mais sur le site, on a l'impression qu'on a une longueur d'avance. On sait ce que l'autre veut et ne veut pas. La communication est cordiale et en plus, ça permet de filtrer les gens avec qui on a moins d'affinités.

Bref, avec Jean-Philippe, nous sommes allés prendre un verre et on s'est tout de suite bien entendus. J'ai même senti une connexion. Ça me changeait les idées. Bon, j'avoue avoir parfois pensé à Gabriel, mais la plupart du temps, mes idées n'allaient pas vers lui. Et je me disais que les relations amoureuses dans la trentaine ne sont pas la même chose que dans la vingtaine. C'est peut-être plus basé sur une maturité, un désir de partenariat dans une vie commune. Bon, je ne sais pas trop ce que je dis. J'avoue que ça sonne plate. Mais ça ne l'est pas. C'est simplement de la maturité.

Vraiment, cette première soirée avec Jean-Philippe a été très intéressante. Intéressante n'est peut-être pas le bon mot. Je ne voudrais pas amenuiser. En même temps, je ne veux pas non plus trop « vendre le produit », comme je dirais dans mon métier. J'ai quitté la soirée en ressentant un profond sentiment d'optimisme. Me dire que ça se peut. Que je pourrais redevenir amoureuse assez facilement si je tombe sur la bonne personne. Et même que la bonne personne pouvait être lui. Notre correspondance était déjà sympathique, alors la soirée a été la suite logique. Ce serait drôle si on avait des enfants et que je leur racontais notre première rencontre, mature. Gabriel ne deviendrait qu'un malheureux souvenir de ma vingtaine jusqu'au jour où j'aurais rencontré le véritable homme de ma vie. Je me sentais belle dans les yeux de Jean-Philippe. On parlait de tout. On se lançait des regards soutenus. La nuit, les lumières de la ville, tout me semblait prendre une teinte romantique. On s'est embrassés. Par la suite, on a continué de s'écrire. Et hier, il a proposé qu'on se revoie et j'en suis ravie.

J'avoue me sentir excitée à l'idée de le revoir. J'ai l'impression que tout se met en place.

J'arrive sur la terrasse où il m'a invitée pour le 5 à 7. Jean-Philippe semble nerveux. Je lui lance un grand sourire. Je trouve ça *cute* qu'il soit nerveux, ça me charme.

Je m'assois devant lui et il tord sa serviette.

Je lui demande si ça va. Il me répond qu'il va bien mais qu'il doit me parler. Je me sens un peu mal à l'aise, mais je l'invite à dire ce qu'il a à dire. Et il m'annonce, comme ça, qu'il m'a invitée pour me dire que ça ne fonctionnerait pas, nous deux. En gardant une certaine contenance, tout de même frappée par la surprise, je demande :

— Sans vouloir insister, seulement par intérêt personnel, est-ce que je pourrais savoir pourquoi ?

— Tu as trente et un ans… Tu veux des enfants. Et moi, je ne suis pas rendu là.

— Tu as trente-cinq ans. Ta fiche disait que tu en voulais. Et dans nos premiers échanges, tu disais que tu étais rendu là. Je ne comprends pas.

— Oui, un jour, mais avec une fille de ton âge, on sait qu'il faudra faire ça bientôt et je ne suis pas prêt là, maintenant.

Ok, ce n'est pas comme si j'avais un test d'ovulation dans mon sac ! Il me semble normal et honnête de se dire nos projets des prochaines années, mais ce n'est pas non plus comme si je voulais faire un enfant demain matin, de là l'intérêt de mon plan de rencontre accéléré.

— Moi non plus, je ne suis pas prête là, maintenant. Mais on aurait pu apprendre à se connaître avant de *freaker* pour les enfants, non ? De mon côté, je pensais qu'on avait eu une super première rencontre.

— C'est vrai. J'ai eu plus de fun en trois heures à notre *date* que dans mes *dates* des six derniers mois réunies. Mais c'est un peu ça, le problème.

— Ah oui ?

— Je me sens vraiment intimidé par toi, tu connais beaucoup de monde, ta vie a l'air super excitante. Je me sentirais constamment sous la pression d'être toujours au top. Je suis habitué de *leader* en amour, et là, je sens que ça m'échapperait.

— Ah bon.

— Je sens que je ne pourrais rien t'apprendre, tu es trop cultivée pour moi.

— Je suis ouverte à ce que tu me dis, donc loin de moi l'idée de te contredire, mais juste pour m'aider pour mes futures *dates,* tu trouvais que je faisais l'étalage de ma culture ?

— Non, non, le pire, c'est que c'est naturel chez toi, tu as une culture générale impressionnante. En plus, tu as ta propre compagnie... Je ne peux pas accoter ça.

— Je comprends, tu cherches plus... une cruche, c'est ça ?

— Loin de là, mais je veux sentir que je peux apprendre des choses à ma partenaire.

— Bon, écoute, je ne veux pas avoir l'air de me vendre. Tu as droit à tes préférences, mais je suis quelqu'un de très simple. Mon *highlight* de la journée, c'est que je me suis acheté un sorbet au pamplemousse aujourd'hui en prenant une marche sur Saint-Laurent. Tu vois, dans le rayon excitant, on a déjà vu mieux.

— Tu vois... sorbet au pamplemousse. Moi, j'aurais sûrement pris un cornet deux boules à la vanille.

Que répondre à ça ? Je dois lui donner ça, ça dit tout. J'avoue que je suis déçue. J'ai à la fois envie de pleurer et d'éclater de rire. Je ramasse mes choses pour partir et il ajoute :

— Aussi, je te conseille de changer tes photos sur ta fiche.

— Tu trouves que mes photos ne sont pas représentatives ? Que j'ai été un peu trop dans le marketing et que je suis moins sexy dans la vraie vie ?

— Pas tout à fait. Je dirais que j'ai été surpris en te voyant... Je m'attendais à rencontrer une fille *cute,* mais tu es dix fois plus belle que tes photos le laissent paraître, j'ai été déstabilisé et ça m'a gêné. D'habitude, c'est le contraire, la fille est pas mal moins *hot* dans la vie, mais là, j'avais de la misère à regarder tes yeux perçants. Tu devrais mettre des photos qui te représentent vraiment.

J'aimerais me réveiller, ou raconter ça comme une légende urbaine, mais c'est arrivé. Ma deuxième rupture en quelques semaines. Pour des raisons obscures, ou parce que le seul fait d'être moi-même confronte un gars à son manque d'estime de soi.

C'est étrange parce que même si on n'est pas encore attachés à l'autre, et qu'on perd d'un coup tout respect pour lui, ça fait mal quand même. Je ne sais pas où exactement ça fait mal.

À l'espoir, je pense.

LA VOIX DE LA RAISON

À : Anik
De : Sarah

Oh, Anik, je *feel blue*…

À : Sarah
De : Anik

Better than grey.

À : Anik
De : Sarah

Je me demande si je suis adéquate « relationnellement » parlant. Est-ce que j'étais trop exigeante avec Gabriel ? Si je n'accepte pas qu'il y ait des compromis à faire. Peut-être que ma mère a raison… J'ai lu un article, hier, sur le fait qu'aimer quelqu'un, c'est accepter que ce ne soit pas parfait. Les gens qui réussissent leur couple acceptent que ça ne soit pas parfait. Peut-être que j'aurais dû accepter sa proposition ?
Je ne sais pas si je vais être capable de subir ça, les *dates,* le rejet et tout…

À : Sarah
De : Anik

Oh, arrête, franchement. Gabriel n'a pas commencé une correspondance avec quelqu'un d'autre parce que tu as fait quelque chose de pas correct. TON EX ÉTAIT UNE *FUCKING* GROSSE LARVE ! Tu n'as rien à te reprocher. Si lui pensait que quelque chose ne fonctionnait pas, il n'avait qu'à t'en parler au lieu de correspondre avec une inconnue sur Facebook ! Gros moron ! Tu vaux mieux que ça ! Et puis, ne suis pas les conseils des magazines féminins quand il est question d'amour.
Welcome to the real world !
Tu donnes beaucoup trop d'importance à une petite rencontre sans conséquences. Ne te base pas là-dessus. Il y aura des jours meilleurs. Tu ne rencontreras pas toujours des monsieurs Crème glacée vanille.

À : Anik
De : Sarah

C'est con, mais monsieur Crème glacée vanille, ça m'a heurtée. Même si sur le coup, je l'ai trouvé cave, après je me suis demandé si c'est possible. Est-ce qu'on peut avoir la carrière et un amour égalitaire ? Voyons, ça ne se peut pas que ça existe encore, des gars comme ça, qui veulent une fille qu'ils peuvent dominer de leur savoir et tout. Je suis un peu confuse.

À : Sarah
De : Anik

Je pense que tu ne devrais pas mettre tout le monde dans le même panier. C'est juste que c'est pas facile à trouver, le match parfait.

À : Anik
De : Sarah

Est-ce que ça existe ?

À : Sarah
De : Anik

Moi je pense qu'on est mieux toutes seules.

À : Anik
De : Sarah

Ça ne te manque pas ?

À : Sarah
De : Anik

T'sais, l'autre jour, j'étais dans ma boutique. Ma mère était là, avec Romy, et j'ai quitté mon comptoir quelques minutes pour aller dire bonjour à ma fille. Une cliente était là, et elle a commencé à me parler, à me dire qu'elle était enceinte, à me raconter ce que son chum et elle préparaient, puis elle m'a demandé des conseils, comme une mère à une autre, tout bonnement, sans se douter de mon drame et sans non plus vouloir mal faire ou être intrusive. C'était léger, normal. Et j'ai commencé à me sentir mal, à paniquer. Est-ce que j'étais jalouse ? Je ne sais pas. Je lui ai lancé que je m'étais fait crisser là par ma blonde alors que je venais d'accoucher, que si je n'avais pas eu mes parents, je ne sais pas comment j'y serais arrivée, pis qu'elle était ben chanceuse. Elle a dit un « Je comprends » poli, elle a rapidement acheté une boîte de chocolats en regardant le plancher, puis elle est partie, visiblement mal à l'aise. Et quand elle est sortie, j'ai fermé la boutique cinq minutes pour pleurer dans les bras de ma mère, devant ma fille. Je me suis tellement sentie conne. J'ai hâte d'être rendue au point où je n'aurai pas besoin d'ouvrir cette porte-là, que je ne ressentirai plus ça, que je n'aurai pas besoin de crier au monde entier que ça s'est mal passé pour moi, que j'ai été trahie. J'ai hâte que ça ne me fasse plus rien. Alors si ça me manque ? Non. Maintenant, je ne veux plus d'émotions. Juste du sexe.

FONDU AU NOIR

J'ai le goût d'un amour sale. D'un amour qui sent la cigarette. Et le fond de tonne. D'un amour qu'on trouve à la fermeture d'un bar, juste avant que les lumières s'allument (après, il est trop tard, quand on voit le vrai visage de la personne, sans qu'il soit caché par l'éclairage tamisé). D'un amour qui se passe dans la pénombre d'une ruelle, à côté des poubelles. D'un amour qui se termine sans qu'on ait jamais su le nom de famille de la personne qu'on sait qu'on va quitter quelques heures après l'avoir rencontrée. Dans le temps où j'aurais pu vivre ça, au début de ma vingtaine, je n'en voulais pas. Je voulais tout de suite la grosse affaire. Quand j'ai rencontré Gabriel, j'ai pensé que c'était « lui ». Mais depuis que j'ai vécu une relation stable et que je sais que ce n'est pas plus simple, j'ai le goût de cet amour-là. J'ai le goût de l'éphémère. Du superficiel. Du sans-lendemain. De passion torride. Tant pis pour mon horaire de vie, tant pis pour mes calculs, tant pis pour l'horloge biologique qui sonne. J'ai le goût d'être libre de mes projets futurs.

J'ai besoin de me connecter avec la ville, avec son effervescence. J'ai besoin de m'éclater. D'avoir du fun. Pas de rester chez moi à louer des films insipides et à me nourrir de cupcakes ou à chercher l'homme de ma vie sur Internet et à me faire rejeter parce que je mange du sorbet au pamplemousse.

J'ai convaincu Anik de faire garder sa fille pour qu'on sorte. Elle dit que c'est vraiment pour moi qu'elle le fait, car elle n'aime pas les bars hétéros. Mais que ça lui fera du bien de sortir de la maison pour se changer les idées. Je n'aime pas les bars hétéros non plus, mais les sites de rencontres n'ont pas prouvé leur efficacité.

— Je suis gaie moi aussi, je dis à Anik. Je trippe sur une animatrice d'émission de cuisine. Je m'imagine à la place des oranges qu'elle croque.

— C'est tes hormones qui font ça. Moi, quand je voulais un bébé, j'avais une attirance pour les hommes. Tu te souviens ?

— Euh, oui. C'est logique. C'est pour la reproduction. Mais moi, mon attirance pour les animatrices d'émissions de cuisine, ça ne ferait pas des enfants forts.

— Tu veux qu'on frenche ? Tu vas voir le nombre de gars qui vont accourir ici après ça.

— Ark !

— Bon, tu vois que t'es pas gaie.

— C'est pas parce que t'es une fille, c'est parce que c'est toi.

Anik m'encourage à *cruiser*. Elle dit que jaser entre filles ne me fera pas autant de bien qu'une partie de jambes en l'air. Je lui demande depuis quand elle utilise cette expression, lui faisant remarquer que ça fait vieillot, limite matante. Elle me dit :

— Ah, laisse faire.

Je me dirige avec un air coquin entretenu par l'alcool vers un gars que j'ai repéré et qui me semble très sexy.

Je tapote sur l'épaule du gars. Fin vingtaine, début trentaine. J'engage la conversation. Il est visiblement content que je l'aborde. Plus loin, Anik me fait de grands sourires. Il s'appelle Marc-André. Pas que ça m'intéresse vraiment, mais bon. Il m'offre un verre. Je décide d'être directe :

— Écoute. Tu peux me payer un verre si tu veux. Dépenser ton argent. Et on peut continuer de faire semblant que notre conversation est palpitante. Tu peux me dire où tu as fait tes études, ce que tu fais dans la vie, me parler de ta passion pour ton travail et de ton désir de t'accomplir davantage qui est survenu à la suite d'un burn-out, tu peux aussi me confier à quel point ça t'a fait de la peine que ton chien meure lorsque tu étais ado, pour te rendre sensible à mes yeux. Ou on pourrait partir d'ici et aller baiser.

— Ok… J'avais juste le goût de jaser.

Et il se retourne. L'ai-je offensé ?

Je reviens vers Anik. Je lui raconte. Elle est désespérée et jure qu'elle ne remettra plus jamais les pieds ici.

Je crois que ma tactique n'est pas très bonne. On ne peut pas aborder les gens directement, en toute honnêteté. Il faut enrober.

Je croyais pouvoir séduire avec sincérité. Tout le monde dit toujours que c'est super facile pour une fille de rencontrer dans les bars. Que si je veux du sexe, je n'ai qu'à le faire savoir à un homme et le tour sera joué. Tout le monde a des besoins physiologiques qui n'ont rien à voir avec la romance, non ? Et tout le monde qui sort dans un bar n'a pas envie de rentrer tout seul (à part peut-être ceux qui viennent et qui sont déjà en couple, quoiqu'il n'y a malheureusement pas d'absolu dans leur cas non plus...). Et j'avais pensé que ma façon directe plairait aux gars. Mais ç'a l'air que non. Finalement, tout le monde a besoin d'entretenir quelques illusions.

— Qu'est-ce que je devrais dire aux gars pour les *cruiser* ?

— Ne leur parle pas de ton amour pour le sorbet au pamplemousse !

— Nouille !

— J'sais pas. Parle-leur de leurs intérêts. Les gars aiment bien les voitures. Ou le hockey.

— C'est tellement cliché. Tu as trop de préjugés sur les gars hétéros ! Y a plein de gars qui trippent sur la musique, sur la littérature.

— Ok, parle de littérature. Ça t'a vraiment aidée lors de ta *date* avec Crème glacée vanille.

— Argh. J'aurais aimé que ma tactique « viens baiser » fonctionne. Plus simple.

— On part ? demande Anik. Je ne veux pas abuser de ma mère comme gardienne et je travaille tôt demain.

On se dirige vers la sortie. Je chancelle, et un gars me retient. Je le regarde et je me dis qu'il serait totalement mon genre. Je lui lance, sensuellement :

— Vroum, vroum, fait le moteur des voitures.

UN PEU DE GLAM

Je sens le pétillement du champagne couler dans ma gorge. Mon client, un hôtel chic du centre-ville de Montréal qui vient de rénover et d'ajouter des suites haut de gamme ainsi que des salles de réception, avait du budget pour sa soirée. C'est un des plus gros événements que ma petite compagnie a eu à organiser. Et comme Daphnée est partie et que je dois tout coordonner toute seule, ça en fait beaucoup. J'ai tout de même engagé deux jeunes pour être à la porte et gérer l'entrée, la liste VIP, les paquets cadeaux et la toile pour les photos.

Le plan de la soirée est clair: d'abord, un cocktail dans le très beau lobby de l'hôtel où tout le monde boit du champagne, s'amuse, se prend en photo, et ensuite, un souper dans une des salles de réception, avec de l'animation, un band. Puis, au moment du dessert, le directeur de l'hôtel, Martin Pelletier, annoncera les nouveaux services. Ceux qui le désireront pourront également aller visiter les nouvelles suites. On veut vendre du glamour, du chic, du luxe. J'ai réussi à avoir des confirmations de plusieurs vedettes, et donc de plusieurs médias, et de plusieurs compagnies réputées. Comme on vend un service haut de gamme, c'était important d'avoir des invités qui peuvent devenir clients, mais également plusieurs vedettes pour faire rayonner la compagnie, pour montrer que le lieu est *hot* et glamour et pour avoir un bel espace dans les médias, des photos de «qui était là». Avant que les gens arrivent, je regarde la salle, et je suis quand même assez fière de moi.

Dans les derniers jours, j'ai laissé tomber les rencontres, Internet, les sorties et je me suis consacrée corps et âme à ce contrat. J'ai pensé à tout dans les moindres détails. J'adore mon travail. Ça me rend fébrile, ça me remplit de joie et même de fierté.

Je dépose mon verre. Je dois rester alerte, sobre. Pas question, ni le temps, de penser à mes émotions. Peut-être que dans les bars, sur Internet, dans le domaine du *dating,* je suis une novice qui ne sait pas comment agir. Mais ce soir, je suis dans mon élément. C'est moi, la chef d'orchestre. Je dois mettre tout en œuvre pour que tout le monde s'amuse et que l'hôtel qui m'a engagée soit dans tous les médias dans la prochaine semaine. Et j'y arriverai. Il faut que plus personne ne pense à un autre hôtel lorsqu'il est question de tenir un événement, d'inviter des clients de marque ou d'organiser la plus belle soirée romantique, demande en mariage ou autre.

Demande en mariage. Pincement. Voyons, pourquoi j'ai un pincement? Je n'ai jamais vraiment voulu me marier. Je plonge un peu dans mes pensées et j'imagine Gabriel m'invitant ici pour me demander en mariage. Ou même qu'on se marie dans une de ces belles salles. Je ne sais absolument pas pourquoi je pense à ça. Gabriel et moi nous sommes toujours dit que nous ne voulions pas nous marier, qu'on ne voulait pas, après avoir fait tant de sacrifices monétaires pour réaliser nos rêves, dépenser de l'argent pour un mariage, où tout semble coûter plus cher juste parce que le mot «mariage» est utilisé. On se disait qu'on croyait à la vie à deux. Mais je ne sais pas. Était-ce vraiment mon opinion ou j'acquiesçais à la sienne? Dur à dire. Avant de le rencontrer, je ne m'étais jamais vraiment posé la question. Je crois que, un peu comme tout avec lui, je m'imaginais que tout se placerait à un moment ou à un autre, qu'on n'était peut-être pas rendus là maintenant, mais qu'un jour on le serait. Et que s'il me demandait en mariage, la surprise serait d'autant plus grande.

Je chasse ces pensées quand je vois ma mère arriver. Elle m'a suppliée de l'inviter, car elle voulait voir des vedettes. J'ai accepté. Elle est accompagnée de Claude et ils se sont habillés un peu trop chic. Je trouve ça attendrissant tout autant que gênant. Mais je ne le laisse pas paraître. Je l'embrasse sur les joues. Elle regarde la salle et lance spontanément:

— Mon Dieu ! Ce sont de vraies fleurs ! Mais ça doit coûter une fortune !

En effet, il y a vingt pots immenses de cinquante roses blanches chacun. On aurait pu économiser dans le rayon des fleurs, mais le directeur de l'hôtel voulait vraiment montrer aux clients potentiels le service haut de gamme offert dans son établissement. Dans mon métier, il est de plus en plus rare de voir ce genre de soirée, les budgets pour la promotion subissant de plus en plus de coupures.

Je vois ma mère prendre une fleur et la mettre dans sa sacoche.

— Maman ! Qu'est-ce que tu fais là ?

Je lui reprends la fleur et je la remets dans le pot, à sa place.

— Oh voyons, ce n'est pas grave ! Ils vont sûrement les jeter après. Qu'est-ce qu'ils vont faire avec autant de pots de fleurs ?

— Bon, écoute, à la fin de la soirée, tu pourras repartir avec une ou deux, mais en attendant, tiens-toi tranquille. Et ne va pas dire à tout le monde que tu es ma mère, ok ? Fais profil bas.

— Tu as honte de moi ?

— Non, mais ce n'est pas tout le monde qui me connaît, alors ça va juste faire bizarre.

— Mais c'est ton nom sur l'invitation !

— Mon nom est en bas de l'invitation pour les confirmations ou les demandes d'entrevues. Bon, écoute, c'est tout ce que je te demande, s'il te plaît. Et je ne pourrai pas m'occuper de toi, donc reste observatrice et fonds-toi dans la foule, ok ?

Claude me fait un clin d'œil pour montrer qu'il a compris et ma mère replace sa robe pour cacher qu'elle se sent offusquée. Je n'ai pas trop le temps de gérer ça, les gens commencent à arriver.

La soirée se déroule au quart de tour tel que je l'avais prévu. Pendant le cocktail, un défilé de gens commence à se présenter à la table VIP. Contents de se voir ici, s'embrassant sur les joues, se demandant où ils ont pris leur robe ou leurs souliers, se présentant conjoint et conjointe. Ensuite, les gens sont invités à passer à la salle de bal (où ma mère me pointe d'autres pots de fleurs, fascinée). Une animatrice présente les nouveautés de l'hôtel, invitant les gens à faire leur congrès ici, leurs voyages d'affaires, à en parler. Puis, c'est le souper, le mot du directeur, suivi du spectacle du band. Ensuite, les journalistes *life style* viennent me poser des questions. Je réponds avec tact, ou je les mets en contact avec Martin. Je cours partout, je m'assure que les vedettes sont bien en vue ou rencontrent les journalistes. Si je vois quelqu'un qui semble s'ennuyer, je m'excuse auprès de mon interlocuteur pour aller lui parler. Mon cœur bat vite, je savoure mon adrénaline comme si c'était une drogue puissante. Cette soirée est la plus belle que j'ai passée depuis longtemps. Et j'en suis responsable.

Pendant que je parle à quelqu'un, je reçois un texto de Gabriel. « Quoi de neuf ? »

Quoi de neuf ?

Je sens un léger vertige. Cette question me trouble. L'adrénaline que je ressentais et qui me faisait du bien change. On dirait que mon sang tourne à l'envers. Plus tôt, j'imaginais une vie parallèle où Gabriel me demandait en mariage dans cette salle parfaite, et ce que je reçois est un texto qui dit « Quoi de neuf ? » pendant une soirée que j'organise alors que nous sommes séparés. Il ne me demande pas comment je vais. Il ne me dit pas qu'il s'ennuie. Il ne me dit pas qu'il regrette. Il me demande nonchalamment « Quoi de neuf ? », comme si j'étais sa *buddy* et qu'il pouvait se pointer en toute légèreté sur mon téléphone comme si de rien n'était. Ça me fâche mais je ne le laisse pas paraître. Je ne réponds pas. J'ai des choses à faire.

J'attrape un verre de champagne. Je m'adosse au bar. Et je prends un instant de recul.

Martin, le directeur de l'hôtel, s'approche de moi. C'est un homme début quarantaine, très sophistiqué. J'affiche le plus grand sourire.

— Soirée réussie, Sarah. Je suis bien content de t'avoir engagée. Tu n'auras pas besoin de me rembourser.

— Je te l'avais dit.

Quand il a appelé l'agence il y a quelques mois, il m'a avoué faire soumissionner quelques compagnies. Je lui ai dit qu'il pouvait me faire confiance et que je le rembourserais s'il n'était pas satisfait. Parfois, je n'ai pas le choix de faire des bluff de ce genre pour gagner contre les grosses entreprises plus reconnues qui auraient une tendance naturelle à aller vers la compagnie d'Hélène. C'est une guerre et je sais me battre.

Ma mère et Claude se joignent à nous. Ma mère, les joues rosées par probablement trop d'alcool, se met à raconter :

— Te souviens-tu quand tu avais onze ans ? Tu trippais sur un p'tit gars, comment il s'appelait donc ? Ah oui, Laurent ? Non. Samuel ? Samuel ! Et là, je t'avais permis de faire un party et je t'avais laissé la maison pour la soirée. Et quand je suis revenue, tu pleurais parce que personne n'était venu ! J'te dis que c'est loin d'être ça ce soir ! Bravo Sarah !

La honte. Tout allait si bien.

Silence autour. Martin la regarde, amusé. Je dis :

— C'est ma mère.

Elle en rajoute :

— Heille, j'te dis qu'il y avait de la vedette au pied carré ce soir. Je suis bien fière de toi.

Silence encore.

Je pince mes lèvres et je regarde par terre.

Puis, ma mère regarde Martin et me dit à l'oreille, mais pas assez bas pour qu'il n'entende pas :

— Heille, il est *cute*, lui. C'est ton genre.

Je le regarde, un peu mal à l'aise. Il me fait un sourire en coin. Il a entendu. Elle semble le réaliser puisqu'elle ajoute :

— Ma fille est célibataire, vous savez.

Je voudrais disparaître maintenant. Je fige. Je ne sais pas quoi dire. Je prends ma mère par les épaules et la conduis vers la sortie.

— Héhé, maman, tu sais qu'il y a des cadeaux, n'oublie pas d'en prendre un avant de partir.

Je les embrasse sur les joues tous les deux et je retourne vers Martin pour me confondre en excuses.

— T'en fais pas avec ça. J'ai toujours le même effet sur les mères. En fait, je suis marié, mais si tu cherches un amant, on peut arranger ça.

Je suis dégoûtée. Ce qu'il vient de dire m'est allé droit au cœur, pas au niveau des sentiments mais de l'orgueil, je pense. Ça m'a écorchée.

Je fais mine de rien. J'éclate de rire, feignant d'être flattée, et je vais parler à un autre groupe de gens.

Je ne pensais pas que le célibat serait aussi difficile émotivement. Je ne suis pas non plus du genre à utiliser mes lancements comme une occasion de rencontre. Je ne l'ai jamais fait avant, puisque j'étais en couple. Alors ce soir, ça ne m'a pas vraiment traversé l'esprit. Mais je regarde autour de moi, et je ne vois personne qui m'intéresserait. Je fouille dans mon sac pour relire le texto de Gabriel, et peut-être lui répondre quelque chose. Puis je ne trouve plus mon cellulaire.

Un petit accroc dans mon organisation parfaite. J'ai perdu mon téléphone. Je regarde partout. Rien à faire. Je passe le reste de la soirée à le chercher en ne laissant rien paraître et en continuant de m'assurer que tout le monde passe un beau moment. Et, avant de partir, j'attrape une fleur pour ma mère.

QUOI DE NEUF ?

(Ou ce genre de message qu'on aurait préféré ne jamais envoyer, question de garder un peu de dignité…)

À : Gabriel
De : Sarah

Salut,
Je ne sais pas quoi te dire. J'aimerais ça *sugarcoater,* mais je n'y arrive pas.
Je vais m'ennuyer de toi, Gabriel. Je vais m'ennuyer de notre vie, mais aussi d'une vie que je n'ai pas eue avec toi, à laquelle je n'aurai jamais droit.
Je vais détester les filles que tu feras rire, celles que tu regarderas avec des yeux brillants. Je vais détester les filles capables de te faire rire. Je vais détester celles que tu désireras. Je vais détester les filles qui embarqueront dans ton auto et qui te demanderont de les conduire n'importe où. Je vais détester les filles qui te rendront heureux. Je vais détester toutes les filles qui ne seront pas moi.
Et je vais te détester, toi aussi, pour m'avoir abandonnée en cours de route, alors qu'il nous restait tant à découvrir ensemble. Je vais te détester, mais seulement pour m'aider à survivre à cette souffrance de t'avoir perdu, toi.
Bon, je suis consciente que ton « Quoi de neuf ? » ne réclamait pas un tel débordement d'intensité. Mais c'est comme ça que je me sens.
Sarah

ARRANGÉ AVEC LE GARS DES VUES

J'ai passé les dernières journées à refaire mes listes de contacts et à magasiner un nouveau cellulaire. Et alors que j'étais au téléphone avec Anik, à suggérer que la perte de mon cellulaire était un symbole de ma rupture, elle a pensé que ce serait une bonne idée qu'on sorte souper dans un bon resto. Je me sens mal qu'elle néglige sa fille pour m'aider à supporter mon célibat. Elle me dit de ne pas m'en faire, que j'étais là pour elle au moment de sa rupture. Ça lui fait du bien de sortir un peu, et Romy est entre bonnes mains chez ses parents. Elle a besoin de se changer les idées. Elle ajoute qu'après tout, elle aussi est célibataire et que ce n'est pas en restant toujours chez elle avec un bébé qu'elle pourra avoir une vie sexuelle épanouie. Elle me dit qu'elle a d'ailleurs elle aussi pensé à s'inscrire sur un site de rencontres. Je lui dis que ce n'est pas la meilleure idée, selon ma courte expérience dans ce domaine.

Elle s'inquiète pour moi. Surtout que, comme elle le dit, je n'ai pas à déprimer. Mes affaires vont bien. Ma soirée à l'hôtel a été un succès. Les gens en ont parlé dans tous les journaux. Aux nouvelles. Dans les magazines. L'hôtel est content. Martin est content. J'ai d'ailleurs raconté à Anik ce qui s'est passé avec lui et elle a ri. Elle trouve ma mère adorable. J'ai fini par rire de la situation moi aussi.

Nous sommes assises au restaurant. Pour un instant, je me sens légère. Je m'amuse. Je ne pense à rien. Puis, à un moment, j'échappe ma fourchette.

Je me penche sous la table pour la ramasser.

Elle me lance :

— Hé ! T'as des cheveux blancs !

— Ouain… Je le sais, ça me déprime.

— Moi j'en ai pas ! Regarde !

Elle penche la tête.

— Je vois ben ça…

— Na na na na!

— Coudonc, c'est pas supposé être un souper pour me remonter le moral?

— T'as peut-être des cheveux blancs, mais t'agis comme une ado!

— Toi, t'en as peut-être pas, mais t'agis comme une ado pareil!

— Ben moi au moins ça fitte avec ma pigmentation capillaire.

— Tu m'énerves!

La tête toujours sous la table, je tends la main vers ma fourchette et j'aperçois Gabriel, plus loin dans le resto. Il est seul à une table. Je reste là, penchée, pour l'observer. Dans un sens, j'ai l'impression que c'est un signe. J'avoue que mon cœur commence à palpiter un peu. Je repense à ce qu'il m'a dit avant que je déménage: «Va-t'en pas.» Je repense à son «Quoi de neuf?». Il n'a pas encore répondu au message que je lui ai envoyé. Ça fait quelques jours. Peut-être qu'il réfléchit. Les pensées tournoient dans ma tête. Ça me semble insensé qu'on soit séparés. Au lieu de déménager, aurais-je dû sauter sur l'occasion pour tenter de sauver notre couple lorsqu'il a démontré une ouverture? Aurais-je dû me battre un peu plus?

Anik se penche sous la table pour me demander si je vais bien. Je lui pointe Gabriel du menton. Je sens qu'elle lit dans mes pensées, car elle me fait signe de remonter. Elle ne semble pas d'accord avec ce qu'elle voit passer dans mes yeux.

Et soudain, je comprends ce qu'elle a vu. Pas dans mes yeux. Mais dans le restaurant. Elle relève la tête, je l'imite.

Je vois Daphnée sortir des toilettes, passer devant les tables. Mon premier instinct est de lui sourire, mais elle s'arrête à la table de Gabriel et s'assoit. Ça me prend quelques secondes pour comprendre ce qu'elle fait avec lui. Puis, mon cerveau reçoit une onde de choc. Tout se passe en même temps. Ça me traverse de partout.

Je comprends.

Je comprends.

Je comprends.

Anik me dit quelque chose mais je n'entends pas. Parce que je suis occupée à comprendre.

Facebook. Daphnée. Daphnée me quitte comme adjointe. Gabriel me quitte comme chum. Daphnée. Gabriel. Gabriel. Daphnée. Gabriel et Daphnée sont assis ensemble et se sourient.

Anik semble fâchée. Je le vois dans son visage mais je ne capte pas les mots. Tout se passe au ralenti.

Et tout devient clair. Les sons reviennent peu à peu. Je pose ma main sur celle d'Anik et je dis:

— Ça va aller.

Comme pour la rassurer, elle, de mon mal à moi.

Je me lève, dignement. Je me rends à leur table.

Je lance un «Allô» à Gabriel, qui signifie: «Je comprends.»

Dans cet instant, cette fraction de seconde où rien ne se dit, j'ai l'impression de voir le film de tout ce qui s'est passé dans ces quatre yeux qui me regardent. Comme un délire paranoïaque que j'imaginerais comme la vérité.

J'ai l'impression de manquer d'air. Sans rien ajouter, je sors du resto.

Anik a payé rapidement l'addition et m'a rattrapée sur la rue. Une fois qu'on a été assez loin, je me suis effondrée. Littéralement. Par terre. Je pleurais avec une douleur que je n'avais jamais ressentie avant. Puis, je n'arrêtais pas de me juger pendant que je pleurais comme ça. Je délirais, je disais à Anik que ça pouvait arriver à tout le monde d'être trompée. Que c'était bien moins pire que s'il arrivait quelque chose à sa fille. Et que c'était moins pire que ce que certains êtres humains vivent dans le monde. Elle me disait que j'avais le droit d'être triste, d'arrêter de penser que je ne pouvais me le permettre parce qu'il y a pire. Elle a réussi à me faire rire, je ne sais plus trop comment. Et, une fois que j'ai été calmée, elle m'a proposé qu'on rentre.

La semaine suivante, outre quelques appels de détresse à ma mère, mon horaire a été surchargé de travail. Ça m'a permis de ne rien ressentir émotivement, de mettre tout de côté. C'est lorsque j'arrivais chez moi que l'envie d'aller voir ce qui se tramait sur les pages Facebook de Gabriel ou de Daphnée me démangeait. Je suis devenue un peu *addict*. Beaucoup. Je me sentais comme retombée en enfance. Je ne comprenais pas. Tout était mélangé dans ma tête. J'avais beau essayer de me raisonner, rien ne fonctionnait. Je suis même allée dormir chez ma mère un soir, mais je suis rapidement revenue chez moi, parce que je préférais être seule, tout bien réfléchi.

Je voulais transmettre ma peine et ma rage à Gabriel, je voulais qu'il soit témoin de ce qu'il a créé, je voulais l'empêcher d'être heureux si vite, comme si nous n'avions pas existé et que je ne méritais pas un peu de questionnement, un peu de peine. J'aurais aimé lui demander pourquoi il m'avait proposé de rester quelques jours avant mon déménagement. Tout était si confus. Mais je ne l'ai pas fait. Je ne sais pas si les réponses m'auraient satisfaite.

J'ai touché le fond. Je n'avais plus rien à perdre. Sauf ma dignité.

Hier, Anik est venue chez moi et elle a fait une intervention. J'étais dans mon lit, mon ordi sur mes genoux, à scruter le monde virtuel pour savoir si Gabriel et Daphnée diraient ce qu'ils faisaient par l'entremise de leurs statuts, c'était devenu une obsession. Je voulais voir ce que Daphnée vivait à ma place. Mon amie s'est installée à côté de mon lit. Elle m'a rappelé ce que je lui avais dit lorsqu'elle était dans la même situation, avec Viviane. Elle a dit qu'on est là, nous deux, quoi qu'il arrive. Et qu'on est trop intelligentes et fortes pour pleurer pour des gens qui nous trahissent. Que notre vie sera mieux sans eux.

J'ai pris ma douche. J'ai mangé. Puis, elle m'a proposé qu'on sorte dans un bar. Elle a dit qu'il fallait que j'oublie Gabriel et que je me change les idées, comme toute bonne célibataire qui en profite pour s'amuser.

Je viens d'entrer dans le bar et je reste figée. Je regarde tous ces gens. J'entends la musique forte. Je me sens vieille. J'ai un flashback de ma vingtaine. Quand je sortais souvent. Avant que je sache exactement ce que je voulais faire de ma vie. Et avant que je m'y consacre. Avant que je rencontre Gabriel. Anik me prend le bras et me conduit vers une table. J'ai le vertige. Je lui dis que moi non plus, je n'aime pas les bars hétéros. Que j'aurais préféré qu'elle me traîne dans un bar gai.

Une fois assises à notre table, je lui fais remarquer qu'à cause de la musique trop forte, on est presque incapables de se parler. Elle répond que crier est en plein ce dont j'ai besoin en ce moment. Je me demande si mes prochaines années ressembleront à ça: sortir dans les bars, regarder autour pour voir s'il y a des gars qui m'intéressent. Cette pensée me déprime. J'en parle à Anik qui me rassure un peu en me disant qu'elle se demande la même chose pour elle, avec la difficulté supplémentaire d'avoir un bébé. Et elle ajoute, philosophe, qu'il ne faut pas qu'on se mette trop de barrières.

Puis, un gars s'approche de notre table et nous lance :

— Heille les filles, moi pis mes chums, on peut-tu vous offrir une broue ?

Je réponds :

— Soirée de filles. Privée.

— Ben sortez dans vot' salon si ça vous tente pas qu'on vous jase !

Le gars s'en va et continue de nous insulter agressivement, mais je n'entends plus. Je trouve que sa suggestion est bonne. On devrait partir.

Anik se penche et me dit doucement :

— Pourquoi t'as pas dit oui ?

Je la regarde, la scrutant presque, abasourdie. Mon amie semble dire que ce gars a l'air bien pour moi. Un peu offusquée, je réponds :

— Euh... on n'est pas sur une île déserte. Je ne vais quand même pas sortir avec un gars qui m'offre « une broue ».

— C'est juste pour une aventure, pour te changer les idées, comme tu voulais l'autre jour. Ça te ferait du bien. Te nettoyer de Gabriel. En termes d'auto, on appellerait ça un changement d'huile.

— Ark ?! Qu'est-ce que tu dis là ?

— C'est juste pour « nettoyer », dans un sens, l'ancien gars par un nouveau gars. Ça remet ton corps à zéro. Un nettoyage épidermique, si on veut.

— En ce moment, je ne suis pas impressionnée par tes propos. Tu as fait ça, toi ?

— Plusieurs fois ! Ça fait passer de belles soirées avec des gens cool.

— J'aimerais trop être gaie. J'sais pas pourquoi, ça doit être plus le fun entre filles. Montre-moi comment !

— Tu ne peux pas devenir gaie comme ça. Ça ne se force pas ! Il n'y a pas un gars qui t'intéresse ? T'es sûre ?

Je regarde autour.

— Non.

— Pas nécessairement ici. Dans la vie en général.

— Jean-Philippe était pas pire. Vraiment. Mais j'aime le sorbet au pamplemousse et c'était trop *wild* pour lui. Et mon client, marié, qui me voit comme une aventure. C'est insultant.

— Juste un, *come on* !

— Je ne suis pas prête.

— Regarde, je te parle pas de te marier. Juste avoir du fun. Un gars que tu trouvais *cute* avant ta rupture, mettons ? Qui te faisait fantasmer ?

Je réfléchis pour vrai.

— Mon pharmacien est beau. Il m'explique toujours mes médicaments avec un grand sourire. Plein d'humour.

— Ça ne te tente pas de l'inviter quelque part ?

— Non, ça ne marcherait pas.

— Pourquoi ? Pars pas négative.

— Tout le monde sait que si un gars t'invite pas, c'est parce qu'il est pas intéressé.

— Heille, scuse-moi, je pense qu'on a pris une machine à voyager dans le temps pis qu'on vient d'arriver dans les années 1950. Mais bon. Si jamais un jour on retourne dans la modernité, je dirais que ton pharmacien est peut-être gêné. Il est dans le cadre de son travail, il n'est pas pour inviter ses clientes ! En plus, s'il t'a déjà vue avec Gabriel, il ne sait pas nécessairement que tu es célibataire.

— En plus, ben… il sait que j'achète du fluconazole, c'est gênant…

— C'est quoi ça ?

— Un médicament pour les vaginites. Ça part mal quand t'es à une première *date* avec un gars et qu'il sait déjà que tu fais des vaginites. C'est anti-sexy !

— Toutes les filles font des vaginites. Invite le pharmacien!

— J'ai de la peine, Anik.

— Je sais... Mais je pense que c'est le temps de te ressaisir.

— Je me sens trahie de toutes les façons possibles. Hélène avait raison de dire que j'étais niaiseuse... Je n'ai rien vu aller. Rien.

Elle me prend la main. Le gars qui nous a offert une broue passe près de nous et nous lance:

— Pfff! Gang de lesbiennes!

Anik lève les yeux au ciel.

— Ok, j'avoue que tu peux faire mieux que ce gars-là. Comme ton pharmacien, pourquoi pas? Ça te ferait du bien d'avoir une *date*. Oh, en passant, un truc de grand-mère pour les vaginites: tu mets tes bobettes une minute au micro-ondes avant de les porter, ça tue les bactéries. Essaie!

— Les bobettes ou le pharmacien?

— Les deux!

BATTRE EN RETRAITE

Mercredi, 18 h 34

Ne pas me laisser abattre. C'est mon seul objectif. L'infidélité, je ne suis pas la première fille à qui ça arrive. Pourquoi je me laisserais abattre? Anik a raison, je dois moi aussi avoir une aventure. Quelque chose de léger, sans conséquences, sans but précis, juste pour m'amuser. Pour m'aider à savoir si le pharmacien est célibataire, elle a commencé par faire une recherche sur Facebook, mais elle n'a rien trouvé. Ensuite, elle a appelé à la pharmacie et a demandé à lui parler en disant qu'elle était sa femme. Elle s'est fait répondre: «Vous devez vous tromper de pharmacie, il n'a pas de femme.» Je l'ai trouvée vraiment cavalière, mais en même temps, ingénieuse.

Je fais la file à la pharmacie. Je suis nerveuse. Juste devant moi, une vieille dame vient chercher des médicaments. J'ai préparé mon plan. Je vais demander si je peux voir le pharmacien pour avoir un conseil et quand il va arriver, je vais lui demander où sont les Tylenol pour le faire sortir de derrière le comptoir. Et on pourra commencer à parler.

Une technicienne arrive. Je mets mon plan à exécution et je sollicite un conseil du pharmacien. On m'invite à aller attendre et on me dit qu'il va m'appeler.

18 h 45

Il m'appelle au comptoir. Je m'approche.

— Bonjour, je voulais savoir où sont les Tylenol.

Le pharmacien me regarde, un peu surpris.

— Je vais appeler un commis pour qu'il vous montre.

Plus discrètement, je continue:

— En fait, j'avais quelque chose à te demander, mais en privé. Pas devant les gens.

— Voulez-vous qu'on aille dans le bureau de consultation?

Je le suis dans le bureau de consultation.

Assise devant lui, de façon très formelle, je me lance:

— Bon, en fait, ce que je voulais te dire c'est que… ben, ça n'a pas trop rapport aux médicaments. C'est que, ça adonne que je suis célibataire. Et bon, ce n'est pas une maladie, je n'ai pas besoin de médicament pour ça, comme je dis, ça n'a pas trop un rapport médical, mais je me demandais si tu voulais aller prendre un verre. À un moment donné. Pas prendre un verre, en général dans la vie, mais avec moi. Si t'es célibataire aussi, et seulement si ce n'est pas contraire à l'éthique professionnelle des pharmaciens, évidemment.

Vendredi 21 h 07

Je ne m'ennuierais probablement pas en ce moment si je n'avais pas suivi les conseils d'Anik. Je ne serais pas en train de prendre un verre avec mon pharmacien, et j'aurais probablement passé une plus belle soirée. J'ai la tête appuyée sur ma main pendant que le pharmacien parle. Mes pensées vagabondent sur toutes les autres choses que je pourrais faire en ce moment. Je pense surtout à Gabriel, et à notre première *date*. Et je me demande si, lorsqu'il a rencontré Daphnée, il a pensé à notre première soirée lui aussi, s'il a eu des remords. Je me demande s'il pense à moi des fois quand il est avec elle. Comme je pense à lui pendant que je suis avec le pharmacien. Je me demande pourquoi je pense que Gabriel est mieux que le pharmacien, alors que Gabriel m'a trompée et que le pharmacien ne m'a techniquement rien fait.

Vendredi 21 h 09

— Et donc, mon travail me prend énormément de temps. C'est pour ça qu'avec les filles, j'aime bien les arrangements qui n'impliquent pas d'engagement. Justement, j'assistais à une conférence l'autre jour et, avec mes collègues, on n'arrêtait pas de se dire à quel point notre travail, c'était toute notre vie.

Et que souvent, les gens autour de nous en souffrent. Il n'y a pas seulement les clients, mais il y a également la gestion, les budgets, le développement, les congrès...

— Oui, je comprends. Contrairement aux autres personnes pour qui le travail est plus comme un loisir...

— Nous sommes souvent la première ressource lorsque les gens n'ont pas le temps d'aller voir le médecin. Je me consacre entièrement à mon travail. Je fais beaucoup d'heures supplémentaires et je n'ai pas le temps d'avoir une vie personnelle. Je m'implique rarement.

— Finalement, être pharmacien, c'est un peu comme être James Bond.

Il rit, flatté.

Je lève les yeux au ciel. Il n'a pas capté l'ironie.

Vendredi 21 h 24

— Écoute. Toi et moi, on s'entend pour dire qu'on ne s'entend pas pantoute. Mais vu que je ne suis pas dépourvue d'intelligence, j'ai compris toutes tes allusions sexuelles et le fait que tu ne veux pas de relation sérieuse. Je comprends que dans le fond, je ne t'intéresse pas vraiment. Mais je t'avoue que ça fait mon affaire. L'autre jour, j'ai essayé d'être directe avec un gars et ça n'a pas marché. Alors j'apprécie ton honnêteté. Mettons quelque chose au clair: tu ne m'intéresses pas non plus. Avant de te connaître, oui, mais là, c'est un gros non. Mais ça fait longtemps que je n'ai pas eu de sexe. Pis honnêtement, ça me ferait du bien d'entrer dans l'ère de la modernité pis de baiser sans lendemain, sans implication. Donc, je suis ouverte à aller chez toi si ça te tente.

Le pharmacien fait signe au serveur d'apporter l'addition. Je suis contente que la technique directe fonctionne avec lui. Il est probablement le candidat parfait pour avoir du sexe sans émotion, car il n'y a aucun risque d'attachement avec quelqu'un d'aussi insupportable.

Vendredi 21 h 58

Le condo du pharmacien est un peu froid, style célibataire dans la trentaine qui veut « flasher ». Du genre architecture et déco standards et plates de condo-lofts modernes tous construits sur le même moule. (Bon, je suis peut-être aussi un peu jalouse, car je ne suis que locataire.)

Je me sens tout à coup mal à l'aise, mais je ne sais pas pourquoi. Il me propose un verre. J'accepte. Il me tend un verre d'un digestif quelconque et je le cale, ce qui me fait un peu grimacer.

22 h 04

L'alcool n'a pas dissipé mon malaise. Je me sens tout à coup idiote de n'avoir jamais eu de baise d'un soir. Je pensais que ce serait facile. Presque tout le monde le fait. Peut-être que si je nomme mon malaise, ça partira plus vite qu'avec de l'alcool...

— Je t'avoue que je n'ai jamais fait ça. Avec quelqu'un que je ne connais pas, je veux dire. Ben... je te connais un peu, vu que t'es mon pharmacien, mais je ne te connais pas vraiment. Tu pourrais être un tueur en série dans tes temps libres et je pourrais ne pas le savoir. Es-tu un tueur en série ? Héhé !

— Non. Inquiète-toi pas.

Il s'approche et met son bras autour de mes épaules. Je me dégage avec un geste vif du bras. Réflexe d'autodéfense.

— Oups, scuse, réflexe. Désolée. Faque là, comment ça marche ? Est-ce qu'on s'embrasse ? Même si on ne se connaît pas ? Comme ça, bang. Langue pis toute ?

— C'est mieux si on le fait pis qu'on parle pas.

Il m'embrasse. Je ne peux réprimer un éclat de rire.

— Scuse... c'est à cause de ta phrase. « C'est mieux si on le fait pis qu'on parle pas. » Ça m'a déconcentrée.

Il m'embrasse une seconde fois et je ne peux toujours pas m'empêcher de rire.

— Scuse, c'est parce que ça fait tellement réplique de film poche. Mal doublé. Désolée, désolée, on peut recommencer.

Je me replace, comme si j'étais dans un cours de danse où je devrais apprendre des pas. Il s'approche pour m'embrasser et je recule encore, avec un certain dédain. Je voudrais tellement réussir moi aussi. Je voudrais pouvoir dire à Gabriel que je suis passée à autre chose. Le pharmacien aurait pu être un gars tout à fait charmant. Il aurait pu être séduit par ma personne, vouloir m'amener pour un petit week-end romantique, mais dès les premières minutes de notre rencontre, il a dit qu'il n'avait que des relations éphémères car son travail est le cœur de sa vie. Et moi, je suis là, à vouloir embarquer là-dedans et tout ce à quoi je pense, c'est mon ex. À nos premiers rendez-vous. Il me posait des questions. Il me regardait déjà avec des yeux brillants. On a appris à se connaître pendant quelques sorties et, ensuite, on s'est embrassés pour la première fois. Le sexe est venu après. Je ne sais pas si je suis faite pour le sexe instantané, sans connaître la personne, tout en sachant qu'il n'y aura pas de suite. Je ne me sens pas à ma place. Je me sens rétrograde. Je pense à Gabriel et à Daphnée. Ça me fait mal.

Le pharmacien me demande :

— Ça va ?

— Non. Je m'excuse... Je pense que... je ne serai pas capable. Je trouve pas ça naturel, moi, d'arriver chez un inconnu, qu'on se mette tout nus pis qu'on fasse quelque chose de super intime alors qu'on se connaît même pas ! Quand j'étais petite, je voulais me marier ! J'aimais ça, les histoires de princesses ! J'aimais ça l'affaire de : « Ils vécurent heureux et ils eurent beaucoup d'enfants. » C'est ÇA que je voulais ! Pis là, bang, bang, bang, j'ai juste eu des chums poches avec qui ça marchait pas. Ben y étaient pas toutes poches. Mon ex, y était ben correct, t'sais. En fait, vraiment *hot,* mon ex. Notre première *date,* c'était zéro comme notre *date* poche de ce soir. C'était romantique. Pis notre relation, c'était ma meilleure à vie. Ça marchait, nous deux. Sur toute la ligne. Mais bon, il voulait autre chose, on dirait. Il se trouvait trop jeune pour une relation sérieuse qui mène à l'achat d'une maison, ensuite d'une famille, pis bla bla blaaaa. Mais là, c'est fini. Pis là, j'essaie de rentrer dans le moule. Le moule des relations modernes. Quand je suis allée te parler à la pharmacie, j'ai naïvement cru que je pouvais être ce genre de fille qui peut avoir du sexe sans sentiments… Mais aussi plate que ça puisse paraître, je ne suis pas de même, moi ! J'en AI, des sentiments ! Je VEUX me marier ! J'en VEUX des enfants !

— Avec moi ?

— Non ! Pas avec toi. En général.

— Faque… on baise-tu ou… ?

COMMUNIQUÉ POUR DIFFUSION IMMÉDIATE

Objet : La quête incessante de l'amour
Statut : Urgent

Nous avons appris que certaines de nos concitoyennes s'étaient mises à la recherche de l'amour de façon effrénée, et ce, immédiatement après leur rupture. Elles ne se permettent donc pas de se recentrer sur elles-mêmes, ni de se mettre au diapason de notre époque, afin de franchir un pas dans la modernité. Comme vous le savez, le Service de police du mode de vie (SPMV) de votre quartier vous a à l'œil.

En élisant domicile dans le quartier le plus hip en Amérique du Nord (*Wallpaper*, décembre 2007), toute citoyenne accepte de considérer comme stupide de chercher des relations amoureuses à la manière de ces personnages superficiels de comédies romantiques, un genre cinématographique qui n'a plus la cote à notre époque et dont les protagonistes semblent tout droit inspirés de la psyché des contes de fées, ce que nous réprouvons formellement.

Nous invitons fortement les contrevenantes à remédier à cette situation en comprenant l'importance de se sentir bien seules et d'arriver à vivre une sexualité libérée des chaînes de l'émotivité. Il s'avère honteux pour une femme moderne de ne pas avoir de quête plus noble, plus enrichissante, plus valorisante, que celle, rétrograde et mièvre, de l'amour.

Nous sommes persuadés que cette quête de l'amour à tout prix est involontaire de la part de nos chères concitoyennes et qu'elle constitue un dérangement temporaire causé par des circonstances que nous qualifierons d'« atténuantes », par exemple une rupture. Comme ces situations sont regrettables, elles ont notre entière compréhension, en autant qu'elles passent à autre chose le plus rapidement possible. Par contre, si les contrevenantes ne se ressaisissent pas, leur comportement pourrait faire l'objet de discussions au sein de notre comité et les rendre passibles d'expulsion dans un quartier satellitaire et/ou sur la ligne verte.

Contact :
Roze-Alexye Desjardins-Bellavance
Officier de prévention
div. Votre Quartier

-30-

LA FIN DES ILLUSIONS

J'avoue que j'éprouve un certain sentiment d'échec. Je ne pourrai jamais me considérer comme un oiseau de nuit qui cumule les histoires sans lendemain. Cette pensée me traverse l'esprit tandis que j'écoute la musique d'attente pendant que je fais les démarches pour changer de pharmacie. Ce n'est pas si compliqué. Tu appelles à la pharmacie qui a ton dossier, ils te disent que c'est la nouvelle pharmacie qui doit faire le changement. La nouvelle pharmacie fait le changement et te demande ensuite d'appeler la première pharmacie pour lui demander de fermer le dossier.

Le jeune commis de ma désormais ancienne pharmacie répond.

— Bonjour, je euh… j'ai fait transférer mon dossier dans une nouvelle pharmacie. C'est que j'ai des assurances collectives, mais je dois… euh… faire affaire avec un établissement en particulier. Et la nouvelle pharmacie m'a demandé de faire le suivi avec vous pour m'assurer que vous aviez bien reçu ma demande de fermeture de dossier. Voici mes coordonnées…

Je l'entends taper à l'autre bout du fil. Mon histoire sonne bidon. Puis l'employé me confirme :

— Parfait, c'est fait. Donc, c'est terminé pour vous, madame Dufour.

— Euh… on s'entend que c'est terminé pour moi… au niveau de mon dossier de pharmacie. Pas terminé pour moi, en général dans la vie.

Silence à l'autre bout du fil.

— Non, mais c'est parce que « C'est terminé pour vous », ça sonne assez intense, style mauvais présage, style vous allez envoyer quelqu'un me casser les deux jambes, style je vais bientôt recevoir des cadres de photos de chats en cadeau, pis je ne voudrais pas que ce soit terminé pour moi, je voudrais garder mes jambes, et les photos de chats, ça me déprime, alors je ne voudrais pas que ce soit terminé pour moi, à part pour ce qui est de mon dossier dans cette pharmacie.

— Ok... C'est terminé pour vous ici. Pis bonne chance avec... le reste ! Et sachez que vous êtes la bienvenue si vous voulez recommencer à faire affaire avec nous.

C'est drôle parce qu'au fond de moi, j'y croyais, à la comédie romantique. Je ris un peu de moi-même. Je me voyais comme cette fille un peu trop occupée qui a rencontré l'homme de sa vie trop jeune. Ils se quittent. C'est une rupture assez comique. Anodine, même. Elle calcule le temps qu'il lui faudra pour trouver l'homme de sa vie. Et elle le trouve là où elle ne le cherchait pas. Ou dans une autre version, l'ex se rend enfin compte qu'il s'est trompé. Il admet son erreur. Il revient. Elle lui pardonne. Ils font des enfants. Et c'est la fin. Enfin, c'est le début d'une autre histoire. Celle qu'on ne raconte pas. Le bonheur tranquille. Le quotidien. Ou on la raconte quand ça commence à dégénérer, que les conflits surviennent, que la famille éclate. Parce que là, il y a une autre histoire. Mais moi, je me voyais plutôt comme la protagoniste des comédies romantiques légères. « *She had it all, but love.* » Je me voyais aller à des rendez-vous et raconter tout ça de façon comique à Anik. Qu'on en rie ensemble, jusqu'à ce que je tombe sur le bon. Ou que je revienne avec Gabriel. Je pense à cette fille que je croyais être et je l'envie un peu. Mais cette fille existe-t-elle ? Ou ai-je été un peu bernée par les contes de fées, comme certains hommes sont trompés par la porno ? Je croyais à la mise en scène romantique, alors que ça n'existe pas dans la vraie vie.

J'ai pensé que je serais cette fille un peu maladroite, un peu névrosée, qui apprivoiserait le célibat tranquillement, à coups de rendez-vous ratés. Je me suis prise pour un cliché. Mais je me sens inadéquate pour ça. J'ai le goût de vomir quand j'entre dans un bar. Et j'ai eu le même sentiment quand je me suis inscrite sur un site de rencontres.

Avec Gabriel, je pensais avoir rencontré l'homme de ma vie. Je n'étais pas trop pressée qu'on fonde une famille parce qu'avec lui, je me sentais dans un projet commun et je sentais qu'on allait vers la même place. Nous avions nos problèmes, mais ils ne me semblaient pas insurmontables. Je pensais qu'on bâtissait ensemble un futur. Jamais je n'aurais imaginé qu'il serait infidèle... avec mon employée. C'est comme si, encore aujourd'hui, c'était difficile à croire. Comme si c'était un cliché impossible qui ne pouvait pas m'arriver à moi.

Après cette fameuse soirée où je l'ai croisé avec Daphnée, il a tenté à plusieurs reprises de me joindre. J'ai refusé tous ses appels. Je ne sais pas ce que je pourrais apprendre qui pourrait apaiser le mal que j'ai à la suite de cette découverte. Que pourrait-il me dire de plus que je n'ai pas moi-même imaginé? Pour ce qui est de Daphnée, je l'ai bloquée sur Facebook, question de ne plus être tentée par l'espionnage. Ça ne m'a même pas soulagée. J'aurais voulu lui écrire, mais je ne l'ai pas fait. Je me disais que j'avais assez perdu de ma dignité.

Au retour de ma *date* avec le pharmacien, j'ai pleuré pendant des heures. Et j'ai finalement rappelé Gabriel. J'ai hurlé, mais je ne me souviens plus du vocabulaire que j'ai utilisé. Je ne sais même pas ce que j'avais envie de lui dire. J'avais juste besoin d'évacuer des cris de douleur.

En raccrochant, j'ai eu honte. Pas nécessairement d'avoir exprimé ce que j'avais exprimé. Mais d'avoir considéré cette rupture comme une étape me menant à l'homme de ma vie, à une famille. Alors que c'était Gabriel que j'aimais. J'ai eu honte que cet amour-là ne s'en aille pas si facilement de moi. J'ai eu honte d'être dans le déni sur quelqu'un qui m'a trompée. J'ai eu honte d'avoir agi comme une héroïne de film qui tente de ne pas se laisser abattre, pour pouvoir rencontrer quelqu'un en lui disant qu'elle est nouvellement célibataire mais que tout est réglé dans sa tête parce qu'au fond, il y avait bien longtemps que son couple était terminé, bien avant la rupture même, et que ça faisait d'elle quelqu'un qui est prêt pour l'amour. J'ai eu honte et ce n'est plus un sentiment que j'ai envie de ressentir à mon sujet.

Ma vie ne se passe pas comme je l'avais prévu. Tout a éclaté. Je ne sais plus trop où j'en suis.

Je vais me concentrer sur ce qui fonctionne. Sur mon travail. Sur ce qui rapporte. Sur mes succès. Sur ma liberté. Je vais me concentrer sur moi.

C'est comme ça. Pour l'instant.

Blanche-Neige

Il était une fois une reine. Elle passait son temps à questionner son miroir magique sur tout et sur rien. Elle y voyait le reflet des signes du temps sur son corps et sur son visage. Elle camouflait les cicatrices laissées sur sa peau par la vie. Il y en avait plusieurs. Car elle avait mené plusieurs batailles, plusieurs combats. Pour arriver ainsi à obtenir le titre le plus convoité du royaume, elle n'était pas restée assise là dans le pré à manger des macarons.

Un jour, une fois que plusieurs batailles eurent été gagnées, elle s'est observée dans le miroir et y a vu l'image d'une femme épuisée de tout ce qu'elle avait accompli. Regardant autour d'elle, elle en est venue à se demander ce qui lui restait de tout ça. Bien sûr, elle était à la tête d'un royaume solide, maintenant craint par ses ennemis. Mais plus elle y pensait, plus elle sentait un vide se creuser en elle. Comme elle ne devait pas se permettre d'être vulnérable, et devait sans cesse se montrer intransigeante pour être respectée, elle ne pouvait jamais avoir de répit, ni se laisser aller à ses sentiments. Car si elle le faisait, on profitait d'elle, jugeant qu'il s'agissait de moments de faiblesse. Elle se souvenait du roi qui l'avait précédée. On le décrivait comme un excellent souverain, alors qu'il était sanguinaire. Il était considéré comme un homme élégant et un grand séducteur, alors qu'il n'avait jamais été marié et qu'il cumulait les maîtresses. Elle-même avait déjà été étiquetée séductrice, car dans ses jeunes années, elle avait rompu avec un prince après avoir découvert qu'il n'était qu'un traître qui la manipulait pour avoir son trône. Elle profitait de la compagnie de courtisans mais ne leur était pas fidèle, et elle avait refusé de faire un mariage de raison. Les gens la traitaient d'intrigante, d'ambitieuse et d'opportuniste. Elle choisit par la suite le célibat et l'abstinence pour le reste de sa vie, voulant éviter ce genre de ragots qui la discréditaient. Elle se désolait de ce double standard entre les rois et les reines. Elle souhaitait faire sa place et être respectée, comme son prédécesseur. Pourtant, elle n'avait réussi qu'à être crainte.

En voyant son reflet dans le miroir ce jour-là, elle vit une femme triste. Seule. Très peu encline à se féliciter pour ses accomplissements. Elle commença à penser à ce qui l'avait conduite là. À ce qui l'avait menée à être cette reine d'un royaume prospère envié par plusieurs contrées, mais cette femme seule, redoutée, dont on se méfiait. Qu'est-ce qui avait bien pu la pousser à choisir cette solitude qui, aujourd'hui, lui pesait ?

Dans le miroir, elle vit une jolie princesse qui lui ressemblait et qui portait le nom majestueux de Blanche-Neige.

Son teint était pâle et lisse, ses joues étaient rosées, sa bouche était pulpeuse. On la destinait à un brillant avenir de reine, mais elle n'était pas pressée d'entreprendre cette carrière. Elle passait le plus clair de son temps à choisir de beaux vêtements et à cueillir des pommes en fredonnant. Elle se disait qu'elle pouvait remettre ses obligations à plus tard et profiter de sa jeunesse. Certains la trouvaient un peu idiote, trop frivole.

Un jour, un prince arriva. Blanche-Neige ne se souvenait pas d'avoir tant vibré. À sa vue, elle se sentait toute molle, son cœur battait, et elle perdait du même coup le souffle pour continuer à fredonner. Blanche-Neige avait déjà lu sur l'amour, mais aucun mot ne pouvait exprimer exactement le sentiment qui la submergeait.

Le prince lui fit vivre toute la romance à laquelle une jeune fille peut rêver. Les promenades sur le bord de l'eau, les couchers de soleil, les balades à cheval. Blanche-Neige brossait ses cheveux pour lui, s'assurait de lui plaire, l'écoutait, le regardait comme s'il était l'étoile la plus brillante du ciel. Dans le royaume, on annonçait un mariage imminent, ce qui comblait la princesse de joie. Jusqu'au jour où elle vit le prince faire une promenade au coucher de soleil avec une autre princesse et que son cœur fut brisé à jamais. Elle avait déjà lu sur les chagrins d'amour, mais aucun mot ne pouvait exprimer ce qui la poussait à mettre sa main sur son cœur sans arrêt, comme pour le couver, comme pour empêcher le sang de se répandre partout et de lui enlever toute capacité de battre à nouveau. Elle tenait son cœur comme un organe qu'on veut sauver, si tant est qu'il en restait quelque chose à sauver.

Blanche-Neige ne pouvait plus rester dans ce royaume lui rappelant tant de souvenirs et décida de partir en retraite dans les bois, question de se refaire une santé. Seule dans sa petite habitation de fortune, elle y expérimenta plusieurs états, sept pour être plus précis. Au début, elle se sentit simplette d'esprit d'avoir cru à cette belle histoire romantique. Ensuite, elle se sentit trahie et en colère. Puis, vint la fatigue. Et ensuite, la maladie. Ce qui la confina à son lit. Faute de pouvoir faire beaucoup d'activités, elle fit plusieurs lectures et se cultiva sans répit. Plus elle acquérait de connaissances, plus elle sentait qu'elle reprenait un certain contrôle sur sa vie. Enfin, elle se débarrassa de toute timidité et décida qu'il était temps pour elle de sortir de cette retraite et de reprendre en main le royaume qu'elle avait délaissé. Elle devrait maintenant contrôler sa destinée et devenir la leader qu'on pressentait.

Tête haute, elle décida de retourner au royaume et de mettre de côté à jamais cette fille fleur bleue qu'elle avait été jadis. Elle se promit d'être à la hauteur de ce qu'on attendait d'elle sans jamais s'en laisser imposer. Personne ne la reconnut ; on lui refusa l'accès au trône et on menaça de la chasser.

Pendant son absence, le prince qu'elle avait jadis aimé avait pris sa place. Elle assembla une armée pour reprendre ce qui lui revenait de droit. Elle réussit à le destituer. Et commença alors son règne. Évidemment, cela avait déplu à plusieurs, qui continuaient de croire que le trône revenait à ce roi. Et même si celui-ci prenait de mauvaises décisions et que les villageois avaient vécu, sous sa gouverne, dans la peur et la pauvreté, certains continuaient de le vénérer.

Mais la reine décida de ne pas se laisser abattre. Et de gouverner selon ses valeurs. Elle ne prenait pas plaisir à ne pas être aimée, mais elle savait qu'elle agissait pour le bien commun. Pour que ses sujets aient une belle vie, en toute sécurité dans le royaume. Pourtant, rien n'est tout noir ou tout blanc en ce monde et pour faire le bien, elle avait dû faire quelques sacrifices et se montrer impitoyable pour certaines lois.

Parfois, elle était lasse de toujours garder sa contenance. Il arrivait que son cœur se remette à battre ou à saigner pour des choses et d'autres. Et c'était ce qui l'épuisait le plus.

La reine regardait dans le miroir et revoyait ainsi sa vie. Elle se revoyait jeune et naïve, découvrant son premier amour. Et elle se détestait. Elle ne pouvait croire qu'elle avait été cette jeune fille admirant aveuglément un homme et lui accordant plus d'importance qu'à sa propre personne. Elle se souvenait avec amertume d'avoir aimé le reflet d'elle qu'elle voyait dans les yeux de l'autre, comme si elle était incapable de voir par elle-même sa propre valeur. Elle se disait que si cet amour n'avait jamais eu lieu, bien des batailles auraient été évitées. Elle n'aurait même pas eu besoin de regagner son trône, car personne ne le lui aurait volé. Elle n'aurait peut-être même pas eu à subir tant de critiques, car elle aurait été la seule reine que le royaume aurait connue. Et elle se dit: « Si je pouvais, par un quelconque pouvoir, remonter le temps, je volerais le cœur de cette fille que je ne suis plus et que je préférerais ne jamais avoir été, et je le mettrais bien à l'abri dans un coffre-fort. Ainsi, mon cœur aujourd'hui ne serait pas brisé, incapable d'aimer à nouveau. Je voudrais ne jamais avoir connu ce sentiment qui m'a fait si mal et qui m'a obligée par la suite à me battre plus fort. »

Le miroir lui expliqua qu'un tel pouvoir n'existait pas. Elle ne pouvait remonter le temps, voler et enfermer son propre cœur. Elle ne pouvait tuer la jeune femme qu'elle avait été. Et il lui rappela que même si les choses ne s'étaient pas passées telles que prévu, elle avait quand même réalisé de grande choses. Et que peut-être que cette grande épreuve qu'elle avait vécue avait fait d'elle une reine beaucoup plus adéquate. Mais elle pensait: «À quoi bon?» puisqu'elle n'avait personne avec qui partager son succès, ni personne pour l'apprécier.

Le miroir lui suggéra qu'il était peut-être temps pour elle d'accepter qui elle était, ses erreurs comme ses bons coups, et de tenter d'aimer à nouveau.

La reine refusa ce conseil et brisa le miroir.

On l'accusa d'avoir tué Blanche-Neige. Elle clama qu'elle ne reviendrait jamais en arrière, qu'elle ne serait plus jamais cette fille naïve, vulnérable et influençable. On le lui reprocha. Même si elle avait réalisé de grandes choses, les légendes à son sujet la dépeignirent comme une femme intransigeante, froide, qui refusait de vieillir, désabusée, envieuse de la jeunesse des autres et incapable d'inspirer l'amour à qui que ce soit. Elle devint le symbole de l'aigreur, plutôt que l'emblème de ses accomplissements et de ses victoires en tant que reine et guerrière.

On ne voyait en elle que le reflet de ce qu'on voulait voir, et c'est ainsi qu'elle disparut, emprisonnée dans cette image qu'on se faisait d'elle, lasse de se battre pour convaincre les autres de ce qu'elle était réellement, plus fière de ce qu'elle était devenue que de ce qu'elle avait été.

2015

J'aurai sûrement une longue cicatrice assez visible.

Il y a une semaine et demie, j'ai subi une opération pour une tumeur à la gorge. Tout va bien. C'était bénin. Je suis en bonne santé même si l'intervention m'a laissé une marque rouge qui donne l'impression qu'on m'a tranché la gorge. Ça cicatrisera.

Je suis devant mon miroir. Les points de suture ne sont pas encore tombés. J'en suis seulement au début de ma deuxième semaine de convalescence, qui devrait normalement durer un mois, mais je retourne au bureau aujourd'hui. Pour la première fois depuis des années, j'ai pris une pause. Disons plutôt que je n'ai pas eu le choix. Je pensais travailler un peu de chez moi et suivre l'actualité de mes clients, mais après l'opération, la douleur étant assez intense et les analgésiques assez puissants, j'en étais incapable et je n'ai fait que dormir. J'avais dit à Jean-Krystofe, mon adjoint, qu'il pourrait me contacter en cas d'urgence. Et je me suis fiée à son bon jugement. Ce matin, alors que j'étais encore au lit, il m'a annoncé, en se confondant en excuses, qu'il fallait organiser une réunion d'urgence concernant François et qu'il ne pouvait rien faire sans moi.

Il y a sept ans, quand j'ai signé François Allard comme client, il n'était pas encore un joueur important du monde des affaires. Parmi ses autres activités, il voulait commercialiser une boisson énergisante. Il a fait appel à moi parce que Martin, qui est un de ses grands amis, lui avait chaudement recommandé de m'engager, après le succès du lancement des rénovations de son hôtel. Une soirée à la suite de laquelle j'ai gagné plusieurs clients, ce qui tombait bien, puisque j'avais décidé de me dédier corps et âme à mon travail.

J'ai fait une campagne de promotion grandiose sur cette boisson, qui a vraiment fait une percée rapide sur le marché. Maintenant, François Allard est un entrepreneur très connu et apprécié du public. Est-ce grâce à moi? Je ne me donnerais jamais ce crédit. C'est un travail d'équipe. Au fil des années, sa compagnie s'est diversifiée et compte maintenant plusieurs secteurs d'activité, en plus d'une fondation. Il est également associé à Martin pour quelques projets hôteliers. Il donne maintenant des conférences sur le leadership et la motivation, en prenant le succès de sa boisson énergisante en exemple. Il est souvent appelé à commenter l'actualité économique dans les médias. Et j'en retire une grande fierté. Quand je l'ai rencontré, je lui ai dit que je ferais de lui l'homme d'affaires le plus connu du Québec. Et on peut dire que j'ai réussi. Quant à ma compagnie, avec l'apport de nouveaux clients d'envergure, elle s'est taillé une place enviable dans le monde des relations publiques. Je m'occupe de vedettes internationales qui passent en ville, de films, de stars locales, d'entrepreneurs, de plusieurs événements et de grandes multinationales. Je n'ai pas encore atteint tous mes buts et j'ai encore plusieurs ambitions, dont celle de surclasser la compagnie de mon ancienne patronne, Hélène Melançon, qui reste ma plus grande rivale, mais je suis assez satisfaite du chemin parcouru jusqu'ici.

Au fil des années, François est devenu un grand ami. Chacun de ses succès ou de ses échecs me touche personnellement. Peut-être parce qu'avec lui, je sais que je peux voir grand, car il a beaucoup d'ambition, lui aussi, pour sa compagnie. C'est pourquoi Jean-Krystofe a touché une corde sensible lorsqu'il m'a dit que cette réunion d'urgence le concernait.

De toute façon, j'avoue que je n'étais plus capable de me reposer.

Toujours devant le miroir, je me demande comment je pourrais cacher ma plaie.

C'est Gabriel qui m'a accompagnée à l'hôpital. On m'a appelée à la dernière minute pour l'opération et j'ai sauté sur l'occasion, car la tumeur grandissait et il fallait l'enlever. Ma mère et Claude étaient en vacances, je ne voulais pas faire venir mon père de

Floride, et Anik ne pouvait laisser son commerce ou sa fille. Ça ne me dérangeait pas d'être seule. Je m'y suis habituée. C'est ainsi que j'ai décidé de faire ma vie et je l'assume totalement. Mais mon ex, avec qui mes rapports se sont adoucis après que nous avons repris contact il y a quelques années, m'a textée par hasard la veille de l'opération, et il a insisté pour m'accompagner.

C'est rassurant d'avoir quelqu'un qu'on connaît avec nous, dans ce moment de vulnérabilité juste avant une opération, où on remet notre vie entre les mains de quelqu'un d'autre.

Je n'ai pas l'habitude de remettre quoi que ce soit entre les mains de quelqu'un d'autre. J'aime être en contrôle des situations. Dans mon métier, c'est ce que je gère: l'information, l'image. Je suis capable de tout transformer en positif.

Pour l'opération, je banalisais un peu les choses quand j'en parlais à mon entourage. Pas question de m'apitoyer, mais surtout, je ne voulais pas les inquiéter. Des gens vivent bien pire.

Quand on a levé les barreaux de mon lit pour me transporter dans le bloc opératoire, Gabriel m'a souhaité bonne chance et il m'a suivie jusqu'à l'ascenseur. Il m'a dit gentiment: «Je vais être là à ton réveil» et, lorsque les portes se sont refermées, il m'a fait bye-bye de la main. On m'avait donné des calmants. Mais je me rappelle que ce signe de la main m'a fait un petit coup au cœur. Je ne sais pas pourquoi. Peut-être que, l'espace d'un instant, j'ai éprouvé de la nostalgie.

Quelques semaines plus tôt, il m'avait écrit pour me dire qu'il commençait à fréquenter quelqu'un et que ça devenait sérieux. Il voulait me l'annoncer, pour éviter que je l'apprenne par quelqu'un d'autre. Avant mon opération, je n'ai pas osé lui demander s'il avait dit à sa blonde qu'il allait accompagner son ex pour une intervention chirurgicale. Quand je l'ai vu me regarder, avant que les portes de l'ascenseur se referment, je me suis demandé s'il remettait sa nouvelle relation en question, s'il lui arrivait d'être nostalgique et si c'était ce qui le poussait à faire ça pour moi. Ça non plus, je n'en ai pas parlé.

Mais je ne pouvais m'empêcher de penser qu'un fond de romantisme n'était peut-être pas complètement mort en moi, et de m'imaginer qu'on avait fait un grand tour d'horloge pour se retrouver là, à l'hôpital, dans ce qui pourrait ressembler à un *happy end*. Quand je le retrouverais, il se pencherait peut-être vers moi pour me prendre la main, s'excuserait et dirait quelque chose de clair : qu'il voulait qu'on soit ensemble, parce qu'il m'aime, tout simplement. Et notre vie serait différente. Maintenant, sa réputation est enviable en tant que directeur de création associé dans une grosse boîte de pub, tandis que ma compagnie roule bien. Nous ne serions plus ces jeunes qui se battent pour réussir. Nous pourrions vendre nos condos, nous acheter une maison et peut-être même faire d'autres acquisitions, comme une maison de campagne ou une résidence secondaire dans un autre pays. Et, enfin, passer plus de temps ensemble.

Je n'avouerai jamais à personne que j'étais contente d'avoir quelqu'un avec moi à l'hôpital. Quelqu'un qui me connaît par cœur.

Je ne sais pas si c'était la morphine qu'on me donnait contre la douleur, mais je me suis posé des questions sur cette expression : « connaître quelqu'un par cœur ». Qu'est-ce que ça signifiait ? Que Gabriel pouvait tout connaître de mon cœur parce qu'il lui avait fait autant de mal que de bien ? Et mes yeux se sont refermés.

Quand je me suis réveillée, le premier nom que j'ai prononcé a été le sien. L'infirmière de la salle de réveil m'a entendue et elle est venue me dire que le Gabriel que j'appelais était bel et bien là.

Pendant qu'on faisait rouler ma civière pour me ramener vers ma chambre, je me disais que ce que j'avais imaginé avant que les portes de l'ascenseur se referment était stupide. Je n'ai pas pensé à Gabriel en termes romantiques depuis tellement d'années. Je n'ai pas compris pourquoi tout ça était remonté à la surface. Peut-être un relent de la naïveté de ma jeunesse. Une faiblesse passagère. Depuis sept ans, je suis parfaitement bien dans mon choix d'être célibataire. Ma vie est stable, dépourvue de drame ou de montagnes russes. C'est incroyable ce que la morphine peut faire. Ce moment de brouillard total et de vulnérabilité romantique, ce n'était pas moi. Je ne suis plus cette fille qui imagine des choses comme ça. Je me suis endurcie. Et ces pensées sont pour moi des mièvreries. Quelqu'un me dirait tout ça et j'aurais envie de lui donner une claque derrière la tête pour lui dire de retomber sur terre, là où ces stupidités n'existent pas.

Malgré les calmants, j'ai pu rapidement me ressaisir, balayant ces pensées avant qu'elles ne s'incrustent.

Quand je suis arrivée dans la chambre, je l'ai aperçu. Il m'a souri. Il était au téléphone et m'a fait signe en levant son index d'attendre une minute. J'étais à l'hôpital, immobilisée par la douleur et par une dose élevée d'analgésiques. Attendre une minute, c'était tout ce que je pouvais faire de toute façon.

Il parlait à sa blonde. Il était là par loyauté pour moi, par amitié même. Ce qui était tout de même gentil de sa part. Il n'était pas le monstre que j'aurais voulu qu'il soit au moment de notre rupture, pour mieux l'oublier. Il était là pour moi. Mais il n'était pas avec moi. Il n'y avait plus d'amour entre nous. Que des vestiges du passé et une certaine cordialité.

C'était gentil. Pourtant, ça m'a fait sentir seule. Tant que je suis submergée par mon travail, je me sens toujours en contrôle. Mais à ce moment, à l'hôpital, mon ex qui n'est pas un monstre et qui disait à sa blonde qu'il ne rentrerait pas trop tard m'a renvoyé un reflet de ma réalité.

Que j'ai immédiatement chassé de mon esprit.

Il m'a offert son aide pour les jours suivants et j'ai refusé.

Lorsque j'ai été de retour à la maison, ma mère est venue. Anik est passée et m'a apporté du chocolat pour quand je pourrais manger solide. Et le reste du temps, j'ai dormi.

J'attrape un foulard pour cacher mon cou et je pars.

J'entre dans les locaux de ma compagnie. J'ai fait l'acquisition d'un bel espace avec vue sur le centre-ville. Je m'y sens presque plus chez moi que dans mon condo. Un bouquet de fleurs m'attend à mon bureau. Ça vient de Jean-Krystofe. Je lis le mot qui y est épinglé en me tenant le plus loin possible des fleurs pour éviter d'éternuer.

Je sais que tu es allergique, mais ça me tentait d'avoir des fleurs, alors je marque des points pour devenir à tes yeux l'employé de l'année grâce à mon cadeau, et en plus j'aurai des fleurs sur mon bureau. JK xx

Je souris.

Jean-Krystofe a vingt-quatre ans. Trop vieux pour être mon fils, mais si j'avais eu un fils, j'aurais aimé qu'il soit comme lui. La seule chose est que je n'aurais pas épelé son nom de cette horrible façon. Le nombre de fois où il doit épeler son nom chaque jour lui fait perdre un temps fou au travail, surtout parce que ça génère des conversations interminables. Il dit que ses parents voulaient qu'il se distingue. Je pense que sa personnalité fait le travail, aucunement besoin que ce soit appuyé par l'orthographe de son prénom.

Ça fait déjà deux ans qu'il travaille pour moi. Et de tous les adjoints que j'ai eus, c'est mon préféré. Mais j'essaie de ne pas trop le démontrer, car quand je me suis montrée trop amicale envers des employés, ça s'est mal terminé. Et je ne pense pas seulement à Daphnée. Il y a aussi eu Claudine, qui se prenait pour ma mère et, puisqu'elle était plus vieille que moi, croyait qu'elle avait de l'autorité; il y a eu Carl, qui voulait devenir président de compagnie et jugeait toutes les tâches d'adjoint trop réductrices pour lui, et finalement Sophie, qui trouvait que les heures que ce travail exigeait étaient incompatibles avec son style de vie. La première fois qu'il est venu en entrevue, Jean-Krystofe m'a appelée « Sarâh », je l'ai repris, puis il a tout de suite dit que son nom ne s'épelait pas comme je l'avais noté sur mon papier, et une certaine complicité est née comme ça tout simplement entre nous. Même si, en vieillissant, j'accorde moins d'importance à des détails qui me faisaient grincer des dents par le passé, je ne suis pas capable de lâcher prise sur la bonne prononciation de mon nom.

Jean-Krystofe est parfait, mais je sais garder avec lui une distance raisonnable.

Je suis contente de retrouver mon bureau. Je ne sais pas comment j'aurais pu être en convalescence pendant un mois. Je me tourne vers les fenêtres, je contemple la superbe vue et je sens tranquillement l'adrénaline monter en moi.

Jean-Krystofe entre. Je lui souris.

— Oh les belles fleurs ! Pour moi ? T'aurais pas dû !

— Comment va ma *boss* préférée ? Oh, j'm'excuse, *boss,* bosse…

C'est lui qui a vu le premier que j'avais une bosse dans le cou. Il n'a d'ailleurs pas été diplomate. Il n'a pas de filtre. Pas que je ne la remarquais pas moi-même. Mais je ne la remarquais pas tant que ça. Je voyais une bosse dans mon cou, mais je croyais que c'était ma peau qui vieillissait. Je ne peux dire à quel moment elle est apparue. Mais elle était là, en train de mettre ses tentacules partout sur les nerfs de mon cou, grossissant, visible à l'œil nu. « Quelque chose de gros que vous n'aviez pas remarqué. » Ça m'a fait rire quand le médecin m'a lancé cette phrase, assez représentative de ma vie personnelle en général.

Jean-Krystofe a posé la main devant sa bouche, comme s'il détectait que ce n'était pas le bon moment pour faire des blagues. Je ris malgré tout.

— Je m'excuse de t'avoir appelée…

— Tu as bien fait. J'étais tannée de me reposer.

Il me serre dans ses bras. Un peu mal à l'aise, je me dégage assez rapidement de son étreinte et lui demande quelle est l'urgence.

Bien sûr, à cause de l'opération, pour la première fois depuis des années, j'admets ne pas être à mon meilleur. Mais je ne sais pas comment me reposer, alors le mieux est de me ressaisir et de recommencer à faire ce que je sais le mieux faire, mon travail.

Jean-Krystofe me demande s'il peut voir la plaie avant de tout me dire. J'aimerais qu'on passe rapidement aux choses sérieuses, mais je déplace tout de même mon foulard pour la lui montrer.

— Issshhh. T'sais que tu pourrais dire que tu as survécu à un *street fight* et capitaliser là-dessus sur les réseaux sociaux ? Y avait un beau médecin à l'hôpital ?

— Même pas.

— Si au moins ça avait pu te permettre de rencontrer un beau médecin !

— Qui veut d'un médecin ? Des heures impossibles. Tu réalises qu'avec mes heures impossibles à moi, je n'aurais jamais de temps à lui consacrer ?

— C'était quoi donc la raison pour un avocat ?

— Ils sont menteurs.

— Un chef cuisinier ?

— Cordonniers mal chaussés. Ils cuisinent au resto mais pas dans leur vie personnelle. Aucun avantage. Et ils sont arrogants.

— Un journaliste ?

— Conflit d'intérêts.

— T'es un cas désespéré.

— Un cas désespéré est un cas qui désire espérer et qui est déçu, moi je trouve juste ma vie plus belle comme ça.

Il me lance ce regard perplexe qu'ont tous ceux qui n'acceptent pas que les célibataires soient bien dans leur célibat.

Je suis déjà tombée sur le blogue d'une coach de vie qui tentait d'expliquer aux célibataires pourquoi ils sont célibataires. Elle suggérait que quelque chose bloquait en nous. Qu'inconsciemment, nous n'étions pas ouverts. Qu'il fallait régler ça. Ça m'a mise en colère. D'abord, pourquoi faut-il régler ça ? Y a-t-il un règlement qui stipule que nous devons être en couple absolument ? Elle ajoutait dans son texte : « Votre célibat est votre zone de confort et vous ne voulez pas en sortir par peur d'être inconfortables. » Euh... et après ? Si tu es confortable en couple et que je te demande de sortir de ta zone de confort pour le fun, vas-tu vouloir en sortir ?

J'ai l'impression que le choix d'être seule n'est pas acceptable pour les autres, même quand on ne s'en plaint pas.

Jean-Krystofe est le genre de célibataire que j'aurais aimé être à son âge. Très indépendant. Il fait de nombreuses rencontres sur Tinder ou Grinder, sans s'attacher, ni vivre dans l'attente, ni se faire du mal.

— Bon, Jean-Krystofe. Maintenant, on peut laisser faire les banalités ? Explique-moi ce qui se passe.

Son visage s'assombrit et il demande :

— Tu n'as pas vu les réseaux sociaux ?

— Non ! Je suis venue le plus vite possible...

François entre en trombe dans mon bureau en s'exclamant :

— Bon, on la fait-tu, cette réunion-là ?

Jean-Krystofe s'excuse et s'éclipse.

SOBRE

On ferme la porte de mon bureau. François s'assoit sur la chaise devant moi et il se met à bouger sans arrêt, comme si le seul fait d'être assis le rendait mal à l'aise.

— J'ai besoin de toi, là. Je perds la carte sans toi!

— Fais pas ton quétaine.

— R'garde, quand t'étais à l'hôpital, j'ai pensé que t'allais mourir. J'ai essayé de trouver un trou dans mon horaire pour aller te voir mais les dernières semaines ont été folles.

— C'pas grave. Je comprends. J'ai reçu ton cadeau. Merci. Et j'étais pas toute seule.

— As-tu eu de la bonne drogue?

— Dilaudid. Pour la douleur.

— Chanceuse. Hooooo... stie que j'en prendrais un peu, là. De n'importe quoi. Y avait des beaux médecins, au moins?

— Tout le monde me demande ça. Ça m'énerve! Ça se peut pas, dans votre tête, que je sois juste bien comme ça?

François me lance le même regard que Jean-Krystofe. Ou que n'importe qui quand je dis que je ne cherche pas à être en couple. Venant de n'importe qui, je suis habituée. Venant de Jean-Krystofe, je me dis que c'est seulement parce que c'est un jeune sans expérience de vie, mais venant de François, ça me fâche. Il me semble que lui, parmi tous les autres, devrait comprendre mon désir de liberté.

— Pis, toi? Comment ça va?

Il prend sa tête entre ses mains, puis finit par dire:

— Je suis sobre de tout.

François a une femme, Chantal, et trois enfants. La première fois que j'ai appris que François était infidèle, c'était dans un train. À partir de ce jour-là, j'ai contribué au même mensonge que celui qui m'a fait si mal dans ma propre vie. Après plusieurs discussions avec François, j'avais toutefois vu une distinction entre son histoire et la mienne. François ne veut pas laisser sa femme, car son infidélité ne lui fait pas remettre en question leur relation. Dans ma tête, tout est devenu confus. Mon cerveau a fini par accepter que l'infidélité existe. Que ça fait pratiquement partie du code génétique de certaines personnes. Aujourd'hui, des sites Internet favorisent même les rencontres adultères. C'est donc banal. Et avoir de la peine pour ça, c'est un peu insensé. Il y a toutes sortes d'infidèles. François trompe Chantal, d'après ce que j'ai compris, de façon récréative, pour se changer les idées. Le sexe est pour lui comme aller jouer au hockey ou au tennis avec des amis. La seule différence est que si Chantal l'apprenait, elle serait sans doute triste. Mais François est tellement convaincant sur l'amour qu'il lui porte, il dit qu'il est un impulsif, un épicurien, un *gambler* et qu'il l'est dans toutes les sphères de sa vie. S'il lui parlait de tout ça, je me demande si elle le prendrait comme ça. Et il y a les infidèles comme Gabriel, qui mentent parce qu'ils ne savent plus ce qu'ils veulent. Ils se choisissent eux-mêmes, prennent le temps de réfléchir à où ils en sont dans leur vie et tâtent le terrain sans dire aux autres ce qu'ils vivent. Du moins, c'est ma déduction, car je n'ai jamais vraiment demandé plus d'explications à mon ex. J'en suis venue à me convaincre que tout ça est normal. Que le monde a changé, même si moi je n'ai pas trop suivi cette évolution. Que ma vision de l'amour est rétrograde. J'ai ouvert mes yeux sur ce qui se passe autour. Quand l'infidélité n'est pas cachée, il s'agit carrément de « relations ouvertes », où il y a donc un consensus sur le désir d'aller voir ailleurs. Je devais être la seule à croire que le simple fait de penser aux mains de la personne que j'aime sur le corps de quelqu'un d'autre fait mal.

À une certaine époque, je racontais mon histoire d'infidélité à tout le monde. Je ne sais pas pourquoi. Par détresse ? On dirait que quand on vit ce genre de situation, on voudrait que tout le monde se range de notre côté, partage notre peine et notre rage. Jusqu'à ce qu'on réalise que personne ne ressentira exactement notre douleur, que les gens tentent même souvent de relativiser. Et un jour, quelqu'un m'a simplement dit : « Si tu l'avais su, ça t'aurait rien fait. » Bref, si on avait été un peu plus modernes, plus consentants, Gabriel et moi, je n'aurais pas vu la situation comme une trahison. Une double trahison, même. Je me serais simplement dit qu'il a eu du plaisir et que la vie continue.

J'ai fini par pardonner à Gabriel. Peut-être parce que je m'en voulais de lui en vouloir alors que ce qui s'est passé entre nous était si commun. Lorsqu'on a recommencé à se parler, j'ai appris que quelques semaines après mon déménagement, ça s'est terminé avec Daphnée, car il a découvert qu'elle avait cinq amants en même temps, dont certains étaient mes clients. Je me suis alors dit que l'infidélité acceptable était peut-être quantifiable. Une personne, ce n'est pas si grave, c'est quand ça dépasse deux que c'est impardonnable ? Moi, je percevais Daphnée comme une fille qui avait vraiment du potentiel en relations publiques. C'est pour ça que je l'avais engagée. Elle était dynamique, ne comptait pas ses heures de travail, avait de bonnes idées. Je ne pensais pas qu'elle puisait ses conquêtes dans mes clients. Qui, d'ailleurs, l'ont tous suivie dans la boîte où elle est allée travailler en me quittant. Ce n'est pas le fait qu'elle ait eu cinq amants en même temps qui me dérange le plus. Qu'elle ait une vie sexuelle épanouie avec autant d'hommes qu'elle le souhaite m'importe peu. Je n'ai pas envie de juger, même si nous sommes différentes. Mais pourquoi ajouter Gabriel dans le lot ? Pourquoi, alors qu'elle me connaissait, que je lui avais donné sa première chance ? Que je lui avais fait confiance ?

Je ne suis pas en train de mettre toute la faute sur elle. Gabriel est le premier fautif dans cette affaire. Et comme nos explications ont toujours été vagues, j'en ai conclu qu'au fond, le sexe avec moi l'ennuyait profondément.

Quand j'ai commencé à habiter seule, j'ai décidé d'aller visiter des sites de pornographie. Question d'apprendre des trucs. Mais tout ce que j'étais capable de voir là-dedans, c'est les mauvais angles de caméra, le mauvais éclairage, le faux-vrai, le vrai-faux et, surtout, les visages des filles qui veulent faire croire qu'elles ont du plaisir alors qu'elles semblent souffrir. Mais bon, peut-être que c'était simplement ma perception. Alors j'ai appris à m'en foutre comme tout le monde et à utiliser ces sites en cas de besoin. Comme un automatisme pour pallier mon manque d'imaginaire (ou d'intérêt ?) à ce sujet.

J'ai pardonné. Mais je suis incapable d'oublier.

Il y a quelques années, la compagnie de relations de presse pour laquelle Daphnée travaillait a fusionné avec une autre et il y a eu des mises à pied, dont elle faisait partie. Elle a déménagé à Toronto, où elle aurait eu une aventure avec un acteur de télé très connu là-bas, marié, évidemment. Elle est tombée enceinte et vit maintenant d'une pension alimentaire, pour laquelle elle doit se battre souvent en cour. Je pourrais me réjouir de son malheur et savourer une espèce de vengeance personnelle, pourtant je suis assez triste pour elle, car je la croyais vouée à une brillante carrière. Je nous voyais même éventuellement associées. Aujourd'hui, elle n'existe plus pour moi.

En tant que relationniste de presse de certaines personnalités publiques, je dois parfois faire des choses avec lesquelles je suis moralement en désaccord. Je connais des potins que des gens se délecteraient d'apprendre. Mais évidemment, je n'en parle pas. Pas seulement par respect pour le secret professionnel, mais également par volonté de ne pas détruire des vies. Un soir de première, un chanteur populaire reconnu pour ses valeurs familiales m'a demandé d'orchestrer une rencontre avec sa maîtresse alors que sa famille était dans la salle. Je devais d'abord faire entrer sa famille dans sa loge et, après sept minutes, venir le chercher en prétextant une entrevue pour que sa famille décide de rentrer. Ensuite, il a poursuivi sa soirée avec sa maîtresse. Un exemple parmi tant d'autres. Je n'en suis même pas dégoûtée. Depuis ma séparation, mes illusions sont tombées. Je suis lucide. Ça existe. Je l'accepte. Et je n'ai pas à prendre position dans la vie des autres. Seuls mes choix à moi m'importent, et je me concentre là-dessus.

Quand François dit qu'il est sobre de tout, je sais qu'il parle autant de drogue que de sexe extra-conjugal. Il a mis un terme à une relation avec une amante parce que celle-ci s'était amourachée de lui, et il avait peur que sa femme découvre tout. Il prend une gorgée d'eau et semble penser que sa vie est comme de l'eau : elle est bonne pour lui, mais elle manque de sensations fortes, d'ivresse. Je le plains sincèrement. Et c'est précisément pourquoi je préférerais qu'il ne me fasse pas ce visage perplexe quand je lui dis que je suis bien dans mon célibat. Je ne vois pas comment il peut être convaincant comme porte-parole du couple.

— Bon, je suis sortie de ma convalescence pour ton cas. Qu'est-ce qui se passe ?

Il relève la tête et me regarde.

— Une information vient d'être transmise aux médias comme quoi il y aurait du cadmium dans les canettes de ma boisson énergisante.

— C'est quoi ça ?

— Un métal qui cause le cancer.

— Ok, tu ne fais aucun commentaire et je m'occupe du communiqué.

— Hum… Trop tard… T'as pas vu les réseaux sociaux ?

Je n'ai pas eu le temps.

Il y a une heure, j'étais en convalescence, en congé pour la première fois depuis des années. Il y a quelques minutes, j'arrivais à la course au bureau. Quand Jean-Krystofe m'a dit qu'il voulait me faire part d'un truc urgent concernant François, j'ai pensé que c'était quelque chose de confidentiel, comme l'acquisition d'une nouvelle compagnie, et que ça justifiait la demande d'une réunion en personne, pour qu'on établisse une stratégie. J'étais plutôt excitée. J'étais loin de m'imaginer que j'aurais à gérer une crise aussi importante.

Habituellement, j'aime éteindre les feux. Mais en ce moment, je me sens un peu dépassée. Le téléphone en main, je scrute tous les réseaux sociaux. Et ça me prend une énergie considérable puisque que je suis un peu *stone* à cause des antidouleurs.

On s'imagine que mon métier est très glamour. Je suis cette fille qui accompagne les vedettes dans des sorties mondaines. Celle qui organise des événements ultra-chics pour de grandes compagnies. Celle qui est parfois dans le cadre d'une photographie, derrière l'artiste, un peu moins chic et au téléphone. Ma mère ramasse d'ailleurs toutes ces photographies où on voit un petit bout de moi, car elle est super fière. J'ai donc un scrapbook de *photobombs* involontaires où j'apparais dans des soirées glamour. Et ma mère montre ça à ses voisines en vantant sa fille et sa compagnie de relations publiques. Mais ce qu'on voit moins, ce sont les coulisses. Ce qui se passe à mon bureau, où je dois gérer les crises, supplier les journalistes de parler d'un sujet ou d'attendre plus d'infos avant de publier quelque chose qui pourrait mettre un de mes clients dans le trouble. La plupart du temps, je travaille en collaboration avec eux et on se rend service mutuellement. Parfois, ça dérape. Comme aujourd'hui.

François fait les cent pas dans mon bureau et répète qu'il ne pensait pas mal faire.

Il a vraiment gaffé. Je suis dans une telle colère que ma plaie semble s'être ouverte tellement le sang bout en moi.

Je lis tous les articles qui sont sortis sur le Web à une vitesse folle. On y voit François en photo, tout sourire, levant sa boisson énergisante, avec la citation suivante: « Tant qu'à avoir le cancer, autant que ce soit à cause de quelque chose qui goûte bon! » Tous les sites parlent de tests réalisés sur les canettes, sans mentionner de sources, ni d'entrevues avec les gens qui ont fait les tests en question, ni de contrepartie.

Malheureusement, un journaliste l'a joint par Facebook et lui a mentionné ce test qui lui avait été envoyé, dont les résultats laissaient sous-entendre que ses canettes contenaient du cadmium. Et au lieu de m'appeler ou d'appeler Jean-Krystofe, François a répondu du tac au tac: « De nos jours, tout donne le cancer, alors tant qu'à avoir le cancer, autant que ce soit à cause de quelque chose qui goûte bon! » Ça fait déjà le tour du Web. Je fais une petite recherche et prends connaissance de tous les sites qui ont repris ses propos, tous les commentaires sur la page Facebook de la compagnie qui sont remplis de hargne et de menaces de boycott. Il y a même un YouTuber, qu'on avait payé pour endosser le produit, qui a déjà mis en ligne une vidéo où il jette une canette de la boisson à la poubelle en disant qu'il n'en consommera plus jamais. Bref, c'est une catastrophe. Demain, ça fera la une des journaux.

Je dépose mon téléphone une seconde, je prends une bouffée d'air et je finis par dire:

— Mais pourquoi tu as répondu ça? Pourquoi tu ne m'as pas attendue?

— Crisse! Ça n'a pas rapport! Je ne voulais pas te déranger pour ça! J'ai juste voulu faire une blague! Je ne me pensais pas en entrevue! Je suis sûr que ce sont nos concurrents qui ont sorti cette nouvelle juste pour nous faire chier! Ce truc-là, on le trouve dans plein d'affaires ! Comme dans les cigarettes… pis le monde fume pareil !

— François, les fabricants de cigarettes ont quand même l'obligation de mettre un avertissement sur le paquet.

— Crisse, si le monde sait pas que c'est cancérigène, y a un problème !

— Savais-tu qu'il y avait ce matériau-là dans les canettes ?

— Ça ne me dit rien. Je me rappelle juste qu'aller avec ce fournisseur diminuait énormément les coûts de production. Ça a été une décision d'affaires. Pis, est-ce qu'on est sûrs à 100 % que ce test est crédible ?

— Peu importe. Va falloir agir.

François est debout devant ma porte et attend ma stratégie. Je lève mes yeux de l'ordinateur et lui dis :

— Là, je sors un communiqué pour expliquer que tu ne te pensais pas en entrevue et que tu t'es permis une blague, mais que tu conviens que c'était maladroit dans les circonstances. Je vais aussi indiquer que tu ne prends pas la chose à la légère, que la compagnie va étudier le rapport de recherche et que les produits seront retirés des étalages afin de préserver la santé des consommateurs. Je vais finalement ajouter : « Nous ne ferons pas plus de commentaires, nous vous reviendrons lorsque nous aurons changé les canettes. » Tu ne fais pas de commentaires. Tu ne dépasses pas ça, ok ? Et tu t'en vas tout de suite à tes bureaux pour prendre les mesures nécessaires par rapport au produit. On va également penser à une stratégie qu'on va lancer d'ici quelques semaines, peut-être impliquer la compagnie dans une bonne cause, faire affaire avec un fournisseur écologique ou quelque chose comme ça. Déjà, le fait que tu retires les produits va faire bien paraître la compagnie. Maintenant que le doute est semé, le doute va rester même si on réussit à prouver que c'est faux. Faut trouver une autre stratégie et twister ça à ton avantage.

— Ouais, mais ça va peut-être me faire faire faillite aussi…

— Écoute, on va tenter de trouver des solutions avant ça.
— Merci…
— T'es encore ici?
— Ha. Ha. Ok, je pars!
— Fais ce que je te dis à la lettre! C'est très sérieux.
Il quitte mon bureau et je me mets au travail.

J'ai une liste de journalistes à appeler, pour minimiser les *front pages* de demain, et comme si j'avais le temps de m'occuper d'autre chose, Jean-Krystofe en profite (peut-être par insécurité?) pour me faire le compte rendu des autres dossiers dont il s'est occupé pendant mon absence. Il y en a un seul qui lui a donné du fil à retordre.

Romane Bernier, une jeune humoriste de la relève et qui tient un rôle dans un long métrage familial dont je fais la promotion et qui doit sortir bientôt, a écrit un statut sur Facebook qui a été très mal perçu. Je n'ai pas les mots exacts, mais elle aurait raconté une anecdote drôle au sujet de son amie qui vient d'accoucher et qui a créé un gros malaise en se dénudant la poitrine devant elle pour allaiter. Une horde de mamans ont menacé de la boycotter. Des organismes pro-allaitement ont commencé à dire dans les médias qu'en tant que jeune femme qui a de l'influence, elle ne devrait pas dire des choses comme ça, car ça brime la liberté des femmes et peut décourager certaines nouvelles mamans à l'allaitement. Jean-Krystofe me montre la page de Romane.

— Ici sur Facebook, j'ai géré une maman pro-allaitement qui lui souhaitait que son futur bébé tombe malade si elle ne l'allaite pas.

Je regarde Jean-Krystofe, abasourdie.

— Écoute, je sais, *boss*. J'avais le goût d'aller chez cette maman et de lui dire: «*Come on*!» Juste: «*Come on*!» Parce qu'il me semble qu'il n'y a rien d'autre à dire comme argument à quelqu'un qui prône l'allaitement pour le bien des enfants mais qui souhaite au futur enfant d'une personne d'être malade juste parce qu'elle a fait une blague sur les seins dénudés de son amie.

Je me sens un peu anxieuse par rapport à ce qu'il vient de dire, imaginant déjà les conséquences sur l'artiste et sur ma compagnie, et il me dit :

— Ben non, j'aurais jamais fait ça ! Et j'ai bien répondu sur les réseaux, diplomate.

C'est peut-être par nervosité que Jean-Krystofe se permet quelques blagues ironiques sur la situation. J'en conclus qu'il commence à se sentir trop familier avec moi, ce que je devrai corriger.

Évidemment, en relations publiques, il faut justement empêcher ce genre de dérapages. La pauvre Romane s'est défendue en disant que c'était de l'humour, qu'elle ne voulait que décrire une scène drôle qu'elle avait vécue avec son amie, qui elle-même avait ri du malaise, mais trop tard, ça a fait les manchettes.

— Peux-tu me donner le compte rendu avec le producteur du film ?

— Bon, il se questionnait sur l'impact que ça pourrait avoir si les mamans boycottent effectivement son film et se demandait même s'il empêchera Romane de participer à la promotion. L'agente de Romane était dans tous ses états, parce qu'elle disait que le film était un tremplin incroyable pour son artiste.

— As-tu réussi à calmer le tout ?

— J'ai appelé le producteur pour le rassurer sur son choix de comédienne en lui disant que dans une semaine, les gens ne se souviendront plus si Romane était pro-allaitement ou anti-allaitement, ils vont juste se rappeler qu'ils ont déjà entendu parler d'elle sans se souvenir pourquoi. J'ai aussi appelé Romane pour lui suggérer de faire une vidéo YouTube super légère et de mettre sur Instagram des photos génératrices de *likes,* comme avec sa famille, en haut d'une montagne, en train de faire une bonne action. Et j'ai appelé l'agente de Romane pour lui recommander de refuser toutes demandes d'entrevues et d'écrire une explication sur son Facebook, que je devais approuver. Ce qui a résulté en ce statut.

Il attrape son téléphone et lit, avec une intonation qui ressemble de façon exagérée à celle de la jeune humoriste :

— « Chères mamans du Québec, je suis vraiment désolée si je vous ai fait faire une montée de lait. Je ne suis pas anti-allaitement, j'ai simplement été surprise que mon amie me poppe ses *boobs* en pleine face. Désolée si mes propos vous ont choquées. » Et elle a ajouté une photo d'elle à côté de son amie qui allaite.

Il me montre la photo. Son amie affiche un regard faussement fâché et Romane fait un pouce en l'air à côté de ses seins. Une photo très sympathique qui me fait sourire.

— Super !

— Le problème, c'est qu'une chroniqueuse a ensuite blogué immédiatement au sujet de la pauvreté du français chez les jeunes humoristes, en reprenant ce statut.

Je ne peux m'empêcher de pousser un soupir de découragement.

— T'en fais pas, je ferai le suivi du dossier du bon français.

Je suis tout de même assez fière de lui. Il a fait tout ça sans me déranger. Je voudrais le féliciter pour sa façon de gérer ses dossiers, mais je me contente de sourire et je l'invite à aller poursuivre son travail.

Ensuite, François m'appelle et me demande, sans émotion :

— Est-ce que tu penses que je vais tout perdre à cause d'une fausse nouvelle ?

Je tente d'être rassurante, mais je ne sais pas si je suis convaincante.

— Ta compagnie a assez de ressources pour ne pas faire faillite, il me semble. C'est sûr que ça jette une mauvaise *vibe,* mais je pense être capable de twister ça pour montrer que tu as la santé de tes consommateurs tellement à cœur que tu t'empresses d'agir. Faut juste que tu ne t'ouvres plus la trappe sans m'en parler, ok?

Je rentre chez moi, épuisée. Mais mon travail me manquait. Étrangement, cette journée intense m'a fait du bien.

Avant de me mettre au lit, je prends un comprimé antidouleur dans ma main, puis je le jette. Je n'en ai plus besoin. J'ai toujours été forte. La douleur est supportable. Je me sens un peu grisée par l'adrénaline et ça masque tout.

TOUT EST SOUS CONTRÔLE

Je n'aime pas les surprises. Quand je regarde un documentaire, aussitôt que ma curiosité est piquée, j'arrête tout et je vais sur Wikipédia pour lire sur le sujet, et ensuite, je poursuis mon visionnement. Même chose pour un livre ou pour un film. Ça me permet de ne pas me ronger les sangs à cause du suspens. Le fait de savoir comment ça va se terminer est tout à fait rassurant et me permet de me concentrer sur d'autres aspects de l'œuvre, comme la réalisation, le montage ou la structure narrative.

J'ai déjà dit à Anik que cette fameuse réplique du film *Forrest Gump*, « La vie est comme une boîte de chocolats », ne représente pas vraiment un idéal pour moi. Et même lorsque je lui achète des chocolats, je veux savoir exactement ce que je mange. Pas question d'acheter la boîte surprise qui coûte moins cher, et ce, même si elle me fait un rabais (elle a déjà tenté le coup, mais rien à faire, je préfère savoir ce que je mange).

J'entre dans sa chocolaterie. Un client est devant elle et elle affiche un air contrarié. J'approche et j'entends le client marmonner :

— Pour le dernier, j'hésite entre piment d'Espelette et romarin... Piment d'Espelette ou romarin... Romarin... Piment... Ou peut-être un autre... Non, non, piment ça donne un petit punch et romarin ça fait spécial... Mon Dieu, c'est vraiment difficile...

Anik semble sur le point de perdre patience, je lui fais discrètement signe de garder son calme et je la vois faire un sourire forcé. Le client continue :

— Piment... romarin...

— Écoutez, c'est pas comme si on vous demande de débrancher un patient en phase terminale, c'est du CHOCOLAT, TABARNAK!

Découragée, je m'interpose :

— Bonjour ! Je suis copropriétaire ici et ma collègue a eu une mauvaise journée... Vous savez, de très mauvaises nouvelles... Je vous suggère de prendre piment et on vous fait cadeau du romarin en prime.

— Oh merci !

Il se tourne vers Anik et ajoute :

— Je suis désolé pour vos mauvaises nouvelles. J'espère que tout ira mieux.

Il paie et lui donne 1,50 $ de pourboire, puis s'en va.

Anik explose.

— Bon, premièrement, depuis quand t'es copropriétaire ici ? Deuxièmement, il me donne 1,50 $ en pourboire, à peu près le prix que lui aurait coûté un chocolat supplémentaire ! Je ne supporte plus les clients ! Ils vont avoir ma peau !

— Calme-toi. Premièrement, j'ai dit que j'étais copropriétaire pour qu'il se sente pris en charge et qu'il revienne comme client. C'était juste un truc. Deuxièmement, peut-être que tu devrais engager des stagiaires ou de jeunes employées sympathiques et juste te consacrer à faire du chocolat.

— J'ai pas assez d'argent... J'ai pas le choix de faire les deux.

— Je sais que tu travailles fort. Mais...

— Mais quoi ?

— Tu as toujours eu ton caractère, ton petit côté cynique...

— Qui fait mon charme...

— Qui fait ton charme, évidemment... Mais il me semble que tu es de plus en plus impatiente, non ? Penses-y pour des stagiaires.

— Mouais... Je rêve d'un chalet dans le Nord. Ce serait cool pour Romy et moi. Et tu pourrais venir me visiter.

— Hum... se tuer à la tâche pour aller se reposer. Bon plan.

Elle s'assoit sur un banc derrière le comptoir et place des chocolats devant moi. Je dépose devant elle le journal de ce matin, où on parle du « cadmiumgate » de François. Heureusement, ça ne fait pas la première page, seulement une nouvelle dans les actualités, et les titres ne sont pas les mêmes que sur le Web hier. On parle d'un métal dangereux retrouvé dans les canettes, mais on dit que la compagnie prendra les mesures nécessaires. Anik me regarde avec empathie :

— Je vois que tu fais un retour en force. Comment tu vas ?

— Bien.

Anik a essayé de me rendre visite quand j'étais à l'hôpital. Mais avec sa chocolaterie et Romy, elle avait peu de temps. Elle se sent un peu coupable de ne pas avoir pu venir. Surtout parce que la personne qui m'a accompagnée est Gabriel. Elle n'a jamais compris pourquoi j'ai recommencé à lui parler.

Anik ne croit pas à la cordialité entre ex. Elle n'a jamais pardonné à Viviane d'être partie avec un homme. Je lui dis toujours qu'elle est mieux sans elle. Et, bien qu'elle me respecte dans mon choix de mettre mon passé derrière et d'avoir une relation amicale avec mon ex qu'elle considère comme un trou de cul, je ne pourrais jamais lui révéler cette pensée qui m'a traversé l'esprit à l'hôpital au sujet de Gabriel. Ce « Et si… ? ». Car elle ne me le pardonnerait pas. Elle me dit souvent qu'ensemble, nous sommes des survivantes. Nous nous sommes aidées à traverser deux grandes trahisons amoureuses, ce qui nous lie à la vie, à la mort.

Les dernières années n'ont pas été faciles pour Anik. Élever seule sa fille et être propriétaire et unique gestionnaire d'une compagnie a été beaucoup plus difficile que ce qu'elle avait pu prévoir en se lançant dans cette aventure. Nous ne sommes pas seulement complices de trahisons amoureuses, mais nous sommes un soutien l'une pour l'autre en tant qu'entrepreneures.

Je pige un chocolat à la vanille.

— Et toi ?

— Moi… bof… Ces temps-ci, j'ai pas de vie.

Parfois, quand on raconte à des gens que nous sommes propriétaires de nos compagnies, on nous regarde étrangement. Ce n'est pas un regard d'admiration, comme on aurait pu s'imaginer quand on a démarré nos entreprises. C'est plutôt un regard de jugement: « Oh! Moi je serais pas capable de supporter le stress, la pression, de ne pas avoir de vie. » Je ne comprends pas cette expression: « ne pas avoir de vie ».

— C'est quoi, avoir une vie, comparativement à ne pas en avoir? On peut avoir la vie qu'on veut, non?

— Avoir du temps?

— On en a, du temps, c'est juste qu'on l'utilise pour ce qui nous tente. Moi c'est 100 % travail, toi c'est travail et vie de maman.

Elle avale un chocolat à la lavande.

— On joue à rêver à d'autres métiers?

Anik et moi faisons souvent ça quand on se sent noyées par la pression du travail. Elle commence:

— Conductrice de zamboni. Ça me fascine, les zambonis, et ça doit être super zen de voir la glace devenir toute belle.

— Tu t'ennuierais d'engueuler des gens et tu crierais après la glace brisée. Ok, à mon tour: prof d'aquagym dans un tout-inclus dans le Sud. Un, deux, trois, levez les bras!

— T'aurais trop chaud après deux minutes et tu dirais aux gens d'aller boire un drink dans le bar-piscine. Ce serait mal vu par la direction.

— Oh je sais! Créer une collection de linge mou *cute* mais plus mou que le linge mou *cute* qui existe déjà et qu'on pourrait porter au travail.

— Ça existe déjà, et tu en arrives encore à vouloir créer une compagnie de A à Z...

— On est pognées dans nos rêves?

— Pognées dans nos rêves devenus réalité.

— Heille, on fait donc pitié, hein?

On rit, et on se fait un tchin de chocolat au champagne et un sourire ironique. La bouche remplie de chocolat, je change de sujet :

— Tout le monde me demande s'il y avait de beaux médecins à l'hôpital. Pfff ! Comme si l'amour me ferait plus de bien que ma chirurgie.

— Nomme-moi une fois où l'amour nous a fait du bien ? On est mieux comme ça.

— Vraiment !

— En plus, on fait chier personne avec notre célibat.

— Mais quand on fait chier personne, on fait chier pareil. Tout le monde dit qu'il faut se sentir bien avec soi-même, mais quand on se sent bien avec soi-même et qu'on veut pas de relation, les gens se questionnent sur notre santé mentale.

— Bof, c'est comme l'homosexualité. Bientôt, vouloir rester célibataire sera banal.

— Être gaie est plus banal que choisir le célibat ?

— Tu trouves pas ?

Elle rit.

— Et la fille que tu vois parfois ?

— C'est juste de même. Une amie. Avec qui j'ai du sexe.

Depuis un an, Anik voit une fille qui s'appelle Alexandra. Elles ont environ le même âge. Et vivent un peu la même situation, étant mères monoparentales. Pour Alexandra, par contre, contrairement à Anik, c'était par choix. Elles ont plusieurs points communs. Mais Anik refuse de s'engager, ou même de la présenter à sa fille, prétextant que cette dernière n'a aucun souvenir d'avoir été abandonnée par quelqu'un qui n'a pas voulu être sa mère et qu'elle ne pourrait supporter qu'elle subisse la peine de s'attacher à quelqu'un qui partirait.

— Tu devrais essayer ça, continue-t-elle.

— Quoi ?

— Le sexe. Me semble que ça fait longtemps que tu n'as pas eu de fréquentation. C'est pas bon pour la santé !

— D'après qui ? Ça n'a pas rapport ! Je viens de me faire opérer, là, on va se calmer. Je pensais que tu voulais dire que j'essaie l'homosexualité. On pourrait se mettre en couple pis élever ta fille ensemble. T'es déjà ma personne préférée.

— Tu m'écœures. Je vais aller vomir pis on continuera notre conversation après. Bon, je dis juste que tu devrais avoir ça, du sexe de temps en temps.

— Bof... Non. Tu le sais, chaque fois que j'essaie quelque chose, ça finit en queue de poisson. C'est comme si maintenant, je vois trop la matrice.

— Hein ?

— Comme dans le film *La Matrice*.

— Scuse-moi, je parle pas *geek*.

— Je sais comment ça va se passer... je vois le pattern. On rencontre quelqu'un. On se voit. On baise. On se colle. On entend un ventre faire du bruit. On dit : « C'est-tu ton ventre ou mon ventre ? Hihihi ! » Les textos, les promesses, le week-end en amoureux, l'idée de la présentation à la famille... Ensuite, on doute, on analyse, on se demande ce que veut dire tel mot ou tel geste. Ou on se demande si on est capable de supporter telle ou telle chose à long terme. Et ça ne mène finalement nulle part. Ça ne m'intéresse plus depuis longtemps. J'ai autre chose à faire de ma vie. Pis je suis correcte toute seule. Est-ce que je me plains ?

— Heille, je me suis presque endormie sur ta théorie, comme sur le film *La Matrice*. Tu devrais au moins essayer, recommencer à aller à des *dates*.

— Bof. *Been there, done that, bought the t-shirt*. Ça sert à rien.

Je crois maintenant qu'il y a un moment dans une vie où quelque chose meurt en nous pour laisser place à autre chose. Qu'on ne peut plus rêver à l'amour en oubliant à quel point l'amour nous a déçus. Et on érige des barrières qui sont vraiment difficiles à faire tomber. Je voudrais dire à Anik de ne pas se compliquer la vie et de s'engager avec Alexandra, parce que visiblement, une étincelle apparaît dans ses yeux lorsqu'elle parle d'elle, mais je sais aussi que ça ne sert à rien de forcer les choses. Elle préfère garder le contrôle sur ses émotions, et ce n'est pas moi qui pourrai la juger pour ça, puisque je fais la même chose depuis des années.

— T'sais Anik, on est deux femmes d'affaires accomplies. Je viens dîner avec toi pour me vider la tête, me redonner du pep pour passer à travers la journée, et la conversation vire automatiquement sur le sexe ou l'amour. On pourrait parler d'autre chose.

— Ça change les idées. Imagine si on parlait juste de job, ce serait vraiment plate. Je me trouverais une autre amie!

— Contente de savoir que notre amitié tient juste à ça.

Je prends quelques réserves de chocolat que je mets dans mon sac et je retourne au travail.

AVANT MINUIT (EN PLONGÉE)

Je ne m'habituerai jamais à marcher avec des talons hauts. Mes chevilles ne sont pas assez musclées, alors je chancelle toujours un peu. Et puis ça me rend un peu plus irritable parce que je dois me forcer à sourire alors que je souffre physiquement. Certaines filles enfilent des talons hauts en disant: «C'est comme des pantoufles!» Et je me demande quelle est leur expérience générale en termes de pantoufles. Ou encore où elles magasinent leurs chaussures, car je n'en ai jamais trouvé que je pouvais qualifier de pantoufles. Des pantoufles, c'est moelleux, ça laisse beaucoup de place aux pieds. Alors qu'un soulier à talon haut, ça te comprime les orteils et ça te juche. Comme je suis assez grande, je suis toujours obligée de me pencher pour parler à mes interlocuteurs quand j'en porte. Ce qui me fait remettre en question mon choix de ce soir. Je n'en porte jamais. Ni dans mon travail, ni dans les soirées, optant soit pour des espadrilles, soit pour des talons plats élégants. Mais ce soir, j'avais envie d'impressionner, et je me juge un peu pour ça. Des talons plats auraient fait l'affaire. Je ne sais pas pourquoi j'avais envie d'en mettre plus.

Quand je suis rentrée de mon dîner avec Anik, hier, un courriel assez surprenant m'attendait dans ma boîte de réception. Si bien que je l'ai relu plusieurs fois pour être certaine qu'il m'était bien adressé. Parfois, les relationnistes de presse, qui ont une liste de contacts très diversifiée, peuvent se tromper et envoyer une invitation au mauvais destinataire. Dans ce temps-là, on dit à la personne (qui au départ ne devait pas être invitée) qu'il y a simplement eu une erreur de nom sur l'envoi, mais on ne retire jamais l'invitation et on lui en fait parvenir une nouvelle. Jamais il ne faut contrarier un contact, et on fait passer ça pour une erreur de bonne foi, la personne ne devant pas savoir qu'elle n'était pas sur la liste VIP, ce qui peut résulter en du mauvais bouche-à-oreille sur notre événement, ou carrément sur notre entreprise.

Alors je me suis dit qu'il devait s'agir de la même chose, puisque je suis invitée au Bal d'hiver, un des plus grands événements de l'année, dont Hélène Melançon s'occupe de l'organisation et des relations de presse. Depuis que j'ai quitté sa boîte et que j'ai mis sur pied la mienne, jamais elle ne m'a invitée à un de ses événements. J'ai du mal à comprendre pourquoi elle le fait aujourd'hui. Et assez à la dernière minute, la veille de l'événement. Si j'avais appelé le bureau d'Hélène Melançon, ils m'auraient affirmé que j'ai bel et bien été invitée et je n'aurais jamais su le fond de l'histoire. J'aurais simplement eu l'air de manquer d'estime de moi.

Jean-Krystofe m'a demandé (ou plutôt suppliée) de l'inviter et j'ai accepté, je me disais que c'était une excellente façon pour lui de faire du réseautage.

J'ai souvent entendu parler de cet événement, qui est presque aussi réputé en hiver que le Grand Prix l'est en été. Il a lieu sur trois étages vitrés d'un grand hôtel. Tapis rouges, médias de partout, bars à huîtres à volonté, fontaines de chocolat, chefs réputés qui offrent différentes dégustations, champagne, DJ de réputation internationale, artistes de tout acabit qui viennent faire des prestations spéciales. Certains invités auraient même droit à une nuit complémentaire à Montréal dans les plus beaux hôtels de la ville, qui sont associés à l'événement. Tout ça pour promouvoir l'hiver à Montréal. Avoir « l'hiver » comme client, c'est assez impressionnant, non ? Et comme budget de soirée, c'est presque illimité. Tous les acteurs américains qui sont en tournage en ville se retrouvent là, ainsi que les plus grandes vedettes québécoises et françaises, en plus des gens d'affaires de tous les milieux. Il y a également des prix de présence. (L'an passé, j'avais entendu dire qu'un des prix était un voyage en Thaïlande, en première classe.)

L'invitation stipule « tenue de gala ». Mais on sait que, hors d'un gala, « tenue de gala » signifie qu'il faut être chic, sans trop en mettre, surtout quand on n'est pas soi-même une vedette. C'est un code. « Tenue de ville » signifie qu'on peut s'habiller *casual,* mais avec une petite touche de plus, tandis que pour les vedettes, il faut sortir un peu plus de l'ordinaire et s'éclater, pour se distinguer et attirer l'attention des photographes, ce qui aide à la promotion de l'événement mais aussi à la promotion personnelle de l'artiste. Ceux qui ont un look original se retrouvent dans les journaux et ont ensuite des privilèges auprès de designers, comme des vêtements prêtés et des rabais. Quand j'accompagne un artiste dans un événement, je lui dis toujours que la base, c'est d'avoir le look adéquat pour ressortir du lot, tout en étant lui-même. Ce n'est pas une science exacte mais j'ai un excellent taux de réussite avec mes clients. Pour la mention « tenue de gala », il faut en mettre plus, il faut être chic et de bon goût, mais quand on ne fait pas partie des célébrités, il faut rester discret, à moins de vouloir se démarquer comme quelqu'un d'excentrique, ce qui fonctionne pour certains.

Mon choix de porter des talons hauts était justifié par cette mention, et peut-être un peu par le désir d'en mettre plein la vue à Hélène, ce qui, j'en conviens, est assez puéril. Surtout que, vu le nombre de personnes déjà arrivées, je doute qu'on remarque mes pieds, chaussés de vestiges d'une époque que je croyais révolue, m'étant résolue au confort qui passe inaperçu.

Jean-Krystofe, pour sa part, a opté pour un look chic original, et il se distingue. J'avoue ne pas détester avoir un employé qui ose au niveau du look, car ça me fait de l'excellente publicité. De mon côté, en plus de ce mauvais choix de chaussures, j'ai mis une robe sobre, noire, classique mais sexy, et j'ai choisi un foulard élégant assorti pour camoufler mon cou. Aussitôt qu'il se déplace un peu, je sens sur ma plaie un regard de dégoût, et ce n'est pas une émotion que j'aime inspirer. La plaie n'est pas encore cicatrisée, c'est encore rouge-mauve et je peux comprendre que cette vision ne soit pas attrayante.

Après avoir déposé nos manteaux au vestiaire, je présente Jean-Krystofe à quelques personnes. Ensuite, nous croisons Romane et son agente qui me félicitent pour mon merveilleux employé qui a réglé ce qu'elles qualifient de « petit dérapage ». J'aperçois Martin qui se dirige vers moi, alors je les laisse discuter entre eux pour aller lui parler. Il m'embrasse sur les joues et s'exclame :

— Hey ! Comment tu vas ?

— Je ne savais pas que tu serais ici.

— Je viens chaque année. J'essaie de manigancer pour qu'à l'avenir, ça se passe dans un de mes hôtels. C'est mon prochain objectif. Mais toi ? Je pensais que tu étais en convalescence.

— Ça manquait de piquant.

— J'ai vu les journaux pour François. Mauvaise pub, hein ?

— Oui, mais je travaille à twister ça.

— C'est pour ça qu'il n'est pas ici ? Il est là chaque année.

— Je lui ai recommandé de rester chez lui, il y a plein de journalistes.

— Ça doit le frustrer, il adore cette soirée habituellement.

— Je sais, il m'en parle tout le temps. Il va s'en remettre.

On s'avance et il me présente à un DJ qui fera un des set ce soir. Puis, je la vois. Hélène. Elle parle à ses assistants, ses juniors, elle affiche un air sévère. Je sens que quelque chose cloche. Mes jambes deviennent molles, comme si j'avais encore vingt-quatre ans et que j'étais encore son employée, comme si c'est moi qu'elle allait réprimander ensuite. Je l'observe. Sa tenue est loin d'être une tenue de gala, telle que mentionné sur l'invitation. Lorsque j'étais jeune, je la trouvais tellement dépourvue de style et de goût. Aujourd'hui, je la comprends un peu mieux. Elle a tellement de choses à faire et à penser pendant la soirée, elle doit courir partout, elle ne peut se permettre de privilégier le style au détriment du confort. J'ai un élan de sympathie momentanée pour elle. Et je me demande si Jean-Krystofe pense de moi ce que j'ai déjà pensé d'elle. Je remarque qu'elle regarde dans ma direction et soudain, je ne sens plus mes pieds endoloris par mes souliers. Je fais semblant de rien et je me retourne vers Martin et le DJ, comme si je ne l'avais pas vue.

Quelques secondes plus tard, on me tape sur l'épaule. Je me retourne. C'est Hélène. Sur le coup, j'ai encore ce sentiment d'être prise en flagrant délit d'incompétence, ce sentiment d'infériorité, même si, juchée sur mes souliers, je la dépasse d'au moins une tête. Elle sourit et m'embrasse sur les joues.

— Sarah ! Je suis tellement contente que tu aies pu venir !

Je suis surprise et je balbutie quelques mots qui signifient que moi aussi, même si je ne le pense pas vraiment.

Elle me prend par le bras et me conduit vers un coin tranquille.

— J'ai vu les journaux. J'ai pensé qu'une belle soirée pouvait te faire du bien. Comment tu vas ?

— Je... vais bien.

— Je suis impressionnée par ce que ça a donné dans les journaux d'hier, comparé au dérapage sur le Web de la veille. Pas de première page. Une belle gestion où la compagnie a l'air de prendre ça au sérieux. J'ai reconnu ma jeune et talentueuse assistante.

Je n'ai pas l'impression de me retrouver devant la même Hélène que j'ai connue par le passé, je ne sais pas trop quoi ajouter.

— Je te remercie, dis-je humblement. Je... en fait, j'avoue que je suis un peu dépassée. J'explore ma stratégie pour redonner une image positive au produit et à mon client.

— Bah, ne t'en fais pas ! Pendant que tu gères ça, d'autres relationnistes sont aux prises avec un porte-parole de parfum accusé de meurtre ou encore avec un feu sur l'autoroute causé par une erreur de construction, et ils doivent gérer la terreur collective.

Je cherche quoi répliquer pour montrer que je ne suis plus « naïve et débutante », mais quelqu'un vient l'aborder, ce qui met fin à notre conversation. Avant de partir, elle lance derrière mon épaule :

— Si tu as besoin de moi, si tu as besoin de conseils pour la suite, n'hésite pas à m'appeler.

Je reste un instant un peu sous le choc. Je me méfie. Je ne comprends pas pourquoi elle fait ça.

Puis Jean-Krystofe me fait sursauter quand il arrive derrière moi et dit :

— T'as vu là-bas l'orgie de beignes ? *Oh my God* ! Faut que tu goûtes. En plus, le pâtissier est super *cute* ! Et plus loin il y a une station avec des coiffeurs réputés qui peuvent te refaire ton look.

— Tu trouves que je devrais revoir mon look ?

— Je t'ai parlé de beignes aussi, hein, faut pas prendre tout personnel. Hey ! Regarde par là, c'est une gang de vedettes de cinéma. Faut que j'aille faire des *selfies* !

— Jean-Krystofe, reste professionnel.

— Oh, sois pas si *stuck-up, boss,* on s'amuse !

Je le regarde s'en aller et j'aperçois Martin qui parle à une fille qui ressemble à un mannequin. Puis, on nous invite à nous rendre devant les fenêtres pour admirer les feux d'artifice confectionnés pour l'occasion par les meilleurs artistes pyrotechniques, donc je suis le mouvement vers les fenêtres. En chemin, je croise Maxime, ce qui me fait officiellement tituber sur mes talons.

ÇA AURAIT PU ÊTRE UNE COMÉDIE ROMANTIQUE

Ça faisait déjà deux ans que j'étais célibataire. Aujourd'hui, je me dis que ça devait me manquer, les émotions fortes. Dur d'analyser les choses, quand la seule impression qui reste d'une histoire est qu'une bulle a éclaté dans ton cerveau.

Je m'étais rendue dans une auberge du Bas-Saint-Laurent dont Martin et François voulaient faire l'acquisition ensemble. Martin avait envoyé François en éclaireur, et celui-ci voulait mon avis pour cet investissement. Il voulait aussi qu'on brainstorme sur une possible campagne de relations de presse pour relancer l'endroit, s'il l'achetait.

François y avait donc amené sa famille, ainsi que moi.

Au restaurant de l'auberge, nous avons pris une table. Le chef est venu se présenter à nous. Environ mon âge, peut-être un peu plus jeune, casquette, tatouages. Presque un cliché. Il nous a lancé, de façon assez froide :

— Bonsoir, je suis Maxime, le chef. Avez-vous des questions ?

Chantal, la femme de François, a répondu timidement qu'elle hésitait entre le poisson et le veau. Maxime lui a répondu sèchement :

— Je ne peux pas vous aider, c'est vraiment différent.

— Mais que me conseillez-vous ?

— C'est moi qui ai cuisiné les deux, donc je peux vous affirmer que les deux sont bons.

Je me suis interposée, pour me porter à la défense de Chantal :

— Je crois que tout ce qu'elle aimerait, c'est seulement un peu plus de détails sur les plats, pour l'aider à faire un choix.

— Les serveurs sont très bien entraînés pour ça. Bonne soirée.

Et il est parti.

Malaise.

François nous a regardées tour à tour, Chantal et moi :

— Sarah ! Martin m'a dit que le chef fait vraiment la réputation de la place ici ! C'est un jeune chef dont la popularité monte en flèche. Si j'achète et qu'il s'en va, on perdra un élément clé de l'entreprise. Là, tu l'as insulté en lui demandant de faire la job d'un serveur.

— Qu'est-ce qu'il y a d'insultant ? J'ai déjà été serveuse, moi, et il n'y a rien de dégradant là-dedans ! Pis tu devrais peut-être te questionner sur un investissement qui a moins de valeur sans la présence d'un chef qui est visiblement arrogant !

Il m'a regardée. Implorant. J'ai abdiqué.

— Ok, ok. Je vais aller m'excuser.

Je me suis rendue en cuisine. J'ai demandé à parler au chef. Il s'est approché de moi en me regardant d'un air bête. J'ai bafouillé des excuses. Tenté d'expliquer que je cherchais simplement à ce que Chantal ne se sente pas mal avec sa question.

Plus tard, nous avons reçu nos entrées. Sur la mienne, il y avait une petite fleur. Une pensée. Violette. J'ai jeté un coup d'œil vers la cuisine, située un peu plus loin, derrière des portes battantes, en diagonale de notre table. Maxime me regardait intensément, les bras croisés, adossé au mur. Ce qui était déstabilisant.

Cette nuit-là, j'ai été incapable de dormir.

J'entendais de la musique très forte. Mais après ce qui s'était passé avec le chef, je n'osais pas me plaindre.

Boum-boum-pouch-pouch.

Je me suis tournée et retournée dans mon lit.

Boum-boum-pouch-pouch.

Je me suis levée en quête de ma trousse à maquillage. Avais-je des bouchons ? Pas de bouchons. Je pensais pourtant les y avoir mis, mais il est vrai que mon système de rangement laisse à désirer. Où avais-je pu donc les mettre ?

J'ai fouillé dans ma trousse de toilette.

Dentifrice, soie dentaire, bandes blanchissantes pour les dents, mini bouteille de rince-bouche. Mais pourquoi j'avais apporté tout ce nécessaire dentaire ? Qui voudrait se blanchir les dents en voyage ?

J'ai appelé à la réception pour dire respectueusement que c'était un peu fort, et on m'a répondu qu'on tenterait de corriger la situation.

Je me suis recouchée. J'ai eu l'impression que c'était mieux.

Puis, dix minutes plus tard, ça a recommencé.

Boum-boum-boum-pouch-pouch.

Ça n'arrêtait pas.

J'ai collé mon oreille sur la porte de ma chambre. Mais quelle était cette musique ? *La danse des canards* ?

J'ai enfilé la robe de chambre blanche et molletonneuse de l'hôtel par-dessus ma camisole bleue et mon pantalon de pyjama assorti.

Je suis ensuite sortie pour me rendre à la réception. S'ils n'étaient pas capables de faire cesser la musique, peut-être pouvaient-ils fournir des bouchons ?

Plus j'avançais vers le lobby, plus le bruit s'intensifiait. Je me suis dirigée vers le restaurant, d'où semblait provenir la musique.

J'ai ouvert la porte et ressenti un immense choc lorsque j'ai vu la mariée « se secouer le bas des reins », « remuer le popotin » et « faire coin-coin », sur *La danse des canards.* Sa robe avait dû lui coûter des milliers de dollars et elle en était maintenant réduite à cette danse, qui ne la rendait nullement gracieuse.

— Tu n'as pas respecté le code vestimentaire.

J'ai sursauté, et me suis retournée vers Maxime.

— La musique m'empêchait de dormir.

— Oui, j'ai entendu dire ça, que t'avais les oreilles sensibles.

Il a réprimé un rire.

— Quoi ? Ça s'est déjà rendu en cuisine ? Il y a déjà des potins sur moi après une journée passée ici ?

— Ça, et que tu m'as pris pour un serveur.

— Je me suis déjà excusée pour ça. Et puis, qu'est-ce que ça ferait ? C'est un beau métier.

J'ai soupiré et m'apprêtais à partir lorsqu'il m'a lancé :

— Je peux t'offrir quelque chose, peut-être ?

Je ne sais pas trop pourquoi, mais je l'ai suivi. Il portait un pantalon de coton en pied de poule avec un linge blanc qui sortait de sa poche gauche, une chemise blanche de chef boutonnée ainsi qu'un tablier taché à quelques endroits, et aux pieds, des sandales Crocs vert foncé.

Il a poussé la porte battante de la cuisine. Un cuisinier habillé comme lui s'est avancé vers nous d'un pas rapide. Il semblait anxieux.

— Chef ! Qu'est-ce que je fais avec le dessert de la table 42 ? Allergie aux œufs.

— Pas de dessert.

— Je le remplace par quelque chose ?

— Non. S'il se plaint, dis-lui qu'il a juste à s'organiser un pique-nique.

Le gars est reparti en criant des indications de son cru, sans tenir compte de ce que venait de dire Maxime.

On s'est arrêtés devant le frigo. Maxime a ouvert la porte.

— Il y a des restes de mignardises. Tu viens ?

Je suis entrée dans le frigo et j'ai senti le froid pénétrer ma peau. J'étais entourée d'énormes quantités de pommes de terre, de carottes, de viandes, de framboises, de poires, de cartons de lait et autres aliments.

Maxime s'est approché pour attraper quelque chose derrière moi. J'ai humé son odeur. Un mélange sucré-salé qui se confondait aux vapeurs de cuisson de viande et de gras. Sa joue a frôlé la mienne.

— Tiens, on avait fait des macarons, mais on les a ratés.

— Tu me refiles des macarons ratés ?

— Tant qu'à les jeter.

— Je suis un peu insultée.

— Ça ne me surprend pas.

Il a soutenu mon regard.

Je sentais, pour la première fois depuis des mois, mon cœur battre, mon sang circuler. J'avais chaud. J'avais le vertige. Je me jugeais un peu car je me sentais dans une espèce de cliché. Mais je n'étais pas capable de réprimer l'attirance que j'avais pour lui.

Nous avons été dérangés par un cuisinier qui lui a demandé une autre indication. Maxime lui a répondu, et il nous a laissés tranquille. Puis Maxime m'a dit:

— Ils sont bons pareils.

— Les cuisiniers?

— Les macarons.

— J'ai un peu froid.

Nous sommes sortis du frigo; il a pris un tabouret en m'invitant à m'asseoir à un comptoir près de la plonge, puis il a déposé le plateau de macarons entre nous deux.

— Ça fait longtemps que tu crashes les mariages comme ça?

— Quoi?

— *Wedding crasher*. Les gens qui s'immiscent dans les mariages sans être invités.

— En fait, je fuis les mariages plus que je les «crashe», comme tu dis. Là, j'allais juste demander des bouchons à la réception quand tu m'as interceptée.

— Ah oui? Tu fuis les mariages?

— Tout m'énerve des mariages. Tout. Juste le «oui je le veux», c'est tellement… superflu.

— Superflu?

— La fille a une robe qui vaut des milliers de dollars sur le dos, les mariés ont investi, pour une seule journée, un budget équivalant à la moitié d'une année de salaire ou à la pension de retraite de leurs parents. Alors oui, me semble que le « je le veux », c'est un peu superflu, non ? Ça devrait être implicite.

— Tu es cynique, toi.

— Réaliste. Hum… ils sont bons, les macarons. J'aimerais ça y goûter quand ils sont réussis.

— Moi, les mariages m'énervent, mais pour une autre raison. C'est beaucoup de travail ici, en cuisine. Chaque personne a ses demandes spécifiques. La mariée se prend pour le chef. Et tout le monde a sa version de ce qui est « magique » cette journée-là. Moi, je fais juste de la bouffe. Je ne change pas des vies. Mais tout le monde dit : « Je vais m'en souvenir toute ma vie ! » Je te jure que la première chose qu'ils vont oublier, c'est ce qu'ils ont mangé. Surtout si c'est la mariée qui a composé son menu.

— Vous êtes très arrogant, chef.

— Qu'est-ce que tu fais dans la vie, toi ?

— Des relations publiques.

— Et qu'est-ce que tu ferais si je venais dans ton bureau pour te dire quoi faire ?

— Je te dirais sûrement de retourner dans ta cuisine.

— Voilà.

— Moi, je n'oublierai pas ce que j'ai mangé ce soir, en tout cas… C'était sublime.

— Merci.

— Et la fleur…

— Posée là pour sa destinataire.

— J'avoue que ça m'a fait plaisir.

— Tu as peut-être un petit fond romantique, finalement.

— C'est un *front*. Je ne crois plus en l'amour.

— Peut-être que l'amour croit encore en toi.

* * *

— « Peut-être que l'amour croit encore en toi » ? Mais où tu l'as pogné, lui ? Dans un roman cucul ? m'a demandé François quand je lui ai tout raconté le lendemain.

— En fait, c'était plutôt comme dans un porno. Un porno de cuisine.

* * *

J'aurais dû voir un million de milliards de signaux d'avertissement s'allumer. Mais non, j'ai été complètement séduite. Parce qu'à ce moment-là, même si j'étais bien dans ma peau de célibataire, j'étais sensible à la séduction. Je ne percevais pas encore les trucs. Au moment où Maxime a dit ça, je l'ai embrassé, passionnément, devant les autres cuisiniers qui ne semblaient pas en faire de cas. Quand j'y repense, je ne devais pas être la première.

Maxime m'a chuchoté qu'on devrait aller ailleurs et il m'a suivie jusque dans ma chambre. Et, l'espace d'un moment, j'ai eu l'impression de revivre. De reprendre possession de mon corps. Enfin ! Et Maxime ne tarissait pas d'éloges sur moi, ma façon de bouger, d'embrasser. C'était tout le contraire de Gabriel qui m'avait laissée croire que j'étais inintéressante érotiquement, qui m'avait laissée croire que toutes les Daphnée de ce monde valaient mieux que moi.

Je ne pourrais mentir en disant que j'étais tellement déterminée dans mon célibat que j'ai pris cette situation pour ce qu'elle était : du sexe, sans émotions, juste pour le plaisir. Évidemment, non. J'ai commencé à m'imaginer une histoire d'amour incroyable où je laissais la ville pour venir m'installer avec lui, dans une petite maison près de cette auberge de campagne, et où je m'occupais de relations de presse de la région et où on élevait des poules sur notre terrain. Mais, alors que nous étions dans les bras l'un de l'autre, aussitôt que j'ai eu l'audace de démontrer un intérêt à le revoir, Maxime m'a avisée qu'il était en couple et qu'il devait d'ailleurs repartir chez lui, car sa blonde l'attendait.

Sa blonde.

Sa blonde?

Ce que j'ai ressenti à ce moment ne s'explique pas. Tout d'abord, l'information aurait mérité d'être divulguée quelques heures plus tôt. Est-ce que j'ai refusé de voir des signes? Non. Aucune mention. Je me retrouvais dans la position de femmes que j'ai détestées, pour ne pas avoir été solidaires avec d'autres femmes et pour avoir pris le mari d'une autre. Malgré mes valeurs, malgré le fait que je suis droite et honnête en toute circonstance. Mais en plus, j'avais le sentiment d'être trompée. Alors que c'est moi qui trompais.

Je ne me souviens plus trop bien de la suite, car j'ai ressenti un certain détachement de mon corps, que je ressens maintenant chaque fois que je vis quelque chose qui s'apparente à une scène de comédie romantique. Un détachement. Il me semble que, d'un ton digne, je lui ai demandé de quitter ma chambre.

* * *

— Un porno de cuisine, elle est bonne celle-là! a répliqué François. Si je comprends bien, tu penses que ce ne serait pas un bon investissement pour moi?

— Peut-être que tu pourrais chercher ailleurs.

— C'est ce que je vais faire. Comme t'as dit, si l'entreprise repose juste sur une personne…

Je sais que cette fois-là, François a pris une décision en pensant à moi. Par amitié. Pour ne pas que j'aie à croiser Maxime. Martin était déçu au début, ne comprenait pas ce qu'on n'avait pas aimé de l'endroit, mais François ne m'a jamais trahie. Et je lui en ai toujours été reconnaissante. Ça a forgé les prémices de notre amitié, qui a pris ses racines dans nos secrets. Malgré tout, le temps a donné raison à François qui a choisi de ne pas aller de l'avant dans cette transaction.

Les années suivantes, Maxime a changé d'emploi, il est allé travailler dans un autre établissement qui a ouvert juste à côté, et l'auberge a fermé. François m'a souvent remerciée de l'avoir bien conseillé. Et on riait ensemble de ce moment où j'avais pensé tout lâcher pour aller élever des poules dans un décor pittoresque juste parce que j'avais eu du bon sexe. Parfois, je me demande si je l'aurais si bien conseillé si, entre Maxime et moi, ça avait été une véritable histoire d'amour. Je l'aurais sûrement encouragé dans son projet d'acheter l'endroit. Et j'ai tout de suite conclu que l'amour me faisait perdre mon bon jugement.

C'était il y a cinq ans. Cette histoire, peut-être parce qu'elle faisait écho à ma rupture, m'a fait mal. Je me sentais trahie et je réalisais que je ne pouvais plus faire confiance qu'à moi-même. Et ça a contribué à ma décision de fermer boutique au niveau émotif. Toutes ces émotions fortes, très peu pour moi.

Ça aurait pu être une comédie romantique. Si ça en avait été une, j'aurais aujourd'hui une petite maison de campagne et des poules. Et puisque ce serait à des années-lumière de ce que je suis, je ferais probablement une dépression.

AVANT MINUIT (EN CONTRE-PLONGÉE)

Je vacille sur mes talons hauts et Maxime me rattrape.

— Héhé, je te fais encore de l'effet?

Je souris en enlevant mes souliers, en me tenant sur son épaule.

— Hey salut! Tu travailles à Montréal maintenant ou tu es ici juste pour le bal?

— Je m'occupe du kiosque là-bas. Montréal, ça bouge trop vite pour moi. Je préfère la campagne.

Il s'approche de moi et il ajoute:

— Tu sais, ça ne partira jamais…

— Quoi?

— Cette attirance entre nous.

J'ai presque envie de rire. Je ne peux pas croire que j'ai déjà été sensible à ce genre de phrase pseudo séductrice.

Je suis ravie de ne plus être assez naïve pour me faire avoir par des paroles vides. Je sais que je ne suis pas irrésistible au point de faire perdre la tête à quelqu'un, que Maxime a simplement le tour de jouer la comédie, de jouer avec les mots, pour arriver à ses fins. C'est un épicurien qui aime la chasse.

Je regarde souvent des photos de Maxime sur son profil Facebook. Aujourd'hui, il a un enfant avec sa blonde devenue sa femme. Les photos de mariage sont très belles, champêtres. Ils ont l'air d'un couple en parfaite symbiose et d'une famille unie. Et il a bel et bien des poules. Je me demande si sa femme sait qu'il lui arrive d'être infidèle. Ce que ça lui fait. Quand j'observe la vie de Maxime sur Facebook, j'essaie d'imaginer tout ce que les photos ne montrent pas.

— Maxime, désolée, pour ma part c'est parti, dis-je en tentant de camoufler un certain sarcasme qui me vient naturellement.

— T'sais, je me demande souvent ce qu'aurait été ma vie si j'avais quitté ma blonde. On serait peut-être ensemble, et ce serait avec toi que j'aurais un enfant.

Je tente de réprimer ce sentiment de pitié que je ressens envers lui en ce moment. Devoir sortir les gros canons, comme ça, juste parce qu'il espère ne pas finir sa soirée seul alors qu'il est loin de chez lui…

— Ce serait plate pour moi, parce que ce serait moi que tu tenterais de tromper ce soir, pendant que je serais à la maison avec notre bébé. Je préfère ma vie.

— Ah bon.

Et il retourne vers son kiosque, sans rien ajouter.

Sa réaction me glace le sang. Pourtant, je me sens assez fière de ma répartie.

Je continue de me diriger vers les fenêtres pour voir les feux d'artifice, et je croise un jeune acteur qui a joué dans un film pour lequel j'avais fait les relations de presse il y a quelques années.

— Hey Sarah !

Il m'embrasse sur les joues et me présente sa copine.

— C'est Chanel. La femme de ma vie !

Comme je suis encore un peu sous le choc de ma rencontre avec Maxime, j'ai de la difficulté à partager son enthousiasme.

— Ah, enchantée. Ça fait combien de temps que vous êtes ensemble ?

— Deux ans.

— Oh cool ! Profitez-en, il ne vous reste que quelques mois avant que ça finisse.

Ils ne répondent rien sur le coup, puis protestent un peu. Je feins un éclat de rire pour appuyer mon ironie. Ils rient à leur tour, puis se dirigent vers l'endroit où voir les feux.

Je me cache dans un coin pour texter Anik.

Sarah, 22 h 01

J'ai vu Maxime. T'sais, le chef/auberge/poules/marié ?

Anik, 22 h 01

Ark.

Sarah, 22 h 02

J'ai refusé ses avances et il a été glacial.

Anik, 22 h 02

Qu'il aille ramasser les œufs de ses poules pis qu'il te crisse patience !

Je ris. Ça me fait du bien.

Sarah, 22 h 03

J'ai hâte de te raconter ce que je lui ai dit pour qu'il réagisse comme ça.

Anik, 22 h 03

Hâte de savoir !

Sarah, 22 h 04

Ensuite, j'ai croisé un jeune couple et je n'ai pas été cool…

Anik, 22 h 04

Tu as dit quoi ?

Sarah, 22 h 04

D'en profiter avant leur séparation imminente.

Anik, 22 h 05

Hahaha ! Briseuse de rêves !

Sarah, 22 h 06

Me sens mal…

Anik, 22 h 07

Fallait bien que quelqu'un leur dise. Tu t'es dévouée pour la cause. Peux pas te parler plus, suis avec Alex…

Sarah, 22 h 07

Ouh ! *Enjoy* !

J'arrive devant les fenêtres pour observer les feux d'artifice. Je regarde furtivement autour. Les gens font face au spectacle, sans le regarder vraiment. Je fais de même. Je parle à quelques personnes que je connais. En fait, disons plutôt que je fais « hum-hum » pour montrer que je contribue à des conversations que je n'entends pas et auxquelles je feins de m'intéresser. Je ne comprendrai jamais pourquoi les gens s'évertuent à parler dans des soirées où la musique est trop forte pour se comprendre. Et quand quelqu'un tient vraiment à le faire, il se penche vers toi et te crie dans l'oreille, ce qui en général est assez désagréable. Il serait impoli de partir pendant le feu d'artifice et je ne veux pas trop me faire remarquer. J'attends donc que ce soit terminé avant de m'éclipser. Je repère Jean-Krystofe, qui semble s'amuser. Je lui texte que je pars pour ne pas qu'il me cherche.

Pendant que je me dirige vers la sortie, un réalisateur que je connais par personne interposée me prend par le bras et entame une discussion avec moi. Il ne semble pas remarquer que je souris et hoche la tête sans renchérir, question de rester polie, tout en reluquant la sortie. Puis, il me dit :

— C'est le fun, jaser avec toi. On rentre ensemble ?

Je le diagnostique automatiquement comme un narcissique qui croit sincèrement que toute proposition de sa part est une opportunité. Alors qu'en réalité, il s'agit d'un gars un peu trop saoul qui surestime son charisme. Pendant un instant, je considère sa proposition.

Le hic avec mon choix de vie et mon incapacité à partager une certaine intimité avec des inconnus, c'est que je suis rarement touchée. Il y a ma mère qui me prend dans ses bras, mais ce n'est pas pareil. Et j'en aurais grandement besoin en ce moment. Je regarde mon téléphone pour voir quelle heure il est. Je pense plutôt à la journée que j'aurai demain et je préfère rentrer. Alors que je décline son offre, il essaie de me convaincre en m'envoyant quelques insultes à peine déguisées, me disant que je devrais être plus cool, plus relax, plus ouverte et qu'à ses yeux, je suis visiblement *stuck-up* de refuser une si belle offre de sexe de sa part. Mentalement, je m'amuse à renverser la situation. Si c'était moi qui étais aussi persistante dans mes avances, quelle serait la perception de moi, et de lui ? Passerait-il pour un gars *stuck-up,* ou dirait-on plutôt qu'il est sélectif face aux femmes qui tentent de le séduire ? Et pour ma part, je passerais pour une fille cool et ouverte, ou pour une désespérée ?

La meilleure défense restant l'indifférence, je fais semblant de prendre ce qu'il me dit comme une bonne blague et je m'éclipse.

J'aurais bien aimé quitter cette soirée avec un air triomphal, mais je sors les souliers dans les mains, tentant d'éviter de possibles débris sur le plancher, tout en souriant au passage aux gens que je connais pour éviter qu'ils remarquent que je rentre avant minuit de ce qu'on surnomme un des meilleurs partys de l'année. Et que je préfère rentrer seule. Et qu'un gars de mon passé et un avec qui je n'ai pas d'avenir m'ont trouvée froide, simplement parce qu'ils ne m'intéressent pas et que je trouve plus tentant de rentrer seule qu'avec eux.

COMMUNIQUÉ POUR DIFFUSION IMMÉDIATE

Objet : Miser sur le look
Statut : Important

Nous avons appris que certaines de nos concitoyennes ont accordé une importance particulière à leur look lors de certaines soirées spéciales et qu'elles ont adopté un comportement qu'on pourrait qualifier de « *girly* ». Comme vous le savez, le Service de police du mode de vie (SPMV) de votre quartier vous a à l'œil.

Vous devez savoir qu'en élisant domicile dans le quartier le plus hip en Amérique du Nord (*Wallpaper*, décembre 2007), toute citoyenne accepte de se soumettre à l'obligation de miser sur un look qui ne risque pas de la faire passer pour une esclave de l'industrie de la mode. Une personne adoptant un look « clinquant » ou ses déclinaisons et affichant une attitude qui laisserait présager que son seul champ d'intérêt est l'apparence démontre qu'elle n'est pas intellectuellement à la hauteur de ses concitoyennes qui ont choisi de ne pas enrichir ces clichés superficiels.

Nous sommes persuadés que cette folie n'était que passagère, possiblement causée par l'ignorance du fait qu'un look marginal, non étudié car sans importance, mais idéalement provenant de matériaux recyclés ainsi que du commerce local, ferait de toute personne une citoyenne modèle qui fait preuve de profondeur en plus d'avoir une conscience sociale.

Nous rappelons aux contrevenantes qu'empêcher l'évolution de notre beau quartier vers un monde dépourvu de stéréotypes est un comportement qui pourrait faire l'objet de discussions au sein de notre comité et les rendre passibles d'expulsion dans un quartier satellitaire et/ou sur la ligne verte.

Contact :
Roze-Alexye Desjardins-Bellavance
Officier de prévention
div. Votre Quartier

-30-

AMNÉSIE VOLONTAIRE

Dans le journal ce matin, trois choses ont attiré mon attention.

1) J'ai vu des photos de l'événement d'hier et sur l'une d'entre elles, on me voyait en arrière-plan, un verre à la main et les souliers dans l'autre. Ce qui manque totalement d'élégance. Ma mère m'appellera sûrement pour m'en parler.
2) Un journaliste a demandé à un avocat de commenter l'affaire du cadmium dans les canettes, et l'avocat suggère aux consommateurs d'intenter un recours collectif, ce qui, évidemment, mettrait la compagnie de François en danger. Pas seulement la division de la boisson énergisante. Sa compagnie au complet.
3) Quelques sections plus loin, j'apprends qu'une grosse multinationale américaine sort une nouvelle boisson énergisante. Je ne peux m'empêcher de penser que tout ça n'est pas un hasard.

J'appelle François.

— Tu as vu ? Ce sont des rats ! Ils font exprès pour te couler ! Il faut dénoncer !

— Sarah, il est quelle heure ? De quoi tu parles ?

Je consulte mon téléphone et je vois qu'il est 6 h 04. Je lui envoie les liens des articles que je viens de lire.

— Ah les cons ! Ils ont vraiment bien préparé leur stratégie. Ils ont donné un coup en bas de la ceinture pour frapper plus fort après avec leur nouvelle marque. Ouf, ça va faire mal.

— Mais ça n'a pas de sens ! Il faut faire quelque chose !

— C'est ça, les affaires. C'est cruel.

— Je ne sais plus comment twister ça.

— Je pense que ça dépasse les relations publiques... Va falloir que je fasse un meeting d'urgence avec mon CA. Merci de l'info. Mais pas merci de m'avoir réveillé.

Ce n'est pas ma faute, ce qui arrive, mais je me sens coupable. Pas de l'avoir réveillé, mais de ne pas avoir pu faire plus. C'est sûrement dans ma nature.

Ma job est beaucoup plus compliquée à l'ère des réseaux sociaux, elle demande plus de créativité, plus de subterfuges. Et je ne sais pas si c'est à cause de mon opération, mais je me sens épuisée. Je n'arrive plus à faire mon travail comme il y a à peine trois semaines. Il paraît qu'il faut plusieurs semaines pour se remettre d'une anesthésie générale. C'est sans doute ça.

Sans vouloir sonner vieille, même si le temps me rattrape, je dirais qu'à une certaine époque, ma connaissance de l'actualité était assez restreinte. Elle était limitée à ma lecture des journaux et à une écoute distraite du bulletin de nouvelles de fin de soirée. Quand j'ai commencé à travailler en relations publiques, je me suis mise à éplucher plus de quotidiens que nécessaire, à lire plus de magazines, à regarder plus d'émissions d'affaires publiques. Et tout ça avant les réseaux sociaux. Maintenant, pas une journée ne passe sans que je sois bombardée d'informations. J'y suis même devenue accro, je clique sur tous les liens de mon fil d'actualité (comme ce matin, celui d'une maison en vente alors que je ne cherche pas de maison). Je tombe sur tout et sur rien. Il serait facile de dire « surtout sur rien », après tout, c'est comme ça qu'on pourrait décrire ce vide virtuel qui nous happe depuis quelques années, mais je ne voudrais pas passer pour une cynique qui critique ce qu'elle contribue à alimenter. Ce serait remettre en cause la nature même de mon métier. Si j'ai cliqué sur un lien (même un lien de maison en vente) c'est que quelqu'un, quelque part, a bien fait sa job pour le rendre attirant.

Aujourd'hui, on veut que tout fasse un buzz sur les réseaux sociaux, bien plus que dans les journaux. On invite des blogueurs et des YouTubers avant des vedettes, car leur impact est direct. Tout a changé, tout va vite. Heureusement, Jean-Krystofe m'a aidée à rendre ma compagnie plus moderne, à la mettre au goût du jour. C'est lui qui m'a fait découvrir les YouTubers branchés et qui a permis de sauver certaines campagnes de promo qui s'adressaient à un plus jeune public, et pour lesquelles j'avais de vieux réflexes.

Après avoir parlé à François, en mode zombie incapable de commencer ma journée au moment où je le devrais, je me mets à cliquer sur une multitude de liens qui me mènent à d'autres liens.

Je réussis à tout oublier en quelques minutes en visionnant une vidéo insignifiante, en lisant un article sur l'importance de choisir des crèmes hydratantes avec le moins d'ingrédients possible, et un autre sur un nouveau festival qui tente de faire sa place sur le marché. En voyant à quel point un si minuscule événement a généré un si long article dans un grand média, je me dis tout de suite qu'il y a du Hélène Melançon là-dessous et je ne peux pas m'empêcher d'être admirative (ou jalouse ?). Bref, mon anxiété a diminué et je passe à autre chose. Puis, je reviens à l'article du recours collectif. Je vois le visage arrogant de cet avocat. Ensuite je vais sur la page Facebook de la nouvelle boisson énergisante et je vois des gens tout excités. L'attrait de nouveauté. Puis, je vais sur celle de François et c'est la catastrophe : on ne peut y lire que des messages haineux et d'une violence inouïe des consommateurs qui se sont sentis floués.

Tout fonctionne avec cette formule : Quelque chose arrive. Ça peut arriver n'importe où et ça peut être n'importe quoi. Ça peut être un téléroman. Ça peut être un invité qui dit quelque chose dans une émission de variétés. Ça peut être un citoyen qui a glissé sur le trottoir. Ça peut être un artiste qui publie un statut ou une photo sur Facebook. Ça peut être une banalité ou un enjeu de société important. Tout passe par les réseaux sociaux. Ensuite, tout le monde commente et y va non seulement de son opinion, mais aussi de son humeur du moment. Le résultat en est que tout est gonflé. On a l'impression de vivre dans une société où tout le monde crie, où tout le monde se fait la morale pour tout et pour rien.

Il y a quelques années, je pouvais publier un statut où je disais que je mange trop de cupcakes. Il n'y avait pas de bouton *like,* même pas de possibilité de commenter, ni de fil d'actualité où on voit tout ce que tout le monde pense. Dix minutes après avoir écrit mon statut, je n'y pensais plus. C'était simplement ludique.

Maintenant, si j'écris « Je crois que j'ai mangé trop de cupcakes », ça prend presque une spécialiste des relations de presse telle que moi pour gérer la situation. Il y aura des personnes qui me diront que je suis bien chanceuse car il y a des pays où les gens ne mangent pas à leur faim. Il y en a qui me parleront des ingrédients néfastes qu'on trouve dans les pâtisseries. Qui diront que les œufs utilisés pour faire les gâteaux viennent de poules maltraitées. Il y aura aussi des gens qui diront : « Bravo de manger des cupcakes, au moins tu as le temps de te gâter, toi ! » Il y en a qui diront que je me vante de pouvoir manger des gâteaux alors que je suis mince. Il y en a qui me soupçonneront de vouloir aller chercher de la sympathie auprès de mes amis Facebook. Des amis proches, que j'adore, m'en voudront. Ils masqueront peut-être même mes futures publications car ils n'en pourront plus de lire des choses superficielles de ma part. Le pire, c'est que si j'écris ça alors qu'il y a une mauvaise nouvelle dans le monde et que je parle de cupcakes plutôt que de dire que la mauvaise nouvelle me touche (comme 97 % des gens sur les réseaux sociaux), ça fera automatiquement de moi quelqu'un qui se fout royalement de ce qui se passe dans le monde. Égocentrique. Ethnocentrique. Absorbée par son narcissisme. Limite raciste.

Ça peut avoir un impact négatif sur ma compagnie.

Tout ça parce que j'aurais eu l'élan spontané d'écrire que je mange trop de cupcakes.

Si jamais j'écris «Table à vendre, pas chère!», quelqu'un peut répondre spontanément: «Je comprends qu'elle est pas chère, est laitte crisse!» et je me sentirai aussitôt agressée.

Passer d'une information à l'autre en un clic permet un genre d'amnésie provisoire, qui nous empêche aussi de ressentir les choses qu'on voit. Ça permet de relativiser nos problèmes personnels parce qu'on est constamment bombardé par plus global, plus dur, plus misérable. À la limite, ça rend presque insensible aux émotions superflues. Il faut réserver notre indignation ou nos émotions pour ce qui en vaut vraiment la peine.

J'appuie la tête sur mon bureau. Mon portable sonne et je réponds sans regarder, croyant que c'est François qui rappelle.

— Allo? Cocotte? Descends de là. Oh, tu aurais dû voir ce qu'a fait...

— Maman? Je suis dans un rush, là. Il y a quelque chose d'important?

— Ben je t'ai vue dans le journal...

— Ah.

— Je voulais savoir comment tu vas. Ça m'inquiète que tu sois retournée travailler si vite... Tu n'as pas l'air bien. Tu as le temps de manger?

— Oh maman... Je suis découragée! J'ai l'impression que tout va de travers.

Elle ne dit rien.

— Allo? Maman?

— Oui? Tout va de travers. Et...?

— Ben rien. J'avais fini. C'est ça. Tout va de travers.

— Je pensais que tu disais «tout va de travers» virgule...

— Ben non! Je disais, «tout va de travers», avec plein de «a» dans travers. Pis un point d'exclamation. J'attendais que tu commentes. Que tu me rassures...

— Oh. Je l'ai plus vécu comme une virgule. Bon. J'ai fait une lasagne, je vais t'en porter ?

Je raccroche et je retourne sur les réseaux sociaux. Mon avant-midi est consacré à ma dépendance aux algorithmes Facebook qui me dirigent là où ils veulent, et je ne fais rien de productif.

Habituellement, je suis une fille d'action. Mais présentement, je me sens immobile dans un tourbillon. Prête à exploser.

Je l'admets, je clique pour oublier.

BOMBE À RETARDEMENT

Tout à l'heure, j'ai acheté des chips dans une machine distributrice, et la machine m'a donné deux sacs au lieu d'un. La joie que j'ai ressentie à ce moment était démesurée ! J'ai pratiquement cru que c'était karmique. Que la vie m'en devait une. Et que par de petits gestes comme celui-là, elle payait sa dette.

C'était mon premier rendez-vous de suivi post-opératoire.

À l'appel de mon nom, je me suis dirigée vers le bureau du médecin. C'était un résident qui faisait mon suivi et il était avec une étudiante. Il était beau. Elle était belle. Il semblait confiant. Elle semblait timide. Tous deux étaient vraiment plus jeunes que moi, et je me sentais comme une patiente figurante dans une série télé d'hôpital dont l'intrigue tourne davantage autour des médecins qui forniquent dans les salles de garde que de leur travail. La tension sexuelle était palpable et n'était pas dirigée vers moi. Bref, je n'étais même pas le personnage central de mon propre rendez-vous médical.

Le médecin m'a demandé de retirer mon foulard, puis m'a examinée tout en expliquant ce qu'il faisait. Je n'ai rien dit pour ne pas provoquer de malaise, mais je ne pouvais m'empêcher de remarquer le regard béat d'admiration de l'étudiante devant son supérieur. Je me suis retenue de dire à cette dernière qu'elle devrait se concentrer sur ses études au lieu de faire les yeux doux à son patron.

Il a noté quelque chose dans mon dossier, puis a levé la tête vers moi.

— Votre plaie ne guérit pas très bien. Je ne recommande pas que vous l'étouffiez sous un foulard, car elle manque d'air et ça peut l'empêcher de cicatriser.

— Ah... bon. Je comprends.

— Vous dites que vous avez recommencé à travailler. Vous vous sentez bien ?

— Oui. Un peu plus fatiguée, mais tout va.

— Normal après une anesthésie. Ça prendra quelque temps. Je suis tout de même impressionné par votre état général si peu de temps après l'opération. Vous êtes faite forte.

J'ai davantage retenu cette dernière affirmation. Je n'ai aucune intention de me promener au bureau ou dans des événements sans mon foulard et de faire peur à d'éventuels clients.

J'ai été surprise de voir que mon corps tenait le coup même si j'ai écourté le congé que m'avait prescrit le médecin. Le fait que la plaie cicatrise moins rapidement, ce n'est pas une conséquence si grave.

En quittant son bureau, je suis allée m'acheter un sac de chips.

Et je ne sais pas trop si j'ai été contente de ce sac de chips supplémentaire parce qu'au fond, ça m'a déprimée de voir que les médecins sont rendus plus jeunes que moi, qu'ils trippent sur leurs jeunes étudiantes et que ça m'a fait sentir vieille, ou si vraiment je l'ai vu comme un bon présage dans mon karma. Toujours est-il que ça a vraiment été un beau moment de ma journée, et je ne sais pas si c'est positif ou totalement déprimant. Mais je préfère voir les choses de façon optimiste.

Après ce rendez-vous, je décide de marcher pour revenir au bureau, pour me changer les idées. Au début du mois de mars, il fait gris et froid. J'ai toujours l'impression que l'hiver finira plus tôt d'année en année et qu'en mars, ce sera le printemps. Mais c'est encore l'hiver qui s'acharne. Je crois que, comme bien des gens, je vis dans le déni des saisons. J'enfonce mon nez dans mon foulard et mes mains dans mes poches et je marche en grelottant.

Pour la première fois depuis le début de ma carrière, j'ai moins de motivation. Je ne sais pas quoi faire pour un client, un ami qui me tient à cœur, et je me sens un peu désemparée. Hier soir, j'ai avoué ça à mon père, qui m'a conseillé de chercher de l'aide, mais auprès de qui ? Je vais devoir trouver cette solution moi-même, ou ne pas la trouver et accepter que cet échec n'est pas le mien et que je ne peux rien faire pour mon ami, à part laisser retomber la poussière.

En rentrant au bureau, mon deuxième sac de chips en prime karmique ne m'empêche toutefois pas de me fâcher contre Jean-Krystofe, que je surprends en train de s'obstiner avec un client que j'ai signé après les fêtes, une jeune compagnie qui fait des salières poivrières. Je lui avais donné ce mandat que je jugeais assez facile. Mais peut-être que je l'ai surestimé. J'approche d'eux et Stéphane Bergeron, copropriétaire de la compagnie avec sa femme, me demande :

— Comment ça qu'on n'a pas eu plus que quelques mentions dans les sections déco des journaux et des magazines, et sur des blogues ?

— Vous savez que c'est excellent ? répond Jean-Krystofe.

— Mais pas du tout ! Nos salières poivrières sont révolutionnaires ! On aurait pu avoir un reportage à *Salut, Bonjour !* où ils seraient venus visiter nos locaux de création ! Et pourquoi pas à *Tout le monde en parle* ?

— L'émission s'intitule *Tout le monde en parle.* Est-ce que tout le monde parle de vos salières poivrières ? réplique Jean-Krystofe.

— Les gens en parleraient si on passait à *Tout le monde en parle.*

— Oui, mais c'est pas *Tout le monde en parlera si tu passes à l'émission.* C'est *Tout le monde en parle,* dans le sens de : tout le monde en parle déjà quand tu passes à l'émission et on continue la discussion, ironise Jean-Krystofe.

— Y a des gens qui passent là dont j'ai jamais entendu parler ! se fâche monsieur Bergeron.

Sa femme est à côté de lui et ne fait que des signes de tête, ou des « Ouain ! » chaque fois qu'il dit quelque chose.

Je m'interpose en disant :

— On va faire de notre mieux.

Je demande à Jean-Krystofe de raccompagner les Bergeron à la sortie.

Puis, quand il revient à mon bureau, il lance d'un air coupable :

— Tu sais que j'ai fait le maximum avec eux, hein ?

— Écoute, moi aussi ça me fait perdre patience, des demandes comme ça. Mais on ne garde pas les clients en les confrontant. Il faut être à l'écoute, dire qu'on fait notre possible. Tu peux même faire des suivis et dire que tu as appelé sur telle ou telle émission.

— Leurs attentes sont surréalistes.

— Quand je te donne des mandats, j'attends le meilleur de toi. Et la façon de gérer les clients fait partie de la job.

Je lui signale également que je ressens qu'il y a eu un léger laisser-aller au niveau des réseaux sociaux pour la compagnie de François. Aussi, ça fait déjà une semaine que je suis rentrée au travail et je n'ai reçu aucun clipping. Je sais qu'il déteste faire ça, découper des articles pour faire un scrapbook pour chacun de nos clients. Il ne trouve pas ça moderne. Mais c'est quand même essentiel. Il ne dit rien et retourne travailler la mine basse. Ça m'énerve cette attitude. Qu'est-ce qu'il attend de moi ? Que je le félicite quand il fait des erreurs ? N'est-il pas en début de carrière, à un moment où il a tout à apprendre ?

Je prends le téléphone pour appeler François, mais au même moment, je reçois un appel d'Anik, qui me demande d'aller chercher Romy à l'école parce qu'elle est à l'hôpital.

ERREUR SUR LA PERSONNE

Anik a fait un choc vagal dans la cuisine de son commerce. Elle s'est frappé la tête en tombant et s'est rendue à l'hôpital car elle a eu très peur. Elle voulait s'assurer de ne pas avoir quelque chose de plus grave, style commotion ou AVC, car elle a perdu la carte quelques minutes. Quand elle a repris conscience, ça sentait le brûlé et le détecteur de fumée s'était déclenché, il y a eu beaucoup de fumée mais pas de feu. Alertés par le détecteur relié à la centrale, les pompiers sont arrivés et par la suite, une ambulance l'a conduite à l'hôpital. Elle m'a dit de ne pas m'inquiéter, qu'elle passait des tests et qu'elle était entre bonnes mains. Que tout était simplement de la routine.

J'arrive à l'école de Romy. Je n'ai pas envie de sortir de ma voiture et de quitter les sièges chauffants. J'ai pris cette option comme si c'était le plus grand luxe que je pouvais me payer et je l'apprécie chaque fois que je l'utilise. Il fait tellement froid dehors. Je sors contre mon gré.

Je vois Romy jouer dans la cour d'école avec d'autres enfants. Mon regard n'étant rivé que sur elle, je ne vois pas qu'un homme bloque l'entrée de la cour et je lui fonce dedans. Je m'excuse. Il me scrute et me demande ce que je fais là.

— Euh, excusez-moi, je viens chercher Romy.

Il se place devant moi.

— On ne vous connaît pas, me répond-il.

Je suis portée à rire un peu nerveusement.

— La mère de Romy a appelé pour avertir que c'est moi qui venais la chercher. Je suis Sarah.

— Ok, Sarâh. On va vérifier ça, répond-il de façon suspicieuse en me bloquant le chemin.

— C'est Sarah, en passant. Avec un « a ».

Je vois soudain un gars s'approcher. Il me rappelle Fred, un ami de l'université que j'avais fréquenté peu de temps. Il doit avoir des enfants qui viennent à l'école ici. Je lui envoie la main. Il pourrait confirmer mon identité, alors que je suis coincée par ce qui semble être un agent de sécurité hyper zélé qui m'empêche de passer.

— Hééé! Fred!

Le gars se retourne et je fais des signes encore plus évidents.

Il approche et se montre du doigt.

— Moi?

L'agent de sécurité semble satisfait de me retenir prisonnière.

— Hey! T'as pas changé! À part que t'es vraiment frisé! L'hiver a été trop humide? As-tu eu une permanente?

L'agent se tourne vers Fred.

Fred se touche les cheveux, mal à l'aise.

— Euh... ben, je... j'ai toujours été frisé comme ça...

— Ça fait vraiment longtemps qu'on s'est vus! J'en reviens pas de te voir ici! Comme dans le temps! Et... tout frisé en plus! Tes enfants viennent à l'école ici?

— Non, je...

Je me retourne vers l'agent.

— Vous voyez, il n'a pas d'enfant et il se promène librement à l'école!

Fred me demande discrètement:

— Est-ce que ça se peut que tu me confondes avec quelqu'un d'autre?

— Ben voyons Fred! Tu ne te souviens pas de moi? On a... (je dis plus bas) déjà... (je lui lance un regard entendu, qu'il ne semble pas comprendre) à l'université... (je dis encore plus bas) couché ensemble...

L'agent, qui a entendu malgré mon chuchotement, se met à rire et Fred aussi.

— C'était pas moi. Je suis prof de gym ici. Ce soir, je suis le prof de garde. Tu viens pour Romy, c'est ça?

— Ah! Voilà! Dis-le à ton agent de sécurité, il me prend pour un agresseur ou je sais pas quoi!

L'homme marmonne des excuses et s'éloigne.

Je replace un peu mes vêtements.

— Vous devriez vraiment mieux entraîner vos agents de sécurité. J'en engage souvent pour des événements et habituellement, ils sont supposés être plus subtils et plus polis.

— C'est un papa, en fait.

— Hein?

— Parfois, les parents d'élèves nous aident pour la surveillance. C'est gentil, ils le font bénévolement.

— Mais là, j'ai carrément été victime d'intimidation! Il ne me laissait pas passer!

— Ils sont protecteurs de leurs enfants. Ils se méfient des inconnus. Faut pas les juger, ils s'inquiètent, c'est tout.

— Ok, désolée de m'énerver, mais est-ce que ça se peut que les parents soient les seuls au monde à pouvoir être fous en faisant passer ça sur le dos de leur rôle parental? Je sais pas, mais il y a des règles de courtoisie à respecter pour…

Romy m'aperçoit et court vers moi.

— Saraaaaaaahh! crie Romy en me sautant dans les bras. La directrice m'a dit que ma mère est à l'hôpital.

— Oui, on s'en va la voir.

— Ben je vous laisse. Moi c'est Pascal, en passant. Pas Fred.

— Salut.

Je lui tends la main en tentant de camoufler mon malaise.

— Moi c'est Sarah. Sarah Dufour. Euh, désolée. Je ne sais pas pourquoi je dis mon nom de famille. Déformation professionnelle. Ben je sais pas pourquoi je dis déformation en fait, ça déforme rien. Mais en tout cas, mon nom c'est Sarah. A, à la fin. Pas « â », sinon j'aime pas çâ. Haha. En gros, c'est ça.

Romy éclate de rire. Et moi, je me sens mal à cause de ce trop-plein de détails.

— Ça m'a fait plaisir de te rencontrer, Sarah-a-pas-â. Désolé pour le papa inquiet. Je retourne à mes élèves.

Il part.

Je retourne vers ma voiture avec Romy. En marchant, je lui demande :

— C'est ton prof de gym, lui ?

— Oui.

— Il est *cute*.

— Aaaaaaark ! Il est full vieux ! Il a trente-six ans !

— Comment ça, vieux ? Tu penses que j'ai quel âge, moi ? Il est deux ans plus jeune que moi.

— Oh ok, *cute* pour toi. Je pensais que tu disais *cute* pour moi. Pour toi c'est correct.

— Coudonc, c'est quoi l'affaire aujourd'hui ? Tout le monde me prend pour une vieille perverse ou quoi ?

Je passe à côté du père qui m'a retenue à l'entrée de la cour d'école et il me lance un regard réprobateur, tout en se tournant vers Romy. Elle lui dit :

— C'est correct, c'est ma tante. Pas une inconnue.

— J'm'excuse de te faire honte, Romy.

Nous montons dans la voiture et je conduis en direction de l'hôpital.

— Tu penses que ma mère est correcte ?

— Elle m'a dit que oui.

— Ces temps-ci, elle avait l'air triste.

Je ne sais pas trop quoi dire. Elle se tourne vers la fenêtre et, la sentant nerveuse, je la laisse tranquille.

DÉNI

Je me stationne à l'hôpital. Grommelle légèrement contre le prix du stationnement puisque, en plus, il n'a même pas été déneigé parfaitement. On sort de la voiture et je propose à Romy de la prendre par la main. Elle la retire en déclarant qu'elle est grande. Je ne m'obstine pas. Je comprends son besoin d'indépendance. Je n'ai jamais aimé qu'on me tienne par la main. Même en couple, je ne comprends pas trop cette étrange (comment appeler ça?) habitude. Le couple est infantilisant. Je ne le dirai à personne pour ne pas avoir l'air d'une vieille fille amère et aigrie, mais je m'entends encourager Romy sur sa quête d'indépendance, tout en la sommant malgré tout de faire attention aux voitures. Elle a huit ans, son indépendance se doit quand même d'être supervisée.

Nous arrivons à l'urgence et, à la réception, on m'apprend qu'Anik a été transférée dans une chambre au cinquième étage.

Je suis assez surprise, car il me semble qu'on hospitalise rarement un patient pour un choc vagal.

Romy insiste pour appuyer sur le bouton de l'ascenseur. Un patient entre un étage plus haut et une odeur infecte nous empeste. Romy met sa main sur son nez et me regarde, horrifiée. Je lui fais signe de ne rien dire. Pour ma part, je ne cache pas mon nez et je souris. J'ai vécu pire lorsque j'ai dû faire la promotion d'un chanteur d'opéra polonais qui souffrait de problèmes gastriques et qui était flatulent. Je devais faire semblant de rien et je devais avertir les journalistes du problème, tout en leur mentionnant de ne rien dire à ce sujet devant le chanteur et de ne poser aucune question sur son état de santé. Je leur avais envoyé un bouquet de fleurs ensuite pour les remercier de leur délicatesse dans ces circonstances inhabituelles. Certains me le rappellent encore. Personne n'oubliera cette odeur. Mais j'avais réussi à bien rattraper la situation.

Nous atteignons le cinquième étage et nous nous rendons jusqu'à la chambre de mon amie.

Elle est dans son lit. Elle dort. Je pense au pire. Je ne comprends pas. Romy court vers elle. Pour ma part, je vais au poste des infirmières pour demander plus d'informations. Elles me disent qu'elles ne sont pas autorisées à me répondre, qu'il faudra que je demande au psychiatre affecté à son dossier. Psychiatre? Ça pique ma curiosité. Pour obtenir des renseignements, je signe en tant que sa conjointe. Quand elles m'ont demandé quel était mon lien avec elle, j'ai répondu du tac au tac.

J'avais peur qu'on me refuse l'accès aux informations si je disais que je suis simplement une amie.

Je suis chanceuse, le psychiatre est disponible et il accepte de me rencontrer. C'est un homme assez âgé, qui me semble plutôt sympathique. Il fouille dans sa paperasse et m'explique:

— L'urgentologue a conseillé une hospitalisation de soixante-douze heures et j'ai confirmé. Votre conjointe vit un épuisement sévère et comme elle a failli mettre le feu à son établissement et qu'elle n'a pas l'intention d'arrêter de travailler ou de prendre congé malgré tout, elle présente un danger pour elle et pour autrui.

— Mais elle pourrait rentrer et se reposer chez elle? Euh… à la maison, je veux dire? Notre maison. Parce que… nous sommes un couple.

— Elle est trop dans le déni de sa situation de santé. Il est préférable qu'elle soit dans un milieu contrôlé où on pourra mieux établir le diagnostic et la médication, et ajuster le tout.

— Je croyais que dans le système actuel, on n'hospitalisait pas les gens pour ça…

— L'admission à l'hôpital se fait habituellement lorsqu'il y a présence d'une crise ou d'une désorganisation sévère. C'est le cas ici. On pourra mieux protéger et observer la patiente. Je vous suggère de tenter de lui parler. Plus vite elle acceptera son état, plus vite elle obtiendra son congé.

Je suis sous le choc. Les informations défilent à toute vitesse. Je ne comprends pas tout à fait.

Je reviens à la chambre d'Anik. Elle est réveillée et parle à sa fille. Je repense à ce que Romy m'a dit dans la voiture et j'ai un pincement au cœur: elle avait vu que sa mère avait quelque chose. Elle l'a traduit par l'adjectif «triste». Moi, je n'ai rien vu. J'ai vu Anik être agressive et facilement irritée par un client, mais à la limite, j'ai pensé que c'était seulement un trait de caractère qui s'amplifiait avec l'âge, je n'ai rien vu de son état. J'avais seulement de l'admiration pour tout ce qu'elle est capable d'accomplir en une journée.

— Oh! Sarah! Peux-tu leur dire qu'ils exagèrent avec leur hospitalisation, s'il te plaît? Franchement! J'ai du travail, faut que je sorte d'ici. Ma cuisine est tout en bordel et mes chocolats ne sont pas prêts pour demain. Avoir su, je ne serais pas venue ici!

Je la regarde avec compassion. Et même si je suis habituée de savoir quoi dire pour embellir les situations, dans ce cas-ci, je n'y arrive pas. Je ne peux pas lui dire que tout ira bien, car ça l'encouragerait dans son déni et le psychiatre m'a justement dit de ne pas faire ça. Je m'approche d'elle.

— Je vais aller nettoyer ta cuisine et je vais indiquer sur la porte que la chocolaterie est fermée de façon temporaire, et on trouvera une solution ensemble. Mais pour l'instant, faut que tu te reposes.

— J'ai une idée! On leur dit que je ne retournerai pas travailler, tu témoignes de ma bonne foi, et je retourne travailler et on ne leur dit pas.

— Si j'accepte ton plan, je serai une mauvaise amie. Oh, parlant d'amies, j'espère que tu ne trippes pas sur une infirmière parce que j'ai dit que j'étais ta blonde pour pouvoir m'occuper de toi. Donc, pour les prochains jours, on sort ensemble. D'ailleurs, quand le psychiatre a sorti «votre conjointe», j'ai failli partir à rire. Fais pas comme moi, faut qu'on joue le jeu. Bon, je vais texter tes parents.

— Non, pas mes parents ! Ça va les inquiéter pour rien, ça va être l'enfer !

— S'il arrivait quelque chose à Romy, aimerais-tu ça être la dernière avertie ?

Elle appuie sa tête sur son oreiller et semble fâchée. Je texte ses parents.

Je sors de la chambre avec Romy en lui annonçant qu'on restera ensemble cette nuit pendant que sa mère se repose, et qu'elle pourra aller chez ses grands-parents demain. Romy ne répond pas. Elle saute d'une ligne de plancher à l'autre jusqu'à l'ascenseur. Je décide de l'imiter, juste parce que je trouve que c'est une excellente façon de composer avec une situation sur laquelle nous n'avons aucun contrôle et pour laquelle il n'y a rien à dire.

Avant de rentrer chez moi, je me rends à la chocolaterie avec Romy. Ça sent le brûlé. Je réalise qu'Anik a énormément minimisé ce qui s'est passé. Je ne peux faire le ménage tel que promis, il faudra que l'endroit soit pris en charge par une compagnie expérimentée de nettoyage après sinistre. Pour l'instant, il vaut mieux que je ne touche à rien. Je vais dans son bureau et je demande à Romy de me dire où sont ses pancartes de fermeture. Elle me montre une étagère et on les trouve. J'hésite entre celle qui annonce la fermeture pour cause de vacances et celle pour cause de travaux. Je choisis les travaux. Romy semble d'accord avec mon choix.

Il faudra faire du *damage control* quand Anik sera sur pied. Souvent, les gens qui arrivent devant un commerce fermé vont tout simplement ailleurs et n'y reviennent plus, car dans leur tête, la place restera fermée indéfiniment. Il faudra faire une relance sur les réseaux sociaux et préparer des offres spéciales. Je n'en parlerai pas à Anik tout de suite, pas besoin d'en rajouter.

Romy me propose de mettre la table pendant que je place les plats indiens que j'ai commandés dans des assiettes. Elle fait :

— Hum... ça sent bon !

Depuis qu'elle est née, il m'est arrivé de manger avec Anik et Romy, mais il est rare que nous nous retrouvons seules elle et moi, alors j'avoue me sentir un peu inadéquate.

Socialiser avec un enfant m'intimide. Je ne sais pas quoi dire. Ça peut paraître contradictoire, étant donné mon expertise professionnelle. Je m'occupe pourtant de vedettes internationales qui sont de passage à Montréal et qui me demandent des choses impossibles, comme faire fondre la neige sur le sol entre eux et une voiture vu qu'ils ne veulent pas porter de bottes d'hiver, ou encore d'artistes en séance d'autographes dans des endroits publics qui me demandent de faire changer les spots au-dessus d'eux car ils ont trop chaud. (Comme si c'était possible de changer le système d'éclairage d'un centre commercial ou d'un centre des congrès !) J'arrive le plus souvent à les satisfaire ou à leur changer assez les idées pour qu'ils oublient leurs requêtes irréalisables. Je réussis souvent à les divertir avec toutes sortes de sujets de conversation, que je prépare à l'avance en les googlant ou en lisant des articles à leur sujet, et en leur posant des questions sur un domaine qui les passionne ou carrément sur eux-mêmes, si je sens qu'ils ont des tendances égocentriques. Ça ne fonctionne pas systématiquement. Par exemple, une semaine où j'étais plus fatiguée, un grand acteur de cinéma français me parlait d'essences de bois et je lui ai posé la question suivante : « Et ça fait longtemps que vous vous intéressez au bois ? » Chaque fois que j'y repense, ça me donne envie de me frapper la tête contre un mur tant je suis honteuse. Il n'avait même pas daigné répondre à cette question. Il avait seulement souri, me lançant un regard que j'ai interprété comme de la pitié envers quelqu'un qui n'a pas les capacités cognitives appropriées pour discuter avec une personne de son calibre.

Malgré tout, c'est habituellement facile pour moi de socialiser.

Ce soir, ça ne l'est pas.

Comme je n'ai pas vraiment pu me préparer, je ne sais pas quel sujet aborder avec Romy. Alors pendant qu'on mange, je jette un coup d'œil rapide à mon téléphone après avoir googlé : « Questions à poser à un enfant » et je trouve quelques excellentes idées. Puis elle me lance :

— Ma mère ne veut pas qu'on regarde des écrans quand on mange.

J'admets que lorsque je suis avec des clients, combler les vides en regardant mon téléphone peut passer pour du professionnalisme car je consulte l'horaire de promotion, je texte des journalistes pour confirmer des rendez-vous, ou je m'assure du suivi d'événements. Mais avec Romy, ça passe pour de l'impolitesse ou pour un manque d'intérêt.

— Euhm… oui, elle a tout à fait raison.

Je range mon téléphone, non sans avoir réussi à repérer quelques idées, et je peux la faire parler sur quelques sujets. J'apprends que sa matière préférée est l'art plastique, qu'elle n'est pas intimidée à l'école, qu'elle déteste son prof et que son meilleur souvenir est un voyage qu'elle a fait avec Anik et ses grands-parents à Cuba. Comme elle aime les arts plastiques, je lui propose de faire une carte de prompt rétablissement pour sa mère et elle sort sa boîte de bricolage.

Puis, en dessinant, elle me demande :

— Toi, tu le savais que ma mère est gaie ?

— Oui.

— Depuis toujours ?

— Depuis que je la connais.

— Et ça ne t'a jamais empêchée d'être son amie ?

— Non. Son mauvais caractère aurait pu, mais…

Elle rit.

— Ma mère ne veut pas me présenter sa blonde parce qu'elle dit que je pourrais faire rire de moi à l'école.

— Je ne pensais pas qu'Alexandra était officiellement sa blonde…

— Ah! Alexandra! C'est ça son nom.

Oups! Je me suis fait avoir comme une débutante. Elle poursuit :

— Elle ne dit pas que c'est sa blonde, elle dit que c'est une amie et qu'elle se couperait un bras avant de me présenter quelqu'un et de me mettre en danger. Elle dit qu'elle, dans son temps, elle s'est fait beaucoup rejeter à l'école à cause de ça, et elle ne veut pas que ça m'arrive. Mais j'ai de super bons amis! Ils ne me rejetteraient jamais pour ça! Comme toi. Tu n'as pas rejeté ma mère. Pis au pire, je suis capable de me défendre et de défendre ma mère!

Ouf. Je ne sais pas si c'est l'âge, mais les larmes me montent aux yeux. Je me sens soudainement un peu stupide d'avoir cherché des sujets de conversation pour discuter avec quelqu'un qui est visiblement plus intelligent que la plupart des gens que je côtoie.

— Romy… je ne sais pas comment te dire ça, mais tu es une merveille. Lui as-tu dit ça, à ta mère?

— Oui…

Et au moment où je me dis qu'un grand sage habite le corps de cette petite fille, je suis vite ramenée à la réalité lorsque je dois me battre avec elle pour qu'elle se brosse les dents. J'utilise comme argument tous les produits qu'elle devra s'acheter plus tard pour avoir les dents plus blanches, mais cela n'a pas l'effet escompté. Je suis obligée de négocier plus serré qu'avec n'importe quel client pour qu'elle aille se coucher, et une fois au lit, elle a des demandes diverses comme un verre d'eau, la porte qui doit rester ouverte mais pas trop juste assez pour laisser passer la lumière, et autres trucs qui feraient passer n'importe quelle diva pour une amateure à côté. Je dis ça avec beaucoup d'affection bien sûr. Je me souviens de cet âge où je faisais la même chose, car j'avais peur de m'endormir.

Le lendemain matin, je tente d'en savoir plus sur le fait qu'elle n'aime pas son prof, mais elle se contente de hausser les épaules en guise de réponse. Puis, elle m'assure qu'il ne s'agit pas de son prof d'éduc et elle me fait un grand sourire, ce qui me fait sentir un peu mal à l'aise.

Lorsque nous arrivons à l'école, le papa zélé n'est pas là, ce qui me soulage. J'accompagne Romy jusqu'à l'entrée. Puis, elle me fait promettre de ne pas oublier de remettre sa carte de prompt rétablissement à sa mère. Je lui rappelle ensuite que ses grands-parents viendront la chercher à la fin de la journée, et elle me fait un câlin avant de courir et de disparaître à travers les autres enfants.

Pendant que je la regarde, j'avoue éprouver une petite pointe d'envie envers mon amie qui a une fille si géniale, qui a quelqu'un qui lui fait une carte toute colorée. Parce qu'aucune des divas dont je m'occupe ne m'a fabriqué de carte personnalisée quand je me suis fait opérer. Il y a François qui m'a fait envoyer un bouquet, mais je ne sais même pas si l'idée venait de lui ou de son assistante.

Je chasse rapidement ces pensées de mon esprit car, pour un instant, je me sens un peu comme ces personnages de comédies romantiques des années 1980 qui découvrent que la famille, c'est la seule chose qui peut rendre un être humain heureux, ce qui, selon moi, était de la propagande anti-émancipation de la femme. Comme si on ne pouvait s'épanouir que d'une seule façon. J'aurais pu, comme Anik, décider d'être mère célibataire, mais j'ai fait d'autres choix, que j'assume pleinement. Je ne vais pas commencer à remettre ça en question.

— C'est dur, la première fois, hein ?

Pascal arrive derrière moi.

— Euh ? Qu'est-ce que tu veux dire ?

— Tu sembles regarder Romy entrer avec la nostalgie des mères qui laissent leur enfant à l'école pour la première fois.

— Ah non, pas du tout, je voulais simplement m'assurer de bien faire ma job d'amie. Et ce serait faux de penser que toutes les femmes sont pareilles et regardent leur enfant entrer à l'école de façon nostalgique. Je refuse cette étiquette totalement cliché et sexiste.

— Ah ok, dit-il en riant. Ton amie va mieux?

— Je vais voir ça aujourd'hui.

— Prompt rétablissement à elle. Bonne journée!

Je le salue et il entre dans l'école. Tous les enfants lui sautent dessus comme s'il était Mickey Mouse.

Je retourne à ma voiture. En marchant, je songe qu'il se peut que je sois nostalgique d'une vie à laquelle j'ai renoncé. Mais ce n'est que passager. Parce que j'aime beaucoup Romy et que mes émotions se bousculent.

Je quitte le terrain de l'école et me dirige vers l'hôpital.

J'arrive dans la chambre d'Anik. Elle est assise dans son lit, la tête appuyée sur un oreiller. Elle se tourne vers moi.

— Me semble que quand on sortait de l'université, on avait des rêves. On rêvait d'être au top. Finalement, on y est arrivées et on croule sous les obligations, je ne vois pas ma fille autant que je voudrais, pourtant, ma fille, j'ai tout fait pour l'avoir... Et on met en jeu notre santé.

Elle regarde le foulard que j'ai dans le cou et poursuit:

— Sarah, je m'excuse... Tu es là pour moi, et moi je n'ai pas autant fait pour toi quand tu étais à l'hôpital. C'est vrai que je n'ai pas arrêté une seconde depuis... depuis je ne sais plus quand.

— Ce n'est pas pareil. Toi, tu as un enfant. Tu n'es pas aussi libre que moi. Arrête, voyons.

— J'en ai trop pris. Je n'en peux plus...

— Ta fille est géniale.

— Je sais.

— Tu sais qu'elle déteste son prof?

— Oui. Mais je crois que c'est de ma faute.

— Voyons! Pourquoi?

— Je dis toujours qu'il donne trop de devoirs et que ça me met à bout. Mais ce n'est pas ça qui me met à bout, c'est l'accumulation. Pauvre puce...

— Arrête de tout te mettre sur les épaules. Tu sais qu'elle m'a dit qu'elle aimerait rencontrer Alexandra. Moi aussi, d'ailleurs.

Je lui remets la carte de sa fille. Anik la regarde et se met à pleurer.

— Où est-ce que je me suis trompée? J'ai honte, Sarah. J'ai honte. J'ai l'impression d'être une automate. Toutes mes journées sont pareilles. Je fais le déjeuner, je me dépêche, je vais reconduire ma fille à l'école, je vais à mon commerce, je fais mes recettes, je reçois les commandes, les clients, je retourne chercher ma fille au service de garde après l'école, elle m'attend, je fais le souper, les devoirs, je me couche. Je ne comprends même pas pourquoi je n'y arrive pas. Plein de gens y arrivent. Pourquoi pas moi? Je suis épuisée. C'est vrai que je suis épuisée. Si je prends un employé, je vais perdre une partie de mon revenu, je n'y arriverai pas, Sarah, qu'est-ce que je vais faire?

— Ce n'est pas le temps de penser à ça tout de suite, d'accord?

Elle ne m'écoute pas. Elle est partie dans sa réflexion.

— J'ai déjà pensé m'acheter une enrobeuse... C'est une machine. En tout cas, je t'épargne les détails. Ça coûte cher sur le coup, mais ça me permettrait de produire plus en sauvant du temps et de l'argent. Je pourrais même faire de la vente en ligne. Mais mon travail serait moins artisanal. Et c'est tout un savoir ancestral des chocolatiers qui me tient à cœur qui se perdrait...

Je hoche la tête, compatissante. Puis je dis:

— Quand je suis devenue relationniste, tu te souviens de ce que je voulais? Je rêvais de faire connaître des artistes émergents. Je rêvais de faire la promotion de produits éthiques et de contribuer à changer le monde en faisant découvrir des choses révolutionnaires. Là, je fais la promotion d'une boisson vendue dans des canettes considérées comme cancérigènes et de clients qui me demandent des choses impossibles ou qui disent n'importe quoi sur les réseaux sociaux. Et la plupart ont des attentes irréalistes! Mais t'sais, mes contrats qui rapportent plus me permettent parfois d'en prendre des moins rentables, auxquels je crois, qui correspondent à mes valeurs et à qui je ne charge presque rien. Et ça, je sens que ça contribue un peu à concrétiser certains de mes idéaux. Rien ne t'empêche d'acheter la machine et de continuer à faire en même temps des chocolats de façon plus artisanale. Ça pourrait même devenir une collection spéciale! On va trouver une solution. Là, repose-toi.

Une infirmière entre. Anik est plus calme. L'infirmière prend ses signes vitaux, lui tend un médicament. Elle lui demande comment elle va. Elle replace son oreiller, lui conseille d'aller marcher un peu dans le corridor, puis repart.

Je voudrais dire à Anik que je n'ai pas pu faire le ménage car la cuisine est très endommagée par la fumée. Qu'il faut contacter ses assurances et une compagnie de nettoyage après sinistre, et que je ne veux pas prendre de décision à sa place. Mais je ne crois pas que ce serait bon pour elle. Je me contente de dire:

— On vieillit, hein? Maintenant on va chacune notre tour à l'hôpital pis on se parle de nos bobos.

Elle rit. Je lui prends la main. Je lui propose de prendre sa marche avec elle. Comme le printemps n'est pas encore arrivé, on part pour une aventure assez tranquille, dans les corridors de l'hôpital.

Et il me semble que tout est au ralenti.

ATTRAPEZ-LES TOUS

Jean-Krystofe me saute dessus aussitôt que j'arrive au bureau et me raconte une histoire incroyable concernant *Pokémon,* son dessin animé préféré quand il était petit.

Il a reçu ce matin le PDG d'une petite compagnie aérienne, monsieur Roberts, pour le préparer à une entrevue qu'il a cet après-midi avec le bulletin de nouvelles. Avant mon opération, j'avais élaboré une stratégie sur plusieurs mois avec monsieur Roberts, pour redorer le blason de sa compagnie. Il a été obligé d'effectuer plusieurs mises à pied pour être en mesure de faire concurrence aux grands transporteurs internationaux. À mon départ, j'avais laissé une partie du travail à Jean-Krystofe, que j'ai repris en main à mon retour, ce qui l'a un peu déçu. Ce matin, comme je devais passer par l'hôpital pour visiter Anik, j'ai demandé à Jean-Krystofe de s'occuper de la préparation à l'entrevue. Comme il connaît bien le dossier, j'étais confiante.

Il est autour de moi à raconter une histoire en gesticulant et je ne comprends rien.

— Peux-tu parler plus lentement, s'il te plaît.

Il se force à reprendre son souffle.

— Ah-fu. Ah-fu. Ok. Monsieur Roberts est arrivé avec son fils. Le petit gars voit que j'ai des figurines de *Pokémon* sur mon bureau. T'sais? *Pokémon*? Attrapez-les tous, attrapez-les touuuuus! Anyway, il me demande de les voir, je lui prête mon bureau pour qu'il aille jouer. Je vais préparer monsieur Roberts à son entrevue dans la salle de conférence, et à mon retour, je me rends compte que le petit gars en a profité pour échanger ses Pokémon nuls contre mes Pokémon les plus cool. Je te dis que lui, « attrapez-les tous », il prend ça vraiment au premier degré!

— Je ne te suis pas.

— JE ME SUIS FAIT VOLER MES POKÉMON PAR UN ENFANT DE SIX ANS!!!

— Tu me niaises, là?

— Non! C'est épouvantable! J'ai été victime de vol! Qu'est-ce qu'on va faire?

— Non mais tu me niaises de faire tout un plat avec ça?

— Hein?

— Là, tu vas tenir ça mort, pis moi aussi. On ne va quand même pas s'énerver pour des bébelles!

— Tu comprends rien! Ça prend vraiment de la valeur avec le temps, des Pokémon! Les miens, c'est des pièces de collection!

— T'as quel âge, Jean-Krystofe, coudonc? Je te vois comme ma relève! Es-tu en train de me dire que ma relève pleurniche pour des bonshommes en plastique?

Jean-Krystofe est saisi par mon commentaire. Je viens de lui faire de la peine. Mais vraiment, il le méritait, non? S'énerver pour des figurines! Je comprends le principe, mais ce client va nous rapporter plus que des bonshommes de dessin animé! Et en plus, il ne voit que l'insulte et n'a pas entendu: «Je te vois comme ma relève.» Sa susceptibilité m'énerve.

— Il est où, monsieur Roberts, là?

— Dans le bureau.

Il a répondu ça assez froidement et retourne à son bureau. D'un côté, je sens que je devrais m'excuser. D'un autre, j'en ai trop en tête en ce moment pour avoir de l'empathie, et son drame m'apparaît comme une tempête dans un verre d'eau.

J'entre dans le bureau où m'attend monsieur Roberts.

— Bonjour monsieur Roberts, contente de vous voir! *Are you ready for your interview?*

— *I'm ready, dear.*

Quelques minutes plus tard, on se met en route. On arrive à la station de télévision. Monsieur Roberts m'annonce qu'il aimerait faire l'entrevue accompagné de son fils, car il lui a promis qu'il passerait à la télé. Comme l'entrevue porte sur la restructuration qui a mené à plusieurs mises à pied au sein de l'entreprise, sa demande me rend un peu mal à l'aise. Monsieur Roberts me somme d'aller transmettre sa demande à la recherchiste. Il dit qu'apparaître à la télé avec son fils, ça va montrer son côté « humain ».

Le problème, c'est que les idées des clients sont souvent mauvaises. Je suis dans ce milieu depuis près de vingt ans, des demandes inappropriées, j'en ai vu d'autres. Aujourd'hui, particulièrement, alors que ma meilleure amie est à l'hôpital et que mon meilleur client est dans l'eau chaude et risque de perdre sa compagnie, j'ai moins de patience on dirait. Mais je ne peux rien dire. Dans mon domaine, les gens peuvent vite se rabattre sur une autre boîte pour faire leurs relations de presse. Je prends une grande inspiration et je me dirige vers la recherchiste. Il faut que je lui présente la situation. Je ne dois pas perdre ma réputation à ses yeux, mais je dois lui faire part de la demande de mon client, cependant elle et moi savons très bien que ça n'a pas de sens. C'est le problème avec ce genre de situation : il faut être à la fois du côté de la recherchiste et du côté de mon client, pour que tous deux me trouvent accommodante. Elle marche à mes côtés et je la sens un peu dépassée par la situation.

— Écoute, Arielle, je sais que ça va te paraître insensé, mais mon client a promis à son fils qu'il passerait à la télé. Je suis juste obligée en ce moment de venir te demander ça. Regarde-le, souris et envoie la main.

Elle s'exécute.

— Pauvre toi ! dit-elle. La semaine passée, c'était ton artiste qui a engueulé la maquilleuse parce qu'elle n'utilisait pas des produits non testés sur les animaux.

— Je suis tellement désolée.

— Tu sais que je ne peux pas prendre le p'tit gars. On parle de mises à pied, de conséquences sur des travailleurs.

— Je sais. Fallait juste que je montre ma bonne foi. Changement de sujet, comment va ton chien ?

Arielle me parle de son chien pendant quelques minutes, juste assez pour que je puisse faire des mimiques d'étonnement et des froncements de sourcils qui pourraient démontrer à mon client qui m'observe que je travaille fort pour satisfaire sa demande.

Je retourne vers lui.

— Monsieur Roberts, malheureusement ce ne sera pas possible pour votre fils. Ils ont peu de temps à consacrer à l'entrevue, et la conversation portera sur les mises à pied de votre entreprise. Si vous voulez être sûr de pouvoir dire tout ce qu'on a préparé ensemble pour montrer les aspects positifs de cette situation, et de laisser une belle image de la compagnie, vous devez avoir le plus de temps d'antenne possible. On ne peut pas se permettre de distraction.

— Je comprends. Ok. *Thank you for trying.*

Il regarde son fils qui joue avec trois bonshommes en plastique, puis lui lance d'un ton désolé :

— *You won't be on tv today, honey!*

Son fils éclate en sanglots.

Au même moment, la régisseuse de plateau vient chercher monsieur Roberts, et l'amène en studio. Pendant que le technicien de son épingle un micro au revers de son veston, je n'entends que l'enfant qui crie. On me dit de l'emmener plus loin car il faut du silence. Il n'arrête pas. Je ne veux pas manquer l'entrevue.

D'un air menaçant, je lui dis :

— Écoute, le *kid*. Je sais que tu as volé des Pokémon. T'es juste un p'tit crisse d'enfant gâté ! *You stop crying right now or I'll tell your Dad!*

Il arrête de pleurer.

Monsieur Roberts répond à toutes les questions du chef d'antenne, telles que préparées. Il est charmant. Il rassure les clients potentiels. Il affirme que tous les employés qui sont « partis » étaient sur le point de prendre leur retraite et qu'ils ont reçu une excellente prime de départ.

Monsieur Roberts sort de l'entrevue et me glisse à l'oreille :

— *Fucking customers!* Ils achètent moins de billets d'avion ou changent pour des compagnies à rabais, et je dois les rassurer pour avoir été obligé de virer des employés!

Il est en colère. Je comprends. Mais il ne pouvait pas dire ça en ondes. Et Jean-Krystofe l'a bien briefé. Les consommateurs sont le client suprême. Pour qu'ils soient satisfaits, une entreprise doit faire le meilleur produit, être écologique, irréprochable au niveau éthique et tout ça sans augmenter ses coûts. Parfois, quand je prépare un client pour une entrevue comme celle-là, je lui suggère de sortir tout ce qu'il voudrait exprimer honnêtement sur le sujet, pour pouvoir ensuite lui conseiller de dire exactement le contraire aux médias.

Dans ce cas-ci, monsieur Roberts voulait dire que ce qui arrive à sa compagnie, c'est de la faute des consommateurs. Qu'ils n'achètent plus de billets d'avion ou préfèrent les rabais, quitte à opter pour un transporteur de moins bonne qualité. Pour répondre à la compétition, il est obligé de diminuer la qualité de vie de ses employés, d'augmenter leurs heures de travail. Il devait faire des mises à pied ou aller en faillite. Le problème est qu'en relations publiques, on ne peut pas tout dire. Il faut enrober la vérité. Si on dit publiquement le mot «faillite», même si on dit qu'on l'a évitée, ça laisse ce mot dans la tête des gens et ils ne retiennent que ça. Éventuellement, les gens pensent que la compagnie a fait faillite, se dirigent automatiquement vers une autre, et la compagnie fait réellement faillite. Il ne faut montrer que le bon côté des choses. Monsieur Roberts devait y aller de son côté humain (il est triste d'avoir dû se départir d'employés qu'il connaissait personnellement depuis trente ans, ce qui est véridique), de son côté victime (il y a beaucoup de compagnies et on n'a pas le choix de rester compétitifs) et le côté positif (cette restructuration lui a permis d'ajouter une nouvelle destination à prix modique). Évidemment, certains pourront le critiquer en mentionnant qu'ils auraient préféré une destination de moins, mais pas de pertes d'emplois. Mais au final, ils vont retenir la destination, et ça fera de la pub à la compagnie. C'est une façon de twister la nouvelle. Les gens oublieront les mises à pied mais auront entendu dire que la compagnie offre cette nouvelle destination.

Je marche avec monsieur Roberts et son fils jusqu'à la voiture que je leur ai commandée. Il semble un peu secoué.

J'essaie de le rassurer en lui mettant la main sur l'épaule. Je lui confirme que ce qu'il a dit en entrevue était parfait et que, selon moi, les choses reprendront leur cours normal dans les semaines à venir, notre stratégie ayant déjà des répercussions positives.

Il me lance :

— *I've failed my employees... Image is not everything.*

— Je suis désolée. Mais... vous m'engagez pour sauver votre image. C'est ce que j'ai fait. Bonne journée, monsieur Roberts.

Je le regarde partir. J'essaie de ne pas trop m'en faire et je rentre au travail.

À mon retour, je vais voir Jean-Krystofe, qui me boude encore. Je dépose sur son bureau les trois Pokémon que j'ai volés dans le sac du fiston.

— Ben voyons?! Comment t'as fait?

— J'ai volé les bonshommes et j'ai élaboré une stratégie.

— Laquelle?

— Tu vas appeler la secrétaire de monsieur Roberts, tu vas lui dire que son fils a oublié ses figurines et que nous nous ferons un plaisir de les lui envoyer par messager. Et tu lui enverras celles qu'il avait laissées ici.

— T'es géniale!

— T'arrêtes de me bouder maintenant?

— Oui, oui.

Il vient me serrer dans ses bras et m'embrasse sur la joue.

Puis, je retourne à mon bureau pour continuer de travailler. J'ouvre mon ordinateur. Une petite pastille rouge dans l'onglet de messages de Facebook et une autre dans l'onglet des demandes d'amitié attirent mon attention.

CLIC

Un message de Pascal.

Je regarde sa photo de profil.

Il est dans la nature. Il semble faire du sport. Il a un grand sourire.

Puis je fouille dans ses photos. Il n'y a pas grand-chose. Quelques photos de voyage. Une photo à l'école, avec des collègues profs on dirait. Une photo avec une fille. Sa blonde ? Dur à dire. Il a un visage doux. Un sourire authentique. On voit qu'il n'utilise presque jamais son profil. Il n'y dit rien. N'y montre pas grand-chose. Je ne sais pas pourquoi, le regarder m'apaise.

J'accepte sa demande d'amitié.

J'ouvre le message.

Pascal Dion 2015-03-22, 9 h 41

Ça aurait été vraiment agréable de te voir ce matin, mais puisque j'ai vu que Romy était arrivée avec ses grands-parents, je présume que tu ne voulais plus te faire barrer le chemin. J'ai oublié de te donner mon truc avec les parents zélés : errer sur le terrain de l'école d'un pas *zombie-like,* leur dire merci le plus longtemps possible pour qu'ils se sentent valorisés.

J'imagine que je ne te reverrai plus à l'école, mais si jamais tu as envie d'aller prendre un verre avec un prof d'éduc, fais-moi signe.

À bientôt,
Pascal

P.-S. Je me permets de t'inviter comme ça, parce que Romy m'a confié que tu me trouvais *cute*. Remarque qu'elle s'est peut-être trompée et que tu disais peut-être ça au sujet d'un de ses toutous, car cet adjectif me semble plus approprié pour un toutou.

SILENCE

J'ai parfois l'impression qu'on camoufle le silence par des cris. Il faut absolument tout raconter, toujours, tous les jours. Tout est documenté. Et on camoufle ce qu'on est vraiment à coups d'autopromotion sur les réseaux sociaux. Les gens pensent de moi que j'ai une vie super glamour, alors que le glamour ne représente qu'un faible pourcentage de ma vie. Ce que j'aime, c'est lorsque je me retrouve dans le vrai silence. Celui où je n'ai pas besoin de faire semblant. Celui que je retrouve dans chaque action, comme monter des escaliers, marcher d'un endroit à l'autre, faire la cuisine. Celui où je me retrouve avec moi-même. La vraie moi.

Debout devant mon poêle, je hume le fumet du potage au panais que je suis en train de me préparer. Au menu ce soir, un potage, du poulet et des biscuits. Il fait froid et gris dehors. Je m'accorde le droit de ne rien faire. De prendre une pause. De ne pas penser à mon travail.

Ce soir, je savourerai ma solitude, emmitouflée devant une bonne série télé ou un bon roman. Soirée de rêve. J'ai juste besoin de mettre mon cerveau à *off* pour la soirée. De ne penser à rien. Je choisirai un livre que je veux lire depuis longtemps dans ma bibliothèque. Ou encore un film sur iTunes ou Netflix. Voilà bien une chose que j'adore de notre époque, ne plus avoir besoin de subir le jugement des commis de clubs vidéo étudiants en cinéma. Je peux choisir ce que je veux à même ma télé, de façon anonyme.

Assise sur mon divan, les jambes repliées, je réalise que ma plaie me fait mal. Je touche mon cou. Le stress fait des miracles : depuis que j'ai recommencé à travailler, je n'ai rien senti. Mais ce soir, c'est différent. J'ai envie de sentir. Pour savoir où j'en suis.

Chez moi, c'est le silence. Le silence me fait du bien. Avant d'ouvrir la télé, je me demande si j'ai réellement besoin de remplir ce vide sonore.

À cause de ma page Facebook, où je fais la promotion de pas mal tous mes événements, on me voit constamment dans des soirées chics et glamour. Certains pensent de moi que je suis constamment entourée, constamment dans une soirée, que j'ai besoin que ça bouge et que ce soit effervescent. C'était vrai, à une certaine époque.

Il me semble que les dernières années ont passé en un éclair. On dit souvent de profiter de l'instant présent et, pour ma part, j'en profitais, mais en m'étourdissant, pour éviter de penser au passé et au futur. Est-ce une bonne façon de vivre l'instant présent ? Depuis mon opération, je ne me reconnais plus. Comme si, en me réveillant de mon anesthésie générale, j'avais également mis fin à un autre genre d'anesthésie.

Je ne sais pas quoi penser du courriel que j'ai reçu de Pascal. Sur le coup, je me suis sentie flattée. Mais depuis les dernières années, je donne rarement suite à ce genre de message. Alors pourquoi est-ce différent cette fois ? Qu'est-ce qui me titille ? Si je me laisse attendrir par un courriel charmant, je ne me sentirai pas intègre avec mes choix.

Je suis bien comme ça. Dans mon condo. Seule. Indépendante.

J'ai acheté ce condo environ deux ans après ma rupture. J'ai accepté que mes rêves devaient changer. J'avais l'argent pour. Je l'ai vu comme un placement, comme un pas de plus vers un affranchissement de ma vision trop romantique de la vie.

Quand j'ai trouvé le condo ici, je l'ai pris tel quel. J'ai demandé aux propriétaires de me le vendre avec les meubles. Je me rappelle qu'ils se sont lancé un regard pétillant. Riaient-ils de moi ? Me trouvaient-ils naïve ? J'ai probablement acheté un *flip* sans m'en rendre compte. Je voulais partir de l'appartement qui m'avait accueillie après ma rupture. Ça faisait deux ans que je l'habitais, j'avais encore des boîtes pas défaites et je n'avais presque pas de meubles. J'ai commencé à prendre plus de contrats, à travailler sans relâche les soirs, les week-ends, donc pourquoi aurais-je eu besoin de plus de meubles? En plus, j'avais développé l'idée que si je défaisais mes boîtes, j'acceptais cette vie, j'acceptais de renoncer à l'espoir d'une rencontre. J'avais ce rêve où je quittais cet appartement «de transition» pour déménager avec l'homme de ma vie. Avais-je en moi ce syndrome de la princesse qui a besoin d'être sauvée de sa tour d'ivoire?

Tout le monde m'encourageait à acheter un condo et je n'osais pas. Je me disais qu'en faisant ça, j'abdiquais. Dès que j'ai commencé à m'ouvrir à l'idée, j'ai vu des photos d'un condo à vendre et je l'ai trouvé magnifique. J'ai fait une demande de visite. En arrivant là-bas, j'ai réalisé que les photos étaient belles, mais le condo, non. Puis, on m'a expliqué que la propriétaire était une dame fin soixantaine et qu'elle voulait déménager pour être dans un rez-de-chaussée; sa santé s'était détériorée et elle n'était plus capable de monter les marches tous les jours. Je trouvais ça triste. Mais pas aussi triste que lorsque j'ai appris son histoire au complet. Elle avait acheté ce condo lorsqu'elle avait trente-six ans. Elle était célibataire et tout le monde lui recommandait d'investir, ce qu'elle a fait, même si elle espérait toujours rencontrer quelqu'un avec qui partager sa vie. Mais ce n'est jamais arrivé, et elle est restée seule dans son condo avec ses chats. Je suis sortie de là en pleurant. Imaginant que ce serait ça ma vie. Que si j'abdiquais, je finirais mes jours seule. Puis, peu à peu, le célibat est devenu mon choix et non la conséquence d'un échec. C'était plus facile comme ça. Je ne serais pas victime d'un destin tragique, ni d'un mauvais sort engendré par une hypothèque en solo. Ce serait ma décision et je ne la regretterais pas. À partir de là, je me suis sentie libérée. J'ai repensé à cette dame, qui avait sûrement vendu son condo lorsque j'ai acheté le mien. Et je me disais que peut-être qu'elle avait elle aussi pris cette décision un jour, et que sa vie dans son condo n'était pas celle d'une victime des circonstances, mais un choix conscient, pour être heureuse sans attendre que quelqu'un arrive de façon magique pour lui offrir quelque chose de mieux.

J'ai acheté mon condo de rêve. Chaque fois que j'y suis, je me sens bien. Ici, je peux m'arrêter et regarder le temps passer. Avant d'acheter mon condo, je ne me sentais pas comme celle qu'on choisit. Puis, je me suis dit que je n'avais pas besoin qu'on me choisisse si je me choisissais moi-même. (Bon, j'avoue que j'ai lu ça dans un magazine, l'importance de se choisir et blabla. À moins que j'aie entendu ça dans un cours de yoga?) J'ai donc vu ce condo, plus moderne, chic, à mon image. Et je l'ai acheté immédiatement, avec les meubles. Quand j'y ai emménagé, ça a pris seulement quelques heures pour qu'on ait l'impression que j'y avais toujours habité.

Mes parents n'ont jamais vraiment compris mon choix. Ils trouvaient que c'était trop haut, que ça pouvait être dangereux, alors ils ne sont venus qu'une ou deux fois, préférant que je les visite, ma mère en banlieue de Montréal et mon père en Floride.

Petite, quand j'imaginais ma maison de rêve, elle était sur deux étages, entourée d'arbres. J'y étais avec mon mari et deux enfants, un gars et une fille, bien sûr. Et un chien, idéalement devant le foyer. Parfois ces stéréotypes sont tellement ancrés… Anik m'avait dit que j'étais prisonnière des stéréotypes de l'hétérosexualité. J'ai convenu qu'elle avait raison. Puis, finalement, vers la mi-trentaine, je me suis résolue à acheter ce condo. Un condo moderne, pas de terrain, pas de mari, pas adapté pour des enfants, avec une terrasse sur le toit. Une façon d'assumer enfin qui j'étais réellement.

Pourtant, chaque fois que je m'arrête un peu, dans le silence, j'ai l'impression que ma vie est consacrée à celle des autres, à faire exploser leur carrière, à les aider dans leurs décisions. Je les vois avancer, autant dans leur vie professionnelle que personnelle. Je deviens une confidente, une conseillère. Je suis la gardienne de leurs secrets les plus intimes. Je mens pour eux, allant à l'encontre, parfois, de mes valeurs profondes. Et au final, j'avoue que je ne sais plus trop qui je suis.

J'ai l'impression d'observer la vie des autres à travers un miroir qui ne me renvoie que le reflet de ma solitude.

J'avoue que je m'en veux parfois de ne pas m'être affranchie totalement de ce désir de rencontrer quelqu'un. Bien sûr, j'ai fait du célibat un choix de vie, mais à l'occasion, quand je vois la place qu'il y a sur mon divan, j'aimerais bien m'y emmitoufler avec quelqu'un. Et je m'en veux pour ça. Et pour l'angoisse que ça me crée juste d'y penser. Du sentiment que cette vie viendrait avec une forte possibilité d'être blessée ou trompée à nouveau. Présentement, ma vie est dépourvue de ce risque et je suis bien la plupart du temps. Une fois de temps en temps surgit cette envie d'être dans les bras de quelqu'un. Mais ce n'est pas ce que je crie publiquement. Ce que je crie, c'est que je suis indépendante, autosuffisante, fière, et que je suis bien comme ça.

Alors j'arrive à l'étouffer.

Pourtant, quand je suis seule chez moi, je me retrouve toujours à un moment ou un autre sur Facebook, à tenter d'espionner mon ex ou d'autres gars que j'ai fréquentés, pour voir ce qu'ils font, avec qui, quel genre de vie ils ont et que j'aurais avec eux si ça avait marché. Puis je finis immanquablement par commenter un statut Facebook, par prendre part à un débat inutile en pensant que j'ajoute mon grain de sel à cette œuvre collective qu'est la société, par penser qu'en ajoutant ma griffe, je participe au changement, alors que tout ce que je fais, c'est combler un vide.

Est-ce que ce serait me trahir moi-même que d'essayer encore une fois?

AMORCE

Sarah Dufour 2015-03-22, 20 h 41

Bonjour Pascal,

Je suis surprise de ta méthode zombie. Ça dépend du zombie que tu choisis. Si tu es comme ceux dans le vidéoclip de *Thriller,* mal maquillés qui dansent trop bien, tu vas certainement mettre le party dans la cour d'école! Mais si c'est comme ceux dans *Walking Dead,* ça va faire naître des rumeurs étranges à ton sujet. Si je peux me permettre une suggestion, au lieu du pas *zombie-like,* je te conseille plutôt le pas *vampire-like*. Tu regardes tout le monde un peu de haut avec un seul sourcil qui lève, comme si tu étais propriétaire d'un manoir gothique en Transylvanie. Ça fait toujours son effet (surtout à cause du sourcil, le fait d'être un vampire possédant un manoir est totalement accessoire, c'est juste pour donner de la substance à ton jeu). Je n'ai jamais essayé le pas *vampire-like* dans un établissement scolaire, mais je m'en veux de ne pas y avoir pensé l'autre jour. J'aurais aimé voir si je pouvais avoir un effet anti-intimidation parentale. Si tu l'essaies, je serais curieuse que tu me racontes ton expérience, car il me semble que c'est une attitude que j'aimerais développer (en plus d'avoir des sourcils à mouvements indépendants). D'ailleurs, tu pourrais même parler de tout ça dans un livre. Je pourrais en faire la promotion.

Je vois que Romy est très indiscrète. Il se peut effectivement que j'aie fait une mention du genre. Cet événement demeure flou dans ma mémoire. Je parlais soit de toi, soit de mon ancien copain Fred, avec lequel je t'ai confondu.

Avec plaisir pour le verre.

P.-S. Je t'échange un conseil de cour d'école contre un conseil de réseau social. En 2015, sur Facebook, on ne signe pas les *mails*. On considère que la photo et le nom sont la signature.
P.-P.-S. Quand tu dédicaceras ton futur livre, n'écris pas: « J'espère que tu auras autant de plaisir à le lire que j'en ai eu à l'écrire. » Les auteurs font tous cette erreur à leur premier livre, et j'aimerais t'éviter

ce faux pas (qui s'avère ultra-gênant des années plus tard, plusieurs de mes clients pourraient en témoigner).

Pascal Dion 2015-03-22, 20 h 54

Bonjour Sarah,

Ta théorie de l'attitude vampire m'intrigue à un point tel qu'aller prendre un verre ensemble n'est plus une proposition, mais bien une nécessité pour assurer ma survie dans une cour d'école et ce, malgré mon expérience. Sans compter les bénéfices du sourcillement. Et de la matière pour un futur livre pour lequel j'éviterai toute dédicace honteuse.

As-tu des plans demain soir ou encore mercredi soir prochain ? Je ne sais pas où tu habites, mais on pourrait aller quelque part sur Saint-Laurent.

Pascal
xx

P.-S. Je suis rebelle.

Sarah Dufour 2015-03-22, 21 h 04

Ça me fera plaisir de te transmettre « le grand savoir du parfait contrôle des sourcils vampiriques ».

Demain soir ça fonctionne pour moi. Je devais accompagner une actrice à un événement caritatif, mais ce serait une bonne occasion de déléguer des tâches à mes employés et de leur donner un peu de responsabilités. Quoique ça pourrait vexer l'actrice en question... (Ok, tout ce paragraphe est de l'information superflue dépourvue d'efficacité en termes de communication et je devrais normalement le couper, mais bon, si toi tu es un rebelle de la signature, moi je suis une rebelle de l'éthique de communication.)

Bonne idée, Saint-Laurent.
À+

Pascal Dion 2015-03-22, 21 h 14

Tu flushes une soirée de travail pour venir prendre un verre avec moi ? Écoute, je suis privilégié pas à peu près.

Donc disons 18 h 30 ? Et on se revient demain pour l'endroit précis ?

D'ici là, je vais faire quelques recherches sur les meilleures façons de communiquer de façon virtuelle.

xx

P.-S. Tu as vu ? Je n'ai pas signé. Je suis un rebelle qui s'adapte.

LÂCHER PRISE

Ce que je trouve rafraîchissant de Pascal, c'est qu'il n'a pas entamé une discussion virtuelle qui ne demeure que dans le virtuel. Dans les dernières années, j'ai vu beaucoup ça. Mais encore une fois, je suis un peu à contre-courant de mon époque. Car plusieurs personnes autour de moi, surtout Jean-Krystofe et quelques stagiaires, m'ont dit qu'une invitation après un ou deux courriels, c'était se montrer agressif, limite dépendant affectif. Pour ma part, quand la correspondance est virtuelle pendant des semaines, je perds de l'intérêt. C'est comme fréquenter quelqu'un qui n'existe pas. J'ai déjà eu des relations qui se sont déroulées entièrement sur Facebook. Ça commençait par un flirt, ensuite on se faisait des confidences sur nos vies, ensuite on se racontait nos journées, ensuite on avait des chicanes et on se quittait sans jamais s'être vus une seule fois. J'arrivais même à développer des sentiments pour la personne et à me sentir triste lorsque ça se terminait. Puis, je finissais par me juger et à me demander si j'étais désespérée au point de m'inventer des relations. Est-ce que ça se peut, se sentir dépassé par son époque? Est-ce que c'est ça, vieillir? Est-ce qu'un jour je sonnerai aux oreilles des jeunes comme ces gens qui ne comprenaient pas le téléphone et qui préféraient partir à cheval pour aller discuter avec leurs proches-pas-si-proches?

Pascal est très différent de moi, et même du genre de gars qui m'intéresse habituellement. Et ça me fait peur. Ce ne serait vraiment pas avisé de me sentir fébrile à cause de quelques courriels échangés avec un inconnu. Chaque fois que j'ai réagi de cette façon, j'ai été déçue. Il ne faut pas que je me laisse influencer par tout ça. Pour l'instant, j'ai décidé d'être ouverte, ce qui est déjà un grand pas.

— Mais est-ce qu'il t'intéresse? demande Anik, assise les jambes croisées sur son lit, pendant que je lui montre les photos de Pascal sur son profil Facebook.

Lorsque je suis arrivée dans sa chambre, à l'hôpital, Alexandra était là. Elle s'est présentée à moi. Une fille un peu plus vieille que nous, grande, avec un regard rieur. Elle tenait tendrement la main d'Anik et mon amie semblait sereine en sa présence. Puis, elle est partie pour nous laisser seules. Anik a fait quelques blagues. Ensuite, je lui ai parlé du prof de gym de sa fille et de notre correspondance assez sympathique, en précisant qu'après quelques questions, j'ai su que les filles avec qui il apparaît sur Facebook sont des collègues de travail.

Je prends quelques secondes et je réponds :

— Je sais pas. On verra. Je suis ouverte. Je sais pas.

— Ça fait deux fois que tu dis que tu le sais pas.

— J'étais déterminée, je pense. À vivre sans chum. À renoncer à l'amour.

— Woooooo ! Trop de pression pour une première *date*. Relaxe. Juste du sexe, ce serait déjà pas pire. J'arrête pas de te le dire.

— Ça te va bien, les antidépresseurs.

— Le psychiatre m'a dit que je pourrais sortir aujourd'hui si je prends un *break*.

— C'est quoi ton plan ?

— Peut-être engager quelqu'un.

— Je dois te dire quelque chose. La fumée a fait plus de dommages que tu pensais et j'attendais que tu ailles mieux pour te le dire. Un simple ménage ne fera pas l'affaire. Faut appeler ta compagnie d'assurances et faire faire ça par des professionnels.

— Hum… C'est peut-être un mal pour un bien. Fermer temporairement pour cause de feu, ça passe mieux. Je sais pas, on dirait que c'est une bonne nouvelle. Je sais pas.

— Ça fait deux fois que tu dis que tu le sais pas.

— Ça me soulage, on dirait. J'ai tellement tout fait pour ne pas que ça arrive… et c'est arrivé. Je vais faire avec. J'ai décidé de présenter Alex à Romy aussi… Je pense que je suis rendue là. Les règlements que je m'impose, c'est rendu lourd à porter. Mais j'ai peur.

— Peur de quoi ?

— Qu'elle fasse un Viviane.

— Wo ! Relaxe, trop de pression pour un début de relation assumée.

Elle me pousse sur le bras et ajoute :

— On vit dangereusement.

En effet.

CHENILLES

C'est brutal, une rencontre. Je ne saurais comment le décrire autrement. On essaie de nous vendre ça d'une différente manière. De dire que ça donne des ailes, ou même des papillons. Les papillons. Quel concept! C'est un génie des relations publiques pour l'amour qui a dû inventer ça. Les papillons, c'est dans les faits un terme qui désigne la fébrilité qui vient avec la rencontre d'un autre être humain qui viendra bouleverser notre univers. Quand on vit seul, on contrôle notre environnement. Personne ne peut nous faire du mal. On est seul responsable de son horaire, de ses choix, de son espace dans le lit, de ce qu'on mange, de ce qu'on fait comme activités. Je me souviens, quand j'habitais avec Gabriel et qu'on devait choisir un film ou une série télé à regarder ensemble: il fallait toujours faire des compromis. Une fois de temps en temps, il y avait un film où une série qu'on avait vraiment envie de voir tous les deux. Le reste du temps, on devait choisir un film qui nous tentait plus ou moins. Parfois, on avait de belles surprises. Mais le plus souvent, on passait un moment pénible en rêvant à ce qu'on aurait pu regarder chacun de son côté qui nous intéressait vraiment. Je me suis longtemps demandé si c'était parce que nous étions mal assortis. Mais après notre séparation, je racontais ça aux autres couples que je connaissais, et ça semblait être assez typique. Quelque temps après ma séparation, avant que je déclare forfait, il m'arrivait de ressentir des papillons pour des gars. Ces papillons qui donnent l'impression d'être vivante, que ton corps peut encore réagir, désirer, aimer. Pour finir par la suite par être toujours déçue. La vérité m'a frappée assez vite. Celle où on apprend que les papillons ne sont un gage de rien. Qu'ils sont éphémères. Et qu'ils ne sont souvent même pas réciproques. Que c'est juste un beau mot, un peu puéril même, imaginé pour désigner l'angoisse que crée une nouvelle rencontre. Ça m'a rendue cynique. Ce que je trouve brutal de ces premières rencontres, c'est le devoir qu'on a de s'ouvrir à quelqu'un, sans trop savoir s'il nous intéressera à long terme ou non. Raconter des choses sur soi. Se montrer vulnérable. Et réveiller l'espoir. Tout en sachant que c'est fragile. Qu'une simple gaffe de part et d'autre peut te faire sentir que tu as perdu une soirée complète à parler de toi pour aboutir à rien, alors que tu aurais pu te reposer d'une grosse semaine stressante. Est-ce que maintenant, quand on m'invite comme ça pour un rendez-vous, je suis simplement flattée parce qu'on m'a tellement dit que c'était plus facile de se faire frapper par la foudre que de rencontrer quelqu'un à mon âge? Est-ce que cette statistique concerne la rencontre comme telle, ou provient-elle des barrières qu'on se met pour rencontrer, parce qu'à force d'échecs on finit par abdiquer et par se construire une armure tellement solide que rien ne peut nous atteindre, même pas la lueur d'un petit sentiment?

Dans le taxi qui me ramène du resto, je fais défiler les nouvelles sur Twitter pour éviter de réfléchir à ce qui vient de se passer. La réalité, c'est que je crois que toutes mes rencontres m'ont rentré dedans. Même les rencontres qui ne menaient à rien parce que c'était moi qui n'étais pas intéressée.

Anik a raison quand elle dit que je mets trop de pression sur la *date*. Je devrais être plus légère. Ne pas m'impliquer émotivement. Mais comment aborder une rencontre en toute légèreté quand on sait à quel point on s'expose à plusieurs choses désagréables, comme le rejet de soi-même ou de quelqu'un d'autre, et qu'on sait que ce rejet est difficile à vivre, autant lorsqu'on le subit que lorsqu'on le fait subir? Certaines personnes sont capables de multiplier les rencontres et de les oublier à la seconde près, comme s'il ne s'était rien passé, comme si elles venaient de visionner un épisode d'une émission quelconque et que ça n'avait aucune conséquence. Moi, j'y arrive mal. Les gens me touchent.

Par leur histoire, par ce qu'ils sont. Même si je ne vois pas de potentiel romantique avec eux.

Quand je suis entrée dans le resto, j'ai vu Pascal. Il m'attendait. J'ai eu tout de suite un malaise. Je savais que je devrais me mettre en mode « apprendre à connaître un inconnu ». Qu'il faudrait que je pose des questions sur lui, que je dévoile des choses sur moi. J'ai eu presque aussitôt envie de me défiler. Il m'a regardée, il s'est levé et m'a fait un sourire doux et accueillant. On s'est maladroitement embrassés sur les joues.

Je ne pourrais dire ce qui a cloché. Rien n'a cloché. À part deux ou trois trucs. Mais des choses que, si je les racontais, on me jugerait, du genre il a coupé quelques-unes de ses frites. (Couper des frites ? avec sa fourchette en plus ?) Si je prenais une pause pour parler, il arrêtait de manger lui aussi. Et, quelque chose de plus substantiel, quand je lui ai parlé d'ambition, quand je lui ai demandé où il se voyait après prof d'éduc, il a semblé perplexe, me demandant ce que je voulais dire. Je me suis expliquée en suggérant qu'il aimerait peut-être devenir directeur d'école, ou même ministre de l'Éducation, et il a ri. (Ri ? vraiment ?) Il m'a dit qu'il respectait les gens qui ont ces passions, mais que lui, sa passion était le sport, inculquer l'amour du sport aux jeunes, et qu'il était « sur son X » (je déteste cette expression, comme toutes les expressions à la mode, et je la mets sur la liste de ce qui m'a profondément agacée), qu'il était satisfait de son salaire, qu'il n'a pas de grands projets et qu'il gagne assez d'argent pour se payer son condo et des vacances, et qu'il a surtout du temps pour lui. Il m'a ensuite posé des questions sur moi, sur mes ambitions. Je lui ai parlé de ma compagnie, de ce que j'avais encore comme projets d'expansion. Et malgré ce que je disais, qui était contraire à ce qu'il disait, il ne m'a pour sa part aucunement jugée. Mais j'aurais préféré qu'il me juge, pour qu'il voie à quel point on est différents et mal assortis. Pour qu'il comprenne sans qu'éventuellement j'aie à le rejeter moi-même. Puis, il a commencé à me parler de sa mère, à me dire qu'elle était également une femme qui a beaucoup travaillé, et il a conclu en disant que c'était la femme qu'il aimait et admirait le plus au monde. J'ai répliqué : « On se calme, Norman Bates ! » Il a ri et il a dit, les yeux brillants, à quel point il me trouvait drôle et pleine d'esprit.

Ces dernières années, chaque fois que j'ai eu des *dates,* ça ne résultait qu'en bonnes anecdotes tellement c'était épouvantable et déprimant. Des monsieurs Crème glacée vanille qui me trouvaient trop ci ou trop ça, il y en a eu plein. Les gens qui m'ont dit que les hommes trouvent les femmes qui réussissent intimidantes et qui me suggéraient de ne pas trop parler de mes ambitions, je ne les compte plus. Ça me mettait tellement en colère que je faisais exprès pour en parler plus que nécessaire. Il y a aussi eu les pas-intéressants, les mariés-qu'on-ne-soupçonne-pas, les plates, ceux qui ne parlaient que d'eux-mêmes et ceux avec qui c'était impossible de trouver des points de compatibilité. La plupart me permettaient de partir en réitérant à quel point je suis bien toute seule.

Pascal, il est parfait en tous points. Il est super sympathique, simple. On a ri et, même si nous travaillons dans deux domaines complètement différents, on a plusieurs intérêts communs. Mais pourtant, je ne le sens pas. Particulièrement parce que le moment qui m'a le plus marquée, c'est quand il a pris les haricots rouges qu'il y avait dans son plat pour les tasser sur le côté. Je lui ai demandé pourquoi et il m'a répondu : « Je n'aime pas les haricots rouges. » J'ai renchéri : « Ah ! Tu es difficile ! » Il a rétorqué : « Non, je n'aime juste pas les haricot rouges. » Et ça m'a profondément irritée. Ça ne goûte presque rien, des haricots rouges ! C'est plein de protéines ! Et en observant ce qu'il a laissé dans son assiette, j'ai imaginé une vie où je ne pourrais pas faire des recettes avec des haricots rouges alors que j'aime les plats végétariens et que c'est ma légumineuse préférée. J'ai tiqué là-dessus. Et sur le fait qu'il a proposé qu'on partage la facture. Je me trouve sexiste à ce sujet. Et Anik me juge toujours quand je lui parle de ça. Elle me demande qui devrait payer, à mon avis, dans une *date* entre deux filles. Je lui réponds que c'est un grand paradoxe du féminisme dans le *dating* hétérosexuel. Et elle me dit que je suis vraiment rétrograde et sexiste.

Bon, d'accord. Les points sur lesquels j'ai accroché sont des détails. Mais je me dis que si j'accroche sur ces détails, c'est que quelque chose cloche. Les papillons ont beau être un concept surestimé, il faut qu'il y en ait un peu, non?

Le chauffeur de taxi, qui écoute un match de hockey à la radio, me lance un commentaire sur un but qui vient apparemment d'être compté. Je feins l'enthousiasme, malgré mon malaise profond.

Lorsque nous nous sommes quittés, Pascal m'a dit: «On se revoit quand?» On m'a toujours dit que lorsque le gars ne pose pas cette question directement, c'est un signe que le reste de la relation sera compliqué. Cette théorie s'est confirmée à plusieurs reprises. Mais avec lui, rien n'est compliqué. Il m'a écrit, m'a invitée à souper, me demande si on peut se revoir. J'ai répondu d'un ton évasif: «On se redonne des nouvelles.» Comme si je venais de rencontrer quelqu'un dont je ne pourrai plus me départir et que je trouvais ça lourd.

J'ai besoin de décanter tout ça.

Anik, 22 h 14

Piiiiiis?

Sarah, 22 h 15

Pas de papillons.

Anik, 22 h 19

Les papillons sont surestimés. On se l'est déjà dit. Le mieux c'est les chenilles. C'est ça que je vis avec Alex.

Sarah, 22 h 20

Les chenilles ?

Anik, 22 h 20

Les chenilles qui se transforment en papillons.

QUELQUES PREMIÈRES FOIS - SCÈNES CHOISIES

J'ai appelé Pascal pour lui dire que je n'étais pas vraiment intéressée. Je lui ai dit que je trouvais qu'on n'avait pas d'affinités (sans lui mentionner les haricots rouges). Il m'a demandé des explications. Je ne savais pas trop quoi dire, n'ayant pas de raison précise à donner, et j'ai répondu la première chose qui m'est venue en tête : que je n'avais pas apprécié qu'il ne paie pas l'addition au restaurant après notre première *date*. (Il m'a répondu qu'il était féministe, j'ai entendu qu'il était *cheap* et je me suis moi-même sentie *cheap* au même moment.) Il m'a dit que je devrais me détendre et ne pas le juger sur des critères comme ça, mais sur le temps qu'on a passé ensemble. Et qu'au pire, on sera amis. Puis, on a changé de sujet. On a parlé de tout et de rien. J'ai ri. J'ai commencé à me sentir bien avec lui. Il m'a invitée à aller marcher dans le parc. Et, à un certain moment, on dirait que mon corps s'est détaché de moi, et que j'ai vécu la suite comme si je n'étais plus moi-même et que je devenais un personnage de comédie romantique.

1. EXTÉRIEUR JOUR. PARC

Deux personnes, CHARLOTTE et ÉRIC, mi-trentaine, marchent dans un parc.

ÉRIC

Ça fait combien de temps que t'es célibataire?

CHARLOTTE

Hum… sept ans.

ÉRIC

Sept ans?

CHARLOTTE
Rien de sérieux depuis ma dernière relation. Personne que je ne peux considérer comme un ex. Toi?

ÉRIC
Quelques mois. Presque un an, je dirais.

CHARLOTTE
Si ce n'est pas indiscret, ça s'est terminé pourquoi?

ÉRIC
Parce que c'était fini.

CHARLOTTE
(*rit*)
Bonne raison.

ÉRIC
Toi?

CHARLOTTE
Plus complexe. Mais on est amis maintenant. Toi?

ÉRIC
On n'est pas amis.

CHARLOTTE
Oh, plate.

ÉRIC
Pourquoi?

CHARLOTTE
J'sais pas. C'est plate de penser que tu n'as plus de contacts avec une personne qui a été la plus proche de toi pendant un certain temps.

ÉRIC
Moi, j'ai l'impression que garder un ex dans sa vie, ça nous empêche de passer à autre chose.

CHARLOTTE
Ça doit dépendre des gens, j'imagine.

ÉRIC
Qu'est-ce que tu recherches maintenant dans une relation ?

Éric et Charlotte s'assoient sur un banc.

CHARLOTTE
Ouf… j'sais pas… grosse question. Je ne cherche rien depuis bien longtemps.

ÉRIC
Ok… Donc, si jamais je suis intéressé à toi ?

CHARLOTTE
Si je cherchais quelque chose, ce serait quelque chose de pas compliqué, je pense.

ÉRIC
C'est pas ça que tout le monde cherche ?

CHARLOTTE
Et toi ? Qu'est-ce que tu cherches ?

ÉRIC
Un peu comme tout le monde, j'imagine. J'aimerais ça être amoureux, faire plein de choses avec ma blonde, avoir une famille. Ben normal, finalement.

Deux PASSANTS marchent devant eux.

PASSANTE #1
(*à son ami*)
Oh, c'est tellement beau ici le soir ! Ce parc-là, je l'aime d'amour !

CHARLOTTE
Argh. Ça m'énerve, cette expression-là! Je l'aime d'amour comparé à quoi? Je l'aime de marde? Ça me tape!

ÉRIC
Moi, ce qui me tape, c'est l'expression «c'est évident»!

CHARLOTTE
Oups, j'allais justement te répondre «c'est évident». Haha! Fruits frais. Ça, ça m'énerve. Fruits frais. Des bons fruits frais. Premièrement le fr-fr, ça écorche les oreilles. Puis, comparé à quoi? Fruits pourris?

ÉRIC
Arrête! C'est l'expression que je déteste le plus moi aussi «fruits frais»! Oh, j'en ai une autre! Au restaurant, quand la serveuse t'offre un «petit plaisir» au lieu d'un dessert.

CHARLOTTE
Y a jamais une serveuse qui m'a offert ça! Dans quel resto tu vas, coudonc?

ÉRIC
J'en reviens pas pour «fruits frais», on dirait qu'on est faits pour être ensemble!

CHARLOTTE
Oui, mais l'autre jour, tu as dit que tu étais sur ton X… et ça aussi, ça m'énerve comme expression.

Ils rient. Un silence s'installe entre eux. Ils se regardent. Ils s'embrassent.

CHARLOTTE
On vient-tu de s'embrasser à cause des fruits frais?

ÉRIC

C'est sûr que les fruits frais, ça fait son effet…

CHARLOTTE

Heille, faut qu'on arrête de dire « fruits frais », pour vrai, je ne suis vraiment pas capable.

2. EXT. SOIR. RUE

Ils marchent jusque devant la porte de Charlotte.

CHARLOTTE

Merci pour la belle soirée.

ÉRIC

Merci à toi.

Ils s'embrassent.

ÉRIC

Ce serait vraiment le fun de se revoir.

CHARLOTTE

Ok.

ÉRIC

(*il sourit*)

Ok. On se rappelle.

CHARLOTTE

(*en ouvrant sa porte*)

Parfait.

Éric commence à s'éloigner de quelques pas et Charlotte l'interpelle.

CHARLOTTE

Oh, hey ! Éric.

Éric se retourne et revient vers elle.

CHARLOTTE (CONT'D)

Euhm… ben, par rapport au fait que tu voudrais qu'on se revoie. En fait, je me demandais. Ben… on vient de s'embrasser, faque la prochaine fois qu'on va se revoir, ben, ça va sûrement… aller plus loin, je veux dire, on va sûrement se voir tout nus pis toute. Pis je voulais juste te dire que la mode de l'épilation m'écœure en ce moment. Je ne la suis pas.

ÉRIC

Hein?

CHARLOTTE

C'est parce que, ça fait longtemps que j'ai pas… en tout cas, été avec quelqu'un. Pis l'autre jour, j'entendais des gars parler ensemble, et un disait qu'il trouvait que l'épilation d'une fille qu'il avait connue était affreuse. Qu'il préférait l'épilation intégrale. Ça m'a tellement fâchée! Faque je voulais juste dire que si jamais tu es du genre à avoir des attentes, moi, dans la vie je fais ce qui me tente, pis ça ne me tente pas de changer pour quelqu'un.

ÉRIC

(*abasourdi*)

Hahaha! Ok, ça commence raide! Au moins je suis averti. Bon, premièrement, s'il y a des gars qui parlent contre l'épilation d'une fille, ils sont juste caves. Honnêtement… Pis deuxièmement, moi aussi j'ai un aveu: je ne baisse pas le siège des toilettes pour les filles. Je suis un homme libre et je fais ce que je veux!

CHARLOTTE
(*en riant*)
C'est tellement pas la même affaire!

ÉRIC
Ok, je ne me rase pas la barbe même si ça te pique ou que ça te fait des boutons. Je revendique mon droit au poil où je veux!

Charlotte rit. Elle l'embrasse passionnément.

3. INT. SOIR. CHAMBRE CHARLOTTE.

Éclairage tamisé.
Deux corps nus s'entrelacent. C'est doux. La chorégraphie (ou l'absence de) ne ferait pas un bon vidéo sur YouPorn. Mais les deux personnes semblent y prendre du plaisir.

Ellipse.

Ils sont dans le lit, nus. L'un devant l'autre.

CHARLOTTE
Ben, c'était cool. Merci…

ÉRIC
Merci? J'me sens un peu comme un gigolo.

CHARLOTTE
Je m'excuse, je ne sais pas trop quoi dire. Est-ce que tu rentres chez toi? Pis on remet ça une autre fois? (*Après un temps*) Je pense que c'est la première fois que je réussis à faire ça, du sexe sans sentiments.

ÉRIC
Qui dit que j'ai pas de sentiments?

CHARLOTTE
Hey, on fait pas ça, ok? Pas obligés de se faire croire des choses. Je me sens bien, là. Je pourrais totalement considérer que tu deviennes mon amant. On remet ça bientôt peut-être?

ÉRIC
Euh… tu m'invites pas à dormir ici?

CHARLOTTE
Ben, je ne sais pas. On est la semaine, on travaille demain. T'as pas tes choses avec toi.

ÉRIC
Ben voyons, on vient de baiser ensemble. On dort ensemble.

CHARLOTTE
On se connaît pas beaucoup. Il me semble que dormir ensemble, c'est un peu intime.

ÉRIC
Plus que baiser? J'ai vu ton épilation de bikini, là, j'en connais pas mal sur toi.

CHARLOTTE
(*réfléchit*)
Ok, aveu. J'ai peur de dormir avec quelqu'un parce que… j'ai peur de péter… pendant la nuit pis que ça me fasse perdre toute dignité ou toute féminité. Me semble qu'on peut éviter les trucs intimes réservés au couple?

ÉRIC
(*rit*)
T'sais, dans un jeu vidéo, il n'y a pas de points pour la dignité. La dignité, vraiment, c'est un beau concept, mais ça sert pas à grand-chose.

CHARLOTTE

Ok, ok, bon point. Mais là, on se connaît pas beaucoup… demain matin, malaise. Qu'est-ce qu'on se dit? Désolée, comme je dis, je suis inexpérimentée dans le monde des amants sans sentiments.

ÉRIC

«Allo», c'est assez standard…

4. INT. MATIN. CONDO CHARLOTTE

Ils se réveillent.

ÉRIC

Allo.

CHARLOTTE

Allo.

Ils se lèvent. Ils se dirigent vers la cuisine.

5. INT. JOUR. CUISINE CHARLOTTE

Elle attrape sa tablette pour lire son journal. Elle prépare son déjeuner, comme si elle était seule. Elle s'assoit et lit. Elle lève les yeux. Il la regarde. Elle le regarde. Elle a oublié de lui offrir à déjeuner.

CHARLOTTE

Ah, je m'excuse, je suis habituée d'être toute seule. Mais sers-toi, fais comme chez vous.

Il prend un muffin qui traîne sur le comptoir. Il ouvre la porte du micro-ondes. Il trouve des bobettes dans une assiette. Il les prend. Il les regarde. Puis, il les lui montre, avec un point d'interrogation dans le regard.

Elle s'empare des bobettes. Et se sent mal.

CHARLOTTE
Tu vois? C'est pour ça que j'aime pas ça dormir avec quelqu'un que je connais pas! J'ai mes petites habitudes secrètes de fille célibataire!

ÉRIC
Comme manger tes bobettes?

CHARLOTTE
(*découragée*)
Tu vois, j'ai perdu toute dignité!

ÉRIC
Ben non, voyons, je veux embarquer dans ton trip! Moi aussi, j'ai le goût de manger tes bobettes.

Il s'approche d'elle et une fausse bataille commence, il essaie de manger ses bobettes (sur elle). Elle rit en le repoussant.

COUPEZ.

J'ai l'impression de faire une indigestion de moments sirupeux. Quand j'y repense, je ressens un vertige désagréable. Comme si je me trahissais moi-même. Ce n'est pas moi tout ça. Je suis une fille forte. Pas du tout insécure. Je ne demande pas l'avis de l'autre sur mon épilation. Et je ne souris pas béatement de façon spontanée. Je n'aime rien qui me fasse sentir comme dans une comédie romantique. Car tout est faux. Je le sais par expérience. Ça me fait angoisser. Et je n'aime pas angoisser. Je dois me refocaliser. Redevenir moi-même. Redevenir Sarah, relationniste de presse aguerrie, qui ne perd pas le contrôle de ses émotions juste à cause de quelques beaux moments où elle n'était pas tout à fait elle-même, et qui n'est pas attirée par une chose dont elle s'était affranchie.

Je me recentre sur les choses importantes.

En conférence avec François et son avocat, nous brainstormons sur les stratégies possibles. Son avocat lui fait toutes sortes de recommandations légales dans l'éventualité d'un recours collectif.

De mon côté, je suggère de sortir une bonne nouvelle concernant sa fondation. La philanthropie, c'est toujours payant dans les médias, et faire une conférence de presse où il annoncerait le montant des dons qu'il pourra octroyer à de bonnes causes grâce à sa fondation, ce serait une excellente façon de le faire bien paraître. Je suggère qu'on attende ensuite environ un mois, le temps de laisser retomber la poussière, et qu'à la sortie de sa boisson énergisante avec les nouvelles canettes, on essaie d'associer la compagnie en commandite à un événement important. Ainsi, le produit redeviendra positif dans l'esprit des gens. Bon, peut-être que je rêve un peu, mais je vais travailler là-dessus. Je pousse également pour un portrait d'entreprise dans un magazine d'affaires, ce qui serait une excellente façon de rappeler que François, entrepreneur québécois qui a réussi, contribue grandement à faire rayonner le Québec. Ce n'est pas gagné, mais le rédacteur en chef m'a dit être ouvert. Je ne lâche pas.

Je sens François désemparé, mais néanmoins, il garde sa fougue. Il a déjà trouvé un nouveau fournisseur de canettes, même si rien ne prouve que les autres étaient dangereuses pour la santé, et il pourra bientôt lancer son nouveau produit. Bien sûr, il a subi une perte importante de revenus. Mais si je réussis à trouver un événement positif avec lequel l'associer comme commanditaire et à faire une bonne relance média avec un communiqué annonçant cette nouvelle association, il devrait pouvoir faire remonter son chiffre d'affaires rapidement.

Je les raccompagne vers la sortie. François se tourne vers moi avant de partir, m'embrasse et me remercie pour mon travail.

— On devrait sortir un soir, ajoute-t-il. Me semble que ça fait longtemps. On pourrait parler d'autre chose que de cette hostie d'affaire-là.

J'éclate de rire et j'attends l'ascenseur avec lui, avant de revenir à mon bureau.

Je regarde ensuite le clipping du dossier que j'ai laissé entre les mains de Jean-Krystofe le soir de ma *date* avec Pascal, celui d'une actrice québécoise qui connaît un grand succès aux États-Unis. Ce soir-là, il l'a accompagnée à un événement caritatif dont elle est porte-parole. Le titre du premier article: «Travailler aux États-Unis a été le meilleur tremplin pour ma carrière.» Je lève les yeux au ciel. Il ne faut jamais qu'un acteur dise ça; pourtant, je l'avais briefée. Je lui avais donné des exemples de questions, que j'étais certaine que les journalistes allaient poser, et je lui avais suggéré de meilleures réponses que la réponse spontanée, qui est sûrement la vérité, mais qui risque de heurter des sensibilités. Par exemple, un producteur pourrait lire cet article et se dire: «Si elle est si bien aux États-Unis, qu'elle y reste!» Le public pourrait la prendre en grippe car on aime que les stars québécoises aiment le Québec. Donc, dans ce cas particulier, le journaliste a sûrement demandé: «Crois-tu que travailler aux États-Unis a été un bon tremplin pour toi?» Et elle a dû répondre: «Oui, je crois.» Et ça a donné un titre comme ça. Si j'avais été là, je lui aurais fait dire: «Je crois qu'avoir tourné aux États-Unis, ça a ajouté une corde à mon arc, car les expériences de tournage sont très différentes là-bas, mais je ne voudrais pas m'empêcher d'avoir des projets ici, car c'est ici chez moi.» Le titre aurait alors été: «Je suis ici chez moi.» Je fais une recherche sur le Web et je vois que les commentaires, à la suite de l'article, sont d'une violence inouïe à l'égard de cette actrice. Dans certains, on souhaite même sa déportation.

Soupir. Et re-soupir. (Et culpabilité d'avoir pris un temps pour de la pseudoromance.)

Je sors de mon bureau et je vais voir Jean-Krystofe pour lui demander un compte rendu de cette revue de presse, pour lui dire que ce n'est pas ce que j'attendais de lui, que ce n'est pas la signature de ma compagnie. Je l'entends parler au téléphone. Il ne semble pas bien aller.

Je m'adosse sur un mur, un peu à l'écart, et j'observe ce qui se passe.

Jean-Krystofe agite ses bras comme s'il hyperventilait. Au début, je pense qu'il se sent coupable face à cette situation et je suis prise d'empathie pour lui. Je prévois lui dire qu'il apprend et que je suis prête à passer l'éponge. Mais je réalise rapidement qu'il parle d'un gars. Je ne peux réprimer une certaine déception face à son indifférence devant la revue de presse qu'il vient de me remettre, alors qu'il pourrait mettre en jeu la réputation de la compagnie. N'a-t-il rien d'autre à faire que de s'extasier sur une rencontre banale ? Je le paie vraiment pour ricaner comme un adolescent devant Facebook ? Mais j'écoute tout de même de quoi il s'agit.

D'après ce que je comprends de l'histoire, il a eu deux *dates* avec un gars qui l'a chaviré mais avec qui c'est compliqué.

Pendant qu'il regarde des photos à l'ordinateur, je m'approche de lui. Il m'aperçoit. Il semble se sentir mal. Il raccroche aussitôt qu'il me voit et fait semblant d'être pris par son travail. Son manque de subtilité me fait sourire. Je lui demande s'il peut me raconter ce qui semble le passionner autant. Je veux me montrer ouverte. Il y a peut-être des circonstances atténuantes.

Il se met alors à divaguer sur une rencontre incroyable qu'il a faite il y a quelque temps. Tout allait bien, puis finalement, plus de nouvelles, et il se demande ce qu'il devrait faire. Je n'ose lui répondre de passer à un autre appel, la réponse la plus logique, celle que les gens n'aiment pas entendre. Plus il parle, moins je vois ce qui l'excite dans sa rencontre. Je ne perçois que son angoisse, à analyser tout ce que le gars lui a dit et ses moindres faits et gestes. Jean-Krystofe semble se trouver dans une relation qui ne s'en va nulle part. Le gars lui a écrit sur Facebook quand il l'a vu *liker* la photo d'une de leurs amies communes (ce n'est pas pour être cynique, mais c'est la rencontre la plus typique de notre époque, je ne peux aucunement être impressionnée par ce geste qui, aux yeux de Jean-Krystofe, semble représenter le comble de la galanterie moderne). Ensuite, ils ont correspondu (je me retiens de lever les yeux au ciel), ils se sont dit qu'ils se verraient sûrement lors d'une soirée de lancement de magazine. La rencontre était magique, selon lui. Ils se sont repérés facilement, ont parlé. Parlé de quoi? Parlé de lui. L'autre gars a dit à Jean-Krystofe à quel point il était formidable. Je lui ai demandé ce qui lui permettait de dire ça, puisque c'était leur première rencontre, et après quelques secondes de silence durant lesquelles Jean-Krystofe me regarde l'air de me dire que cette question est limite rabat-joie, je n'insiste pas. J'en conclus intérieurement que maintenant, les gens en apprennent beaucoup grâce aux réseaux sociaux et qu'ils ne sentent plus le besoin de passer par l'étape des questions. Comme si, avant chaque *date,* on avait accès à la biographie autorisée de quelqu'un. Et que tout ce qui n'a pas été autorisé est de toute façon tabou. Puis, par curiosité et pour lui démontrer que je peux m'intéresser à une situation relationnelle qui n'a clairement aucun avenir, je lui demande de me montrer des photos du gars. Je plonge mon regard dans les photos sans les voir vraiment, car je ne comprends pas ce qu'un jeune comme Jean-Krystofe, beau, drôle et brillant, peut trouver à quelqu'un qui ne le respecte visiblement pas.

Jean-Krystofe me regarde et il comprend que mon intérêt est forcé. Et il se fâche un peu contre moi, avant que j'aie réussi à dire quoi que ce soit.

— Tu me juges?

— Un peu… Il te met clairement dans un état d'angoisse. Qu'est-ce que tu lui trouves ?

Devant la mine déçue de Jean-Krystofe, je me calme. Quand j'ai surpris sa conversation téléphonique, il semblait parler d'un plan. J'essaie d'être empathique en demandant si je peux être utile. Il me répond justement que oui. Le gars en question rêve de voir en spectacle un certain band américain que je représente quand il est en ville. Tous les billets sont vendus depuis des mois. Mais nous nous réservons une loge dans la salle pour pouvoir donner des billets de faveur ou faire des concours. Il me lance un regard suppliant pour que je lui donne des billets. Il aimerait le surprendre. Puis, il ajoute :

— Oui, ce gars m'obsède, car je ne comprends pas ce qui lui a pris de virer de bord comme ça ! T'sais, j'ai relu des courriels qu'il m'écrivait, il était tellement sweet… Je ne comprends juste pas pourquoi il ne répond plus. Et si, quand je vais lui offrir les billets, il ne répond pas, ça va confirmer s'il est intéressé à moi ou pas.

— Donc, pour savoir s'il est intéressé à toi, tu veux lui offrir des billets pour le spectacle d'un artiste qui l'intéresse. Comment tu pourras déterminer s'il s'intéresse à toi ou s'il n'y voit pas plutôt une opportunité de voir le band qu'il aime ? Tu sais pourquoi cette histoire de billets t'obsède ? C'est ton dernier lien ou espoir avec lui. Mais tu devrais tout de suite comprendre que ça ne fonctionnera pas !

— Non je sens que ça pourrait marcher. Il ne le comprend juste pas encore. Moi, je le sais parce que je vibre.

– Ce n'est pas une vibration divinatoire. C'est de l'angoisse !

Je suis déçue de lui. Je le pensais libre. Indépendant. Mais finalement, il se fout des responsabilités que je lui donne. Il ne s'intéresse qu'à des futilités !

Je brandis devant lui la une du journal avec l'actrice.

— Pendant que tu es occupé à te demander quoi faire avec ce gars qui, c'est assez clair selon moi, n'est pas intéressé, tu as fait une gaffe monumentale.

— Je lui ai tout dit quoi dire, mais elle n'a pas suivi mes recommandations ! proteste Jean-Krystofe.

— Je ne veux rien entendre ! Je n'ai pas bâti cette compagnie en me morfondant sur mes amours. J'ai travaillé. Fort. Réfléchis comme il faut à ce que tu veux faire dans la vie. Si c'est avoir une job qui te permet de consacrer une partie de ta journée à tes relations amoureuses et à l'espionnage sur Facebook, tu n'es peut-être pas dans la bonne compagnie.

Je suis hors de moi. Je suis tellement en colère. J'ai bâti cette compagnie à la sueur de mon front. Et mon employé, à qui je verse un salaire vraiment plus haut que le marché et qui « rêvait » supposément de travailler ici, a fait une gaffe de débutant ! Il aurait dû être là quand le journaliste posait des questions. Il aurait dû ensuite parler au journaliste et lui demander de ne pas utiliser cette citation, de façon subtile. Mais je ne cesse d'imaginer ce qui a dû se passer, et je suis sûre qu'il était sur son téléphone à espionner ce gars ! Je devrai réparer cette gaffe en faisant une campagne de promotion positive de cette artiste, en lui offrant un rabais considérable. Une charge de travail supplémentaire pour moi. Tout ça parce que ce soir-là, j'ai voulu déléguer pour aller à une *date* avec une gars qui n'aime pas les haricots rouges ! Je m'en veux. Je m'en veux de lui avoir fait confiance.

Je le préviens de retourner au travail. Jean-Krystofe se sent visiblement humilié. Je conclus en disant qu'il n'est pas question que je lui donne les billets pour la loge et qu'il devra trouver une autre façon de faire profiter de lui.

Je l'admets. Je suis peut-être allée un peu fort.

De retour à mon bureau, je vois que j'ai un texto de Pascal.

Pascal, 14 h 15

J'ai hâte de te revoir.

Il a hâte de me voir ? Pas moi ! Je ne veux pas être ça. Je me suis affranchie de ça.

Sarah, 14h17

Nous avons eu seulement deux *dates*... Serais-tu dépendant affectif ? Je suis désolée de te dire ça, mais ça ne fonctionnera pas pour moi. Je préfère qu'on en reste là.

Jean-Krystofe entre dans mon bureau et me dit :

— L'ambiance est lourde ici. Je n'accepte pas d'être traité comme ça.

— Ah bon ? Tu n'acceptes pas d'être traité comme ça par ta patronne qui t'estime, mais un gars qui te traite comme de la marde, ça, ça va ?

— Je démissionne.

Je n'ai qu'une envie, lui balancer à la figure son immaturité et la quantité phénoménale de choses qu'il a encore à apprendre.

Puis, j'ai un flash. Celui d'Hélène Melançon, mon ancienne *boss*. Et je me cale dans ma chaise.

CETTE FILLE-LÀ

J'ai été cette fille-là. Cette fille qui croit. Pas seulement celle qui croit à l'amour qui peut durer toujours. Mais aussi celle qui croit tout ce qu'on lui dit. « Je n'ai pas pu te rappeler avant parce que j'étais trop occupé. » « Je t'aime, mais je ne suis pas prêt à avoir une blonde. » « Une fellation n'est pas de l'infidélité. » « Je suis en couple mais je suis mêlé, je vais laisser ma blonde bientôt alors on peut apprendre à se connaître. » « Je préfère les jeunes parce que les filles de mon âge vont trop vite en affaires. » « Je ne t'ai pas rappelée parce que je pensais que c'était toi qui me rappellerais. » « Tu es un peu trop occupée par ton travail et je préfère une vie plus simple. »

J'en veux à Jean-Krystofe de s'exciter pour une histoire sans avenir, mais je m'en veux surtout à moi-même, d'avoir aussi été cette personne-là.

Je me souviens de la première fois que j'ai rencontré Jason, c'était à la fin d'un de ses spectacles. J'étais avec une gang du travail et on prenait un verre. J'étais stagiaire à cette époque, alors je n'avais jamais eu affaire à lui. On nous a présentés, et le regard qu'il m'a lancé m'a traversée. Puis, il m'a dit: « Attends-moi. » J'étais tellement flattée qu'il me dise ça, avec ces yeux-là, si perçants, scrutant mon âme, me déshabillant du regard. C'était la première fois de ma vie que je ressentais quelque chose de si intense. Alors j'ai attendu.

Il a parlé à tout le monde. Au début, j'étais avec mes collègues. Par la suite, j'étais seule dans un coin. J'attendais. Puis, quand tout le monde est parti, vers deux heures du matin, il est revenu vers moi. Et m'a invitée à prendre un verre.

Aujourd'hui, si je le pouvais, je retournerais dans le passé et je supplierais la jeune moi-même de partir, de se sauver. Je lui révélerais que « Attends-moi » n'était pas seulement pour cette soirée, mais qu'il s'agissait d'un contrat permanent. Qu'il lui faudrait toujours attendre qu'il soit disponible, qu'il lui faudrait accepter de n'être jamais dans ses priorités, qu'il lui faudrait toujours l'accompagner dans ses événements sans que ce soit réciproque. La relation que j'ai vécue avec lui en était une qui lui convenait à lui, mais pas à moi. Que tous les soupers de famille, les sorties au cinéma, ou toute autre activité qui m'intéressait, se feraient en solo. Quand j'osais exprimer une demande, il disait qu'il avait été blessé dans son passé. Qu'il avait eu une peine d'amour dévastatrice et qu'il ne voulait plus aimer amoureusement. Que je devais comprendre. Qu'il avait des sentiments pour moi et que c'était le plus proche qu'il pouvait aller. Que c'était même beau. Un exploit de ma part. Il a même dit une fois : « Je veux vouloir. » Et moi, j'en ai tiré la conclusion que ça voulait dire qu'il voulait. Je n'ai jamais même pensé que ça voulait dire qu'il ne voulait pas. Et pourtant… J'ai souvent repensé à cette fille de son passé. Elle lui avait fait mal. Et il lui avait offert son cœur à jamais. L'amour de sa vie faisait partie de son passé. D'une certaine façon, je pense qu'au fond de moi, je me disais que c'était romantique, et que quelqu'un de si romantique pouvait aimer à nouveau. Et je pensais qu'à force de patience et d'amour, je pourrais arriver à être le nouvel amour de sa vie, celui de son présent.

Ironiquement, c'est quand je l'ai laissé que je suis devenue intéressante à ses yeux. Il m'a aimée quand j'ai arrêté de l'aimer. Il a écrit une chanson sur nous deux, *Le courage du naufrage*. Un *hit*. Jason est devenu un symbole de romantisme, de cœur blessé. Cette chanson d'amour impossible lui a permis de rencontrer d'autres filles qui pensaient qu'il était un amoureux éconduit qui avait tant souffert par amour. Des filles qui voulaient aussi le sauver de cet immense chagrin, qui voulaient lui montrer qu'elles sauraient mieux l'apprécier. Mais dans l'équation, on ne prenait jamais Jason pour un menteur, pour quelqu'un qui repoussait les filles à la limite de ce qui était endurable psychologiquement et émotivement. Je me souviens qu'une fois, au travail, je devais rencontrer un nouveau client, mais je repensais à quelque chose de blessant que Jason m'avait lancé la veille – je ne me souviens plus quoi – et des larmes coulaient sur mes joues. J'ai prétexté des allergies saisonnières. J'étais incapable de surmonter mon désespoir.

Si je fouille dans mon passé, je constate que n'ai jamais été une dépendante affective, que je n'ai jamais manqué d'amour de mes parents. J'ai simplement été bernée par une illusion amoureuse qui était solide. Une histoire qu'un beau parleur me racontait pour me bercer. Ma seule faute aura été mon romantisme. D'autres me diront que j'ai été vieux jeu, que j'aurais dû en profiter et ne pas m'impliquer émotivement. Mais comment on fait au juste? Comment on fait pour ne pas aimer et pour tout prendre à la légère? Aujourd'hui, j'ai l'impression que de ne pas être atteint émotivement est un avantage en société. Que tout nous coule comme sur le dos d'un canard ou une poêle en Téflon, c'est le vrai défi que nous devons tous relever.

Le jour où j'ai pleuré devant ce nouveau client, ma *boss,* Hélène Melançon, m'avait regardée avec le même dédain avec lequel j'ai regardé Jean-Krystofe aujourd'hui. Elle m'avait traitée de niaiseuse, elle m'avait dit qu'elle s'attendait à plus de moi. Et j'avais réagi comme lui. À force d'entendre ce genre de commentaires, j'avais démissionné. Je l'ai quittée, elle, avant de quitter Jason.

La chanson de Jason à mon sujet est maintenant considérée comme un « vieux succès ». Depuis quelques années, chaque fois que j'entends cette chanson à la radio, ou que je sors dans un karaoké et que quelqu'un la chante, j'ai un rappel constant de cet échec amoureux, de ma mauvaise lecture de cette relation. Dans *Le courage du naufrage,* il parle de naufrage, d'une relation qui va clairement couler mais qu'on décide de vivre quand même. Quand il me l'avait fait écouter la première fois, j'y avais vu qu'il me demandait d'avoir le courage de traverser une tempête, alors que ça disait en réalité que c'était voué à l'échec.

Avec le recul, je réalise qu'Hélène me mettait en garde. Et pourtant, je l'avais mal pris. Son commentaire m'avait fouettée. Et j'en avais fait mon ennemie. J'ai fait d'elle cette femme plus âgée qui se sent menacée par les plus jeunes. Parce que c'est souvent ça qu'on nous dit quand on est jeunes, qu'on menace les plus vieilles. J'ai été cette fille-là qui pense qu'elle menace les plus vieilles, parce que j'avais le feu de la réussite et encore le don de séduire, et qu'on enviait ma désinvolture et ma liberté. Alors qu'Hélène était simplement lucide et qu'elle avait raison de s'attendre à plus de moi et, dans un sens, de vouloir me protéger contre mon inexpérience de la vie.

Aujourd'hui, je suis cette fille-là, cette *boss* intransigeante qui passe pour la menacée, alors que tout ce que je veux, c'est éviter que le fruit de mon travail et de mes sacrifices me glisse entre les doigts pour des histoires futiles. Et je suis découragée lorsque je vois des jeunes avec un potentiel immense perdre leur temps, leur jeunesse sur des choses qui ne leur rapporteront rien. Mais peut-on éviter ces situations qui remplissent notre bagage et nous rendent mieux armés pour affronter les plus gros défis, et plus intelligents émotivement à force de se casser le nez sur des trucs impossibles?

On parle souvent des inconvénients de vieillir (crèmes qui coûtent de plus en plus cher, vêtements toujours de plus en plus grands, plus de cellulite), ils sont souvent d'ailleurs assez superficiels, mais peu des avantages, comme celui d'être plus lucide face à la vie.

L'autre jour, je marchais sur la rue et j'ai entendu un beau gars de style sportif-tombeur, avec les cheveux noirs luisants frisés, parler à une jolie fille, je dirais d'environ vingt-trois ans, cheveux longs châtains, bien habillée. Je n'ai entendu qu'un mot:

— Mais…

J'ai imaginé le reste quand elle a répondu timidement :

— Ben non… Tu ne me dois rien…

Cette phrase… J'ai été cette fille qui dit cette phrase. Je m'entends encore la dire à Jason, à d'autres. J'ai fait le choix dans ma vie de ne plus jamais la dire. Je n'ai plus eu envie de rassurer quelqu'un sur ce qu'il me doit ou non.

Après Jason, avec qui j'avais vécu une relation intense, mais insatisfaisante, j'ai rencontré Gabriel, qui était très prudent, justement. Avec lui, aucune promesse. On y est allés étape par étape. Sans rien bousculer. Ça a donné une relation que j'ai crue bâtie sur du solide. Et pourtant… je ne voyais pas qu'il prenait son temps parce qu'il était ambivalent, qu'il avait peur de s'engager définitivement. Et c'est lui que j'ai aimé plus que tout, car je nous croyais sur la même longueur d'onde, dans un projet commun. Je n'osais rien proposer, sauf cette fois où j'ai insisté pour qu'on vive ensemble. Tout ce que j'avais refoulé en conversations pour qu'on s'engage davantage ne m'a pas protégée d'une trahison. Ça semblait plus solide, et ça aussi, ce n'était qu'une illusion. Avec Jason, c'était facile à voir, mais avec Gabriel, c'était plus subtil. Comment distinguer le vrai du faux ? Après ça, je ne l'ai jamais su.

Quand j'ai découvert que Gabriel me trompait, un rideau est tombé. J'ai eu l'impression que la vie, telle que je la connaissais, n'avait jamais existé. À une époque, il était impossible que Gabriel me trompe. On avait souvent parlé de nos valeurs à ce sujet, et il ne cessait de répéter que la fidélité était importante pour lui, que si on était infidèles, ça briserait quelque chose entre nous deux. J'étais d'accord. Jamais je n'aurais pensé qu'il me mentait. Et encore aujourd'hui, au fond de moi, j'aime le Gabriel que je connaissais. Et c'est lui qui me manque. J'ai eu l'impression qu'on me l'a arraché sans que je ne l'aie vu venir. L'autre, celui qui m'a trompée et menti, j'ai toujours du mal à accepter que c'est lui le véritable Gabriel. Comme si je préférais mon illusion, celui qui me disait que ça briserait quelque chose entre nous d'être infidèles, celui qui me mentait, celui qui m'aimait comme je suis, celui qui pensait comme moi, mais qui n'a jamais existé.

L'âme masculine est parfois bien discrète. Les gars ont de la difficulté à choisir leurs mots. En tout cas, ceux que j'ai connus. Je ne voudrais surtout pas généraliser. Je crois que je suis devenue amie avec François parce que j'étais avide d'en connaître plus sur les gars. Et que lui me parlait, me confiait des secrets inédits. Je comptais sur lui pour tout me dire. J'avais l'impression, à son contact, de devenir ultra-lucide. D'avoir accès aux coulisses. Et plus je devenais lucide, plus je pouvais contrôler ce que je vivais. Plus je découvrais les hommes, plus je réalisais qu'être en couple avec eux n'était pas pour moi. Comme je ne suis pas gaie, comme mon amie Anik, et donc que je ne pouvais être en couple avec une femme, j'en ai conclu que je n'étais pas faite pour le couple tout court. Le problème, c'est que François est devenu pour moi « les gars », et non pas juste « lui ». Et comme j'étais témoin de choses similaires à ce qu'il me racontait, j'avais l'impression que tout concordait.

J'ai été cette fille qui a cru en l'amour, cette fille qui n'y croit plus, cette fille ambitieuse, cette fille que je voulais devenir, cette fille trahie, cette fille qui vieillit et dont les autres pensent qu'elle se sent menacée par les plus jeunes, cette fille intransigeante.

J'ai été toutes ces filles-là.

Et maintenant, je suis devenue le genre de femme que je jugeais lorsque j'avais vingt-cinq ans. À cette époque, je ne voyais pas qu'elles étaient probablement un peu écorchées par la vie, et qu'elles aussi camouflaient peut-être quelques cicatrices.

— Tout ça est derrière moi. Je suis quelqu'un de transformé maintenant.

Julien Fortier est un comédien fin quarantaine dont la carrière battait de l'aile. Avec son agent, ils sont venus me voir pour faire une campagne de relations publiques afin de redorer son image. Cette phrase, c'est celle que je lui ai conseillé de marteler partout. Il avait une très mauvaise réputation sur les plateaux de tournage. On disait qu'il se plaignait toujours des repas, des heures de travail, qu'il ne savait jamais ses textes et qu'il arrivait toujours en retard parce qu'il était propriétaire d'un bar et qu'il y faisait la fête chaque soir. Le bar a fini par faire faillite, ça a fait la une de tous les journaux, et ses problèmes de consommation ont été révélés au grand jour.

Quand je les ai rencontrés, j'ai demandé où en était Julien aujourd'hui, cinq ans après ces événements, et lui et son agente m'ont appris qu'il avait suivi une cure de désintoxication, qu'il s'entraînait, qu'il mangeait bien et qu'il aimerait que ça se sache.

Je lui ai donc lancé l'idée de publier un livre pour capitaliser sur son histoire de bum repenti. Les gens aiment ça, les histoires de rédemption, de quelqu'un qui a été dans la déchéance la plus complète mais qui maintenant est une personne en bonne santé pour qui le bien-être est essentiel. J'ai proposé à l'agente qu'on approche une maison d'édition ensemble, qu'on trouve un *ghost writer* pour écrire le livre et qu'on mise sur la sortie de celui-ci pour que des articles positifs soient écrits autour du lancement. Un livre est un support plus durable que quelques articles dans les magazines *people,* et la plupart des maisons d'édition sont friandes de ce genre d'histoires parce que les détails scabreux sur la vie des vedettes, ça fait vendre. Julien Fortier sera projeté de nouveau très facilement dans le firmament du *star system,* et la rédaction de l'ouvrage fera faire un peu d'argent à un auteur de fiction dont les livres se vendent moins. Tout le monde serait gagnant.

Julien avait hâte de tout mettre en branle, et la stratégie a été établie sur six mois. Je lui ai conseillé de se faire voir dans des restaurants santé, d'aller plus souvent au gym, d'être positif sur les réseaux sociaux, etc.

Le lancement, qui a eu lieu hier, a été un franc succès, et je suis vraiment contente du résultat! Je me suis entendue avec Jean-Krystofe pour qu'il reste au moins deux semaines. Ensuite, s'il veut toujours partir, il partira. Je n'avais pas le choix de repousser un peu sa démission, étant trop dans un tourbillon. Mais je voulais quand même me garder un temps de réflexion, afin de trouver une solution pour ne pas le perdre.

Ce matin, nous avions une super belle couverture médiatique dans les plus grands médias et sur tous les blogues. Et Jean-Krystofe m'a tapé dans la main, ce qui m'a presque fait croire qu'il était passé à autre chose.

Aujourd'hui, nous faisons une journée promotion durant laquelle nous rencontrons plusieurs journalistes. Julien répète sans fin cette phrase, qui est aussi le titre de son livre: « Tout ça est derrière moi. »

Nous sommes dans une loge attenante à un grand studio, dans les sous-sols d'un réseau de télévision, en attendant de passer dans un talk-show populaire diffusé à une heure de grande écoute. Autour de nous, l'équipe technique s'active à préparer le plateau. Parfois, l'attente est longue dans les studios de télé. Je réponds à quelques courriels. Julien, absorbé par son propre reflet dans le miroir, me dit qu'il trouve son fond de teint trop clair et me demande d'aller voir la production pour savoir si on peut le retoucher. Il dit qu'il n'a pas l'air en bonne santé et que ça cache son bronzage. Je tente de ne pas soupirer. Puis, il s'allume un joint.

— Julien?

— Ben quoi ?!

— On te fait un *rebranding* autour du fait que tu as changé. Ne t'allume pas de joint ici ! Le bouche-à-oreille est aussi important que ce que tu dis publiquement ! Sais-tu comment ça part vite, des nouvelles, dans un studio télé ? Tout le monde va dire que ça sentait le pot dans ta loge ! Sans compter que c'est interdit de fumer.

— Fumer un joint, c'est pas comme fumer la cigarette. C'est bon pour la santé, c'est médicinal. Ce n'est pas de la drogue ! Pis les hosties de talk-show, ça me fait chier, faque ça me relaxe.

J'ai le goût d'exploser. Là. Maintenant. Les artistes, c'est les pires bébés de la terre ! Je suis à bout ! Je ne peux pas croire que j'ai consacré ma vie à ma compagnie pour en arriver à surveiller un adulte sur sa consommation de drogue, afin de faire croire au public et aux producteurs qu'il est maintenant une personne en bonne santé. Que « tout ça est derrière lui ». J'ai envie de hurler.

Je prends son joint dans mes mains, j'approche mon visage du sien et je siffle entre mes dents :

— Tu éteins ça, mon gros cave. Parce que ta réputation, sur laquelle je travaille depuis des mois, je peux la briser en une seconde. Sais-tu à combien de personnes il a fallu que je parle pour te booker sur ce talk-show-là ? Personne ne voulait rien savoir de toi ! Sais-tu combien de mes clients aimeraient passer ici, mais sont refusés ? Là, tu descends de ton nuage, pis tu m'écoutes. On finit notre contrat ensemble pis après ça, tu recommenceras à prendre de la drogue tant que tu veux, mais tant que ta réputation est entre mes mains, tu restes ce que tu dis que tu es ! On s'entend ?

Je pense qu'il a eu peur. Assez pour ne plus parler. Il va sûrement dire à son agente qu'il ne veut plus faire affaire avec moi et c'est tant mieux. Les menteurs, j'en ai ma claque ! Et si les rumeurs deviennent mauvaises à mon sujet, tant pis !

La coordonnatrice de plateau vient chercher Julien pour son entrevue. Et il demande lui-même sa retouche de fond de teint qui va avec son bronzage. Je fixe mon téléphone car si je croise le regard de la coordonnatrice, je vais lever les yeux au ciel et ce ne sera pas bon pour lui, je dois avoir l'air totalement solidaire.

Je regarde son entrevue dans le moniteur. Il dit exactement tout ce qu'on a préparé. Qu'il s'est rendu loin dans la déchéance mais qu'il a eu un regain de vie, qu'il a changé, qu'il a réalisé que s'il ne faisait pas quelque chose, il perdrait la vie, qu'il est un père plus présent. Il a les larmes aux yeux en disant ça. Quel comédien, sachant qu'il ne voit jamais son fils ! Il plogue qu'il est prêt à reprendre la scène et que son expérience l'a fait grandir, et qu'il serait même capable de jouer au cinéma car il a acquis un bagage de vie qui servirait des personnages dramatiques.

Je bous de colère. J'en ai assez de faire preuve de diplomatie. Je suis fatiguée de voir que la simple valeur du travail n'est pas au top des choses les plus importantes pour réussir. J'aurais envie de crier à la terre entière que Julien Fortier est un imposteur. Puis je conclus qu'il est crédible parce qu'il se croit. Il ne ment pas aux autres, il se ment plutôt à lui-même.

Je me calme peu à peu en me disant que moi aussi je suis peut-être une imposteure. Je suis un peu perdue à force de « jouer la comédie ». Je ne me révèle jamais complètement, pour ne pas heurter les gens, je manifeste mes idées avec quatre paires de gants, je préserve les egos. Quand est-ce que je suis moi ? Où est-ce que je suis au meilleur de ma forme, à mon plus « vrai » ? Peut-être qu'au fond je mélange tout. Peut-être que les circonstances dans lesquelles je crois être moi-même ne sont pas celles que je pense.

Je ne sais plus si ce que je disais de moi-même ces dernières années était ma vérité, ou si c'était simplement un masque ou un bouclier pour éviter d'en dévoiler trop sur moi, et d'être vulnérable à la souffrance. Je ne sais plus distinguer ce qu'il faut dire pour plaire aux autres, ou pour faire son autopromotion, ou par automatisme et ce que je pense véritablement. Tout ce que je dis depuis des années, est-ce vraiment moi ? Est-ce que je suis vraiment une femme plus forte, plus admirable, parce que j'ai décidé de ne plus jamais être amoureuse et de me consacrer à ma carrière ? Mon discours des dernières années est qu'on peut être heureuse sans amour. Bien sûr, c'est vrai. Pour plusieurs personnes.

Mais si c'est encore vrai pour moi, pourquoi mon cœur se serre tandis que je regarde Julien Fortier qui continue de mentir à l'animateur du talk-show, alors que c'est un succès de relation publique, un autre succès pour ma carrière ?

Pourquoi je ressens ce vide et ce manque ?

COMMUNIQUÉ POUR DIFFUSION IMMÉDIATE

Objet : Moment présent
Statut : Important

Nous avons appris que certaines de nos concitoyennes ne portaient encore aucun tatouage démontrant qu'elles sont adeptes du moment présent. Comme vous le savez, le Service de police du mode de vie (SPMV) de votre quartier vous a à l'œil.

Vous devez savoir qu'en élisant domicile dans le quartier le plus hip en Amérique du Nord (*Wallpaper*, décembre 2007), tout citoyen accepte de se soumettre à l'obligation de faire partie d'un groupe d'individus marginaux arborant fièrement un tatouage qui leur rappelle leur racine à la Terre, le moment présent et l'importance des pensées positives. Il a été démontré dans une récente étude que sans ce rappel encré à jamais sur la peau, il serait possible pour un invidivu d'oublier le moment présent, ou même son propre bien-être. De plus, arborer un tatouage permet d'affirmer haut et fort la liberté de disposer de son corps. Nous invitons fortement les contrevenantes à remédier à cette situation en visitant l'un des salons de tatouage de notre beau quartier, dont la liste apparaît en annexe. Idéalement, si le tatouage choisi est en sanskrit ou toute langue rare provenant d'une culture qui a à cœur le bien-être spirituel, la personne concernée sera même admise dans le cercle des citoyennes modèles.

Nous sommes persuadés que l'absence de tatouage rappelant l'importance du moment présent et de la liberté d'expression corporelle est une maladresse involontaire de la part des contrevenantes, possiblement causée par un horaire chargé. Voici ici toute l'ironie de la chose, et un tel tatouage leur évitera ce genre de tourbillon.

Tout refus de contribuer à la promotion de l'art de vivre de notre beau quartier pourrait faire l'objet de discussions au sein de notre comité et rendre les contrevenantes passibles d'expulsion dans un quartier satellitaire et/ou sur la ligne verte.

Contact :
Roze-Alexye Desjardins-Bellavance
Officier de prévention
div. Votre Quartier

-30-

SE FAUFILER

Je me réveille convaincue que mon lit est infesté d'acariens ou de punaises de lit.

Pascal est parti travailler ce matin après avoir passé la nuit ici et ça me pique partout.

Hier, après mon tournage avec Julien, Pascal m'a écrit un message me disant que j'étais un peu catégorique. Qu'il avait simplement beaucoup aimé notre soirée et qu'il avait eu envie de me l'exprimer, qu'il ne trouvait pas que se faire dire qu'il était dépendant affectif était justifié. Je relis nos textos, avec le sourire.

Sarah, 22 h 14

Salut. J'ai un petit malaise. C'est quoi tes attentes par rapport à moi ?

Pascal, 22 h 14

Pas une question d'attentes…

Sarah, 22 h 15

Écoute, c'est pas un reproche, c'est juste que je ne sais pas trop comment te rendre la pareille.

Pascal, 22 h 15

On va s'ajuster ;)

Sarah, 22 h 15

Tu es habitué à quoi ? Dans tes relations ?

Pascal, 22 h 16

Quand l'attirance est mutuelle, on a hâte de se revoir.

Sarah, 22 h 17

Je ne sais pas si je ressens quelque chose pour toi. Il y a des choses que je n'ai plus envie de vivre. J'aime ma vie telle qu'elle est.

Pascal, 22 h 17

Hahaha !

Sarah, 22 h 17

Quoi?

Pascal, 22 h 18

Est-ce que je peux être 100 % honnête avec toi?

Sarah, 22 h 19

Ben oui

Pascal, 22 h 20

Je comprends ce que tu me dis, et c'est cohérent avec tout ce que tu m'as dit avant. Mais… je me demande si c'est pas juste que tu t'empêches semi-volontairement de te laisser aller à vivre autre chose.

Sarah, 22 h 20

Question légitime.

Pascal, 22 h 21

Comment peut-on savoir si on ressent quelque chose pour quelqu'un si rapidement? C'est toi qui vas un peu trop vite en affaires. Tu crées une tonne de barrières qui sont finalement un prétexte pour te protéger.

Sarah, 22 h 22

Psychologie à cinq sous. *Keep your day job*.

Pascal, 22 h 22

Faut être un peu psy pour être prof de gym au primaire… si tu savais!

Sarah, 22 h 25

Tu es un super bon gars. Tu veux une chose à laquelle j'ai renoncé, car ça n'existe pas, mais tu devrais rester dans ton monde où tu crois que ça se peut. Tu ne mérites pas d'avoir de la peine. « C'est pas toi, c'est moi » pis toutes ces affaires-là…

Pascal, 22 h 27

Tu as une idée préconçue de comment ça devrait se passer dans un possible début de relation avec quelqu'un, mais ton scénario n'est pas plausible.
Personne n'attend des semaines quand ça clique! On a le droit de se dire ce qu'on veut. Il n'y a pas de règles.

Sarah, 22 h 27

Je ne sais pas si j'ai la capacité de cliquer.

Pascal, 22 h 28

Ok. Quel est le motif pour arrêter si ça va bien avec le gars?
« Parce que je ne veux pas avoir de peine. »
« Parce que tu es tellement une bonne personne que tu mérites mieux. »
En suivant ton raisonnement, tu ne pourras jamais entamer une relation, car soit c'est toi que tu dois protéger contre le mauvais gars, soit tu dois protéger le bon gars contre toi...
Si tu n'as pas de fun avec moi, ok, j'accepte que tu arrêtes de me voir, mais si tu as du fun, laisse-moi gérer mes émotions et ma supposée future peine et passons du temps ensemble.
Laisse tes options ouvertes.

Sarah, 22 h 32

Je n'ai jamais été trop bien dans le laisser-aller.

Pascal, 22 h 33

Ok. Mais on peut sûrement minimiser les obstacles imaginaires?

Sarah, 22 h 34

C'est quoi les obstacles imaginaires?

Pascal, 22 h 35

Je dis une phrase et ton cerveau fait des calculs pour trouver comment l'utiliser pour me mettre des bâtons dans les roues.

Sarah, 22 h 35

Tu as l'option d'arrêter si tu trouves ça compliqué.

Pascal, 22 h 37

Héhé, tu viens encore de le faire. Si tu veux me repousser, faudra que tu trouves mieux que ça. Moi, je reste, désolé.

Sarah, 22 h 38

Ce que tu fais, ça pourrait être perçu comme du harcèlement. ;)

Pascal, 22 h 40

Donc on se voit à quelle heure?

J'admets que ma journée avait été difficile, j'étais à bout, j'avais besoin de réconfort. Et notre échange me faisait sentir bien. Alors je lui ai proposé qu'on termine la soirée ensemble.

Il n'y a que ce problème: dormir à deux semble augmenter le nombre d'acariens dans mon lit, car tout mon corps me pique.

Au lieu de travailler, je commence à faire mille et une recherches sur les insectes qui infestent les matelas. Ce que je découvre me convainc que je dois appeler immédiatement un exterminateur. Je pense que c'est pire que de simples acariens, et que c'est bien des punaises de lit.

— Qu'est-ce qui vous fait dire que vous avez des punaises de lit? En avez-vous vu? demande l'exterminateur.

— Non mais ça me pique. Et j'ai une piqûre pareille comme celle sur une photo sur Internet. En plus, j'ai trouvé une petite boule noire dans mon lit. Et sur Internet, ça dit que c'est un excrément de punaise de lit!

— Ce que vous me décrivez, ça ne prouve pas que vous avez des punaises de lit.

— Mais est-ce que ça se peut, mettons, que j'ai toujours dormi seule dans les dernières années, et que là, je dors avec quelqu'un et que ça double le nombre d'insectes minuscules ou invisibles qui piquent dans mon lit? Alors je m'en rends plus compte, mettons?

Je l'entends rire à l'autre bout. Presque pas perceptible.

— Madame, en tout respect, ce n'est pas d'un exterminateur que vous avez besoin mais d'un psychologue.

Je raccroche, un peu insultée.

Il me semble que c'est tout à fait logique que deux corps dans un lit attirent plus d'acariens, car ils génèrent plus de peaux mortes. Je frissonne de dégoût. Je ne suis probablement pas faite pour la vie à deux ni pour la prolifération de bestioles qui s'ensuit. Tout pointe vers là.

Jean-Krystofe entre dans mon bureau et s'assoit sans que je l'y invite.

— Je peux te parler ? demande-t-il.

Je hoche la tête, tentant de garder une contenance et de ne pas partager avec lui mes pensées névrotiques, mais je me gratte.

— Je sais, Jean-Krystofe, que tu veux démissionner, je sais que tu es fâché, ça me ferait de la peine de te perdre comme employé. Je réfléchis à ce que je pourrais t'offrir, à ce que je pourrais faire. Mais tu comprends que cette compagnie, c'est plus que mon travail, c'est ma vie ?

— Je me sens plus comme un réceptionniste que comme un assistant. Je n'ai pas assez de responsabilités. Je sens que je stagne.

— Mais ça fait environ deux ans que tu travailles pour moi… Tu as à peine vingt-quatre ans. Tu es un junior… Et quand je te donne un gros mandat, comme la dernière fois, tu gaffes.

— C'est super insultant ce que tu dis. Je suis tanné de me faire insulter. J'ai réussi plusieurs de mes mandats !

— Je t'ai demandé deux semaines. Est-ce que tu peux me donner ça ?

Il opine.

— Changement de sujet, je me demandais… Quoi de neuf avec le gars ?

Je me gratte de plus en plus.

Il se tortille les doigts avant de répondre :

— Il m'a dit qu'il fréquentait plusieurs gars en même temps, car il est fait pour les relations éphémères.

Je pousse un soupir en continuant de me gratter.

Il regarde par terre, visiblement mal à l'aise.

— Ok, tu avais raison. Je ne sais pas comment le dire. J'ai gaffé. Pis je n'ai pas envie d'arrêter de travailler pour toi, ok ? Je voudrais juste me sentir… apprécié.

— Jean-Krystofe, tu es de loin le meilleur adjoint que j'ai eu. Je n'ai pas envie de te perdre. Mets ta démission en suspens et on va trouver une solution. J'entends ce que tu me dis.

Je suis déjà allée à une conférence sur la façon de parler à des employés qui nous exposaient une requête, et on disait qu'il fallait dire : « Je t'entends », ce que j'avais trouvé un peu idiot à l'époque car entendre ce que quelqu'un nous dit semble aller de soi, à moins d'avoir une condition qui nous en empêche. Mais le conférencier disait que c'était mieux reçu que « Je comprends » (ce qui serait plus approprié selon moi). Donc j'ai suivi ce conseil à la lettre, et Jean-Krystofe semble rassuré. Avant de sortir, il demande :

— Ça va, le grattage ? Tu as besoin de quelque chose ?

— Je sais pas. J'ai rencontré quelqu'un, pas sérieux, là, mais disons qu'on s'est vus quelques fois et il a dormi chez moi et je pense que ça a causé une prolifération d'acariens.

Il éclate de rire et sort de mon bureau en disant qu'il est maintenant certain qu'il ne pourrait pas se passer de moi comme *boss,* ce qui me soulage un peu je l'admets.

ARMÉE

À l'heure du dîner, je rejoins une personne à qui je dois des excuses. J'essaie d'oublier cette histoire d'insectes, et je réussis à me retenir de me gratter pour afficher une certaine élégance.

Hélène Melançon arrive à la table où je l'attends, dans un restaurant du Vieux-Montréal. En me voyant, elle retire ses verres fumés et me fait un grand sourire. Je ne comprends pas trop pourquoi j'ai jadis pensé qu'elle était aigrie, mal habillée et insensible. Rien chez elle ne laisse transparaître la cruauté mentale dont j'ai pensé être victime à l'époque où j'étais son employée.

Elle m'embrasse sur les joues avant de s'asseoir. On échange quelques banalités pendant qu'on choisit nos plats sur le menu, et une fois le repas commandé, elle me lance :

— Tu voulais me parler ?

— Oui. Tout d'abord, je pense que j'ai des excuses à te faire.

— Ah oui ?

— À l'époque où j'étais ton adjointe...

— Oui...

— J'étais jeune, je te trouvais dure avec moi, et maintenant que j'ai des employés, je voudrais les voir développer leur potentiel, mais j'aimerais aussi qu'ils me trouvent cool. Et je n'arrive pas à concilier les deux. J'ai explosé il y a quelques jours, et je me suis demandé si je n'avais pas un peu exagéré ce que j'ai vécu avec toi.

Elle éclate de rire.

— Je t'ai toujours trouvée brillante. Je croyais en toi, mais j'avais l'impression que tu manquais de confiance. Je trouvais que tu perdais ton temps avec tes histoires d'amour. Se pogner un musicien ! Un client, en plus. Erreur de débutante...

Son commentaire me pique. Comme si, devant elle, j'étais encore cette fille de vingt-quatre ans qui cherche son approbation, qui a peur de perdre sa job.

Puis, je me ressaisis en me rappelant que je ne suis plus cette fille-là. J'ai trente-huit ans. Et je pense la même chose qu'elle, étrangement. Fréquenter un client est une des pires erreurs à commettre, surtout lorsqu'on est jeune et influençable. Je ris à mon tour.

— Mais bon, faut passer par là ! ajoute-t-elle.

— Tu es passée par là, toi aussi ?

Elle me fait alors le récit de ses débuts, lorsqu'elle a fréquenté un bédéiste français qui l'avait dessinée pour la séduire. Elle se juge encore aujourd'hui.

— Mais pourquoi tu n'en parlais pas ? Ça t'aurait rendue plus... humaine à mes yeux, il me semble. J'aurais peut-être pu m'identifier et comprendre.

— Tu dis à tes employés, toi, que tu as fréquenté Jason ? Qu'il t'a menti, utilisée, manipulée ?

— Isshhhh non.

— Moi aussi, je te dois des excuses. J'étais plus intransigeante avant avec mes employés. Maintenant je suis plus souple. À l'époque où on a travaillé ensemble, j'avais plus à perdre.

— Je comprends.

— Il se passe quoi avec ton client des boissons énergisantes, François ?

Je baisse la tête.

— Je t'appelais aussi pour ça. L'autre jour au Bal d'hiver, tu m'as offert ton aide.

— Tu as bien géré ça.

Je la regarde, étonnée. Nous ne sommes plus une *boss* et sa fragile employée. Nous sommes deux femmes d'affaires qui parlent ensemble. Et j'avoue en ressentir une pointe de fierté. Longtemps, j'ai voulu qu'elle me voie de cette façon. Qu'elle m'approuve. Je recommence à me gratter légèrement.

— C'est assez complexe, dis-je, un peu méfiante.

— Si tu ne peux pas m'en parler, je respecte ça.

— On a un plan de remise en marché. Mais j'ai du mal à trouver des associations positives pour le produit. C'est la première fois de ma carrière que je me sens… impuissante.

— La seule chose qui te reste à apprendre, ce sont les limites de ta job. Tu peux gérer les crises de ton mieux, mais tu n'es pas ton client, tu n'es pas propriétaire de la compagnie.

— Pour les conseils, je peux te payer. Ma compagnie grossit et je n'arrive plus à tout tenir en place toute seule. Ma meilleure amie fait un burn-out et j'ai peur de me rendre là.

— Tu t'es trop donnée, et tes clients s'attendent à ça de toi maintenant.

— Peut-être. Je suis naïve et débutante, hein ?

— Ta compagnie a vraiment monté en flèche, tu obtiens de beaux résultats, de belles couvertures médiatiques, tu t'es taillé une place enviable et tu pourrais continuer comme ça sans problème.

— Merci…

— Je ne te l'ai jamais dit, mais tu as toujours été ma junior préférée, celle en qui je voyais le plus de potentiel. Quand tu m'as quittée, j'ai bien vu que tu étais fâchée contre moi et j'en étais franchement désolée. Dans les dernières années, j'ai souvent pensé t'appeler, mais je sentais que tu avais besoin de faire ta place, ce que tu as réussi avec brio. Et, bien honnêtement, pour le métier, ça prend de la saine concurrence.

— Ouf… Je suis flattée, Hélène… Je ne sais pas quoi dire.

— Si tu veux une consultation de ma part, ça me fera plaisir. Et gratuitement en plus. J'aime faire du mentorat. Mais j'aurais peut-être une autre proposition à te faire. En fait, j'y pense depuis quelque temps. Mais j'attendais le bon moment. Et je saisis cette occasion pour te lancer l'idée. Si on s'associait et qu'on fusionnait nos deux boîtes ? On grossirait notre force de marché, on ne se ferait plus concurrence, on s'entraiderait plutôt. Tu pourrais également profiter de plus d'employés. On pourrait se consulter pour nos dossiers. Je vieillis, j'ai besoin d'un vent de fraîcheur dans ma compagnie. Ça me libérerait un peu de savoir que je pourrais avoir une relève à ma retraite. Laisser ma compagnie à quelqu'un.

J'ai le sentiment de tomber de ma chaise, mais je suis encore bien assise. S'il reste une parcelle de la fille de vingt-quatre ans que j'ai été, elle danse en moi, mais comme je ne suis plus cette fille-là, que je suis une femme d'affaires aguerrie, je sais que je dois considérer l'offre d'Hélène et l'étudier, et ne pas me précipiter vers une réponse.

— Hum… Intéressant.

— Comme je te dis, penses-y.

— Je pourrais amener mon employé et lui offrir une meilleure situation ? Il est jeune mais très talentueux. Je crois beaucoup en lui.

— Absolument.

— Est-ce que nous serions réellement associées ou je deviendrais ton employée ?

— Nous serions associées. Nous pourrions voir ensemble les détails légaux, mais je suis ouverte à plusieurs arrangements.

Je commence à me gratter discrètement le bras. Puis, le cou.

— Sarah, tu vas bien ? Je te donne de l'urticaire ou quoi ?

J'arrête de me gratter.

— Ce n'est pas toi. En fait, j'ai rencontré quelqu'un. Ça faisait des années que je dormais seule, et j'ai l'impression que sa présence augmente le nombre d'acariens dans mon lit, et je crois que j'y suis allergique. Je ne voudrais surtout pas que tu penses que j'accorde encore trop d'importance à mes relations amoureuses, justement j'essaie d'en éviter tous les désagréments.

Elle éclate de rire.

— Je pense que je sais pourquoi je t'aimais tant. Tu me fais penser à moi. Oh mon Dieu ! Ça sonne narcissique, hein ?

— Tu es allergique aux acariens ?

— Non. Moi aussi j'ai longtemps eu peur de l'engagement. À un certain moment, j'étais fatiguée de passer toujours en second dans ma vie. J'ai commencé à prendre des weekends, à faire des activités, et j'ai rencontré Marc en randonnée. Ça fait cinq ans qu'on est ensemble.

— En randonnée ? Toi ?

Elle rit encore. À l'époque où je travaillais pour elle, elle envoyait des courriels urgents en pleine nuit, elle était de tous les événements, et je n'aurais jamais pu l'imaginer passer une seconde ailleurs qu'en ville.

— L'autre jour, on est allés faire du vélo sur le bord de l'eau et je me suis arrêtée pour admirer le paysage. Je me suis trouvée tellement matante ! Moi, m'arrêter pour regarder vers l'horizon ?! Quand on vieillit, on ne cherche plus la même chose. J'ai rencontré Marc à un moment de ma vie où j'avais besoin d'autre chose. Ma compagnie a la même importance qu'avant, la preuve c'est que je cherche à m'associer à la meilleure relève possible selon moi, mais j'aime aussi avoir du temps pour moi.

— Je comprends ce que tu dis. En fait, ça ressemble à ce que les gens en couple disent habituellement. Mais de mon côté, je suis bien toute seule. J'ai pris cette décision il y a quelques années et je vis très bien avec ça.

— Et est-ce que c'est obligé d'être un contrat permanent ?

Elle a toujours le don de trouver la phrase qui tue. Je pense que, lorsque j'étais plus jeune, j'avais de la difficulté à ce qu'elle me confronte, mais aujourd'hui, je suis mieux armée pour réagir à ce qu'elle provoque chez moi. Comme je ne trouve pas de réponse maintenant, je ramène la discussion à sa proposition professionnelle.

— Pour en revenir à ta proposition, j'ai vraiment travaillé fort ces dernières années pour me faire un nom et…

— Tu pourrais conserver le nom de ta compagnie. Et si tu veux, on pourrait faire un essai avant de s'engager à long terme.

Ce qu'elle m'offre, c'est l'avantage de grossir, sans l'inconvénient de devoir investir ou ajouter des tâches et des responsabilités sur mes épaules. Je demeure toutefois sur mes gardes.

— Sans vouloir t'offusquer, qu'est-ce que ça m'apporterait de plus de m'associer alors que je peux continuer à prendre de l'expansion toute seule ?

— Trouver un équilibre.

— Arrête de chercher des bibittes partout! Il n'y a peut-être pas d'attrape! me dit Anik, allongée sur une chaise longue sur la plage, feuilletant distraitement un magazine. Tu réalises que ce serait mon rêve qu'une plus grosse chocolaterie que la mienne m'offre ce type d'association? Les coûts que je sauverais!

Quand Anik est sortie de l'hôpital il y a quelques jours, nous avons décidé d'aller en Floride chez mon père, juste elle et moi pour le week-end. Mon père a un condo qui donne un accès direct à la plage. C'est l'endroit parfait pour s'évader sans se casser la tête. Nous avons pensé que ça nous ferait du bien, que ça nous permettrait de faire le point sur nos vies respectives et qu'on méritait du repos.

— Mais je ne serai plus le seul capitaine à bord, les décisions devront être prise à deux.

— Mais tu pourras profiter de la vie.

— Pour faire quoi?

Elle hausse les épaules, reprend son magazine, puis le repose.

— Tu sais quoi? Je pense que mon burn-out est la meilleure chose qui ait pu m'arriver. Ça m'a permis de mettre mes limites. Au travail, je vais faire des changements. J'ai des projets pour pouvoir être moins à la course. Je songe très sérieusement à l'enrobeuse. Et aussi… j'ai présenté Alex à Romy hier.

— Pas vrai? Wow! Pourquoi tu ne me l'as pas dit avant? Comment ça s'est passé?

— Vraiment bien. Romy l'a adorée. Mais tu sais, elle est adorable… Je pense seulement que je ne peux plus y arriver seule.

Je souris et je mets ma main sur la sienne.

— Je pense que, aussi cynique que tu puisses être, tu l'aimes.

— Tu as toujours dit ça. Mais je pense qu'elle sera un bon modèle pour Romy. Elle est sportive.

— Tu l'aimes.

— Argh, t'es fatigante!

— T'es chanceuse.

— Je sais.

— On va te faire une belle campagne pour relancer la chocolaterie, tu vas voir.

— Je ne suis pas inquiète.

Je ne dis rien. Je replonge la tête dans mon livre.

Je suis distraite dans ma lecture car à chaque ligne, chaque mot, je repense à Pascal et à comment je lui ai définitivement dit que lui et moi, ça ne pourrait jamais fonctionner.

Il m'avait proposé qu'on soupe ensemble et je n'avais pas beaucoup de temps, alors il est passé chez moi en apportant des ingrédients et un livre de recettes.

Il m'a embrassée en arrivant. Rien ne semble compliqué pour lui. Il a commencé à déposer ses courses sur le comptoir et à ouvrir le livre de recettes. Puis, il a dit qu'on pourrait aller marcher après le souper, car il commence à faire beau. Puis, il a lancé:

— C'est le fun, c'est la première fois qu'on va cuisiner ensemble.

Cuisiner ensemble? Je nous voyais soudainement devenir un couple qui achète des livres de recettes à profusion pour «faire différent». Et je me suis sentie étouffée.

— Je ne pense pas que je suis faite pour le couple.

— On parlait de bouffe… pas de couple. Est-ce que j'ai fait quelque chose qui….?

— Non, tu es parfait! C'est vraiment moi. J'ai plusieurs choses en tête en ce moment et on dirait que partager ma vie avec quelqu'un prend une place que je n'ai pas à offrir. Je ne suis pas faite pour les «on». «On» cuisine ensemble. «On» va prendre une marche. Ça m'étouffe. « Je » suis « je ». « Tu » es « tu ». Ben en fait tu es « je » quand tu penses à toi-même, mais de mon point de vue je suis moi et tu es toi mais on n'est pas « on ».

— Je suis un peu mêlé. J'avoue que si mes collègues me demandent pourquoi ça n'a pas marché avec la fille dont je leur parlais, je vais avoir du mal à répéter la raison.

— Je m'excuse, j'aime ça passer du temps avec toi, mais c'est comme si on n'était pas dans le même monde. Toi, tu as un horaire normal, une job normale que tu vas faire toute ta vie jusqu'à ta retraite. Tu peux arriver le soir, comme ça, avec un souper, et moi il faut que je coure pour arriver à temps à l'heure qu'on s'est donnée. J'ai un horaire instable, et même si je me sens accomplie, mon ambition est sans limite.

— Je trouve ça tout à fait compatible.

— Ah bon ?

— Je ne sais pas c'est quoi ta vision du couple, mais si tu cherches quelqu'un qui a exactement la même vie et le même horaire que toi, ce sera peut-être difficile à trouver.

— Je ne cherche personne, justement. Quand je suis allée souper avec toi, j'étais juste... ouverte.

— Moi, je trouve qu'on avait du fun.

— Ça c'est sûr. On pourrait peut-être être amis ?

— Je ne te voyais pas comme une amie, mais laisse-moi y penser.

Dès la première fois que je l'ai vu, je savais que ce serait difficile. Les bons gars ne sont pas faciles à quitter. Ils n'ont pas de défauts. C'est comme décider d'assassiner un chaton.

Assise sur ma chaise longue, je regarde l'horizon. Je vois des gens passer sur la plage avec des cornets. Puis, j'ai un flash de ma *date* d'il y a quelques années avec monsieur Crème glacée vanille, qui m'avait éliminée parce que j'étais un sorbet pamplemousse. Et je réalise que j'ai éliminé Pascal pour des raisons tout aussi insignifiantes. Je tente de replonger dans mon livre, mais je suis incapable de me concentrer. Je pense à mon travail. À François. À Pascal. À Hélène.

Étrangement, depuis ma rupture, je voulais me concentrer sur moi, mais je me suis concentrée sur tout le monde sauf moi. La seule chose que j'ai laissée tomber, c'est les relations amoureuses. Comme si me concentrer sur mon travail, ça voulait dire me concentrer sur moi. Est-ce que j'ai abandonné les relations parce que ce n'était pas pour moi, ou par peur de l'échec ?

Mon père sort du condo.

— Hey les filles ! C'est *The Bodyguard* qui commence à la télé ! Vous voulez venir ? On fait du popcorn !

Anik et moi on se regarde avec un air de dégoût pince-sans-rire.

— Non papa, merci ça va être correct ! Viens nous rejoindre à la place !

— Fait trop chaud !

Et il rentre. Puis, je me tourne de nouveau vers Anik.

— Dans *The Bodyguard,* est-ce que Kevin Costner meurt à la fin ?

— Il me semble que non.

— Mais comment ça finit, déjà ? Pourquoi ils ne peuvent pas être ensemble donc ?

— Parce que elle, c'est une vedette, pis lui, un *bodyguard*?

— Qu'est-ce que ça fait ?

— J'sais pas. Il veut la protéger ? T'sais, on n'avait pas besoin d'autant d'émotions fortes à l'époque, pis on gobait tout dans les films.

— Mais quand elle lui chante *I Will Always Love You,* il n'est pas conquis ? Ça ne le convainc pas ?

— Peut-être qu'il la trouve trop intense ? *I will always love you…* Faut qu'elle se relaxe un peu, ça peut faire peur.

— Donc, il est assez courageux pour prendre une balle dans la poitrine pour sauver quelqu'un, mais pas assez pour sortir avec une fille intense? C'est quoi la morale de ce film-là?

— Tu me perturbes, on dirait que je suis fâchée contre Kevin Costner.

— Moi aussi! Quel moron!

Elle replonge la tête dans son magazine et j'ajoute:

— On devrait peut-être aller vérifier sur Wikipédia. On va se sentir mal s'il meurt.

— Ouain... Peut-être qu'il meurt. Oh... C'est triste!

— Mets-en! Mais est-ce que c'est plus triste s'il meurt ou s'il ne veut pas sortir avec elle pour des raisons connes genre «honneur de son métier»? Penses-tu que s'il meurt pas, c'est un cas de «*he's just not that into her*»? Pis qu'il se trouve des raisons?

— Y est mieux de mourir, le con. J'haïs les comédies romantiques!

— Tu penses que mon cerveau s'est mis à penser à ça parce que je commence à me relaxer?

— Je pense que c'est totalement le contraire. On n'est pas capables de faire le vide.

— Moi, je pense que je suis assez bonne pour ça.

Bonne nouvelle ! J'ai réussi à associer la boisson énergisante de François à un événement familial qui aura lieu dans quelques semaines, juste à temps pour notre relance. Ça a demandé des heures de travail. Hélène est responsable des relations de presse de l'événement en question, et elle m'a donné un coup de main, probablement pour me montrer ce qu'on pourrait arriver à faire ensemble, en équipe. Depuis notre dîner il y a environ un mois, j'ai décidé d'aller de l'avant avec l'association, et nous en sommes à négocier les conditions. Je me sens très emballée par cette décision.

Je texte François pour lui annoncer la nouvelle de l'événement familial.

Il est encore trop tôt ce matin pour que je m'attaque aux cent vingt-deux courriels que j'ai à lire. Mais je sais que si je m'y mets, j'y arriverai en une heure à condition de résister à la tentation de fouiller dans un panier de produits de beauté qu'une compagnie vient de m'envoyer pour que je m'occupe de ses relations de presse.

Je m'acquitte de la tâche tant bien que mal et je sors de mon bureau pour aller en réunion avec la directrice du marketing d'un complexe hôtelier de Toronto, avec qui Martin veut s'associer pour ouvrir un hôtel ici et qui voudrait faire sa marque auprès de professionnels.

J'arrive dans la salle de réunion. Martin me présente comme la relationniste qui a permis à sa compagnie de grandir et dit à la dame que toutes mes idées sont bonnes.

Je me sens flattée. Pourtant, je ne suis pas à mon top. On dirait que maintenant que je prends mes week-ends, ça me brûle des cellules au cerveau. Quand je n'arrêtais jamais de travailler, je ne comprenais pas que les gens puissent trouver que les lundis étaient difficiles, car ça ne changeait rien pour moi qu'on soit lundi ou un autre jour. Mais j'avoue qu'il est dix heures le matin et que j'aurais besoin de deux ou trois autres cafés pour me sentir apte.

Nous sortons de la réunion et on parle de tout et de rien jusqu'à ce qu'on arrive dehors. Martin m'embrasse sur les joues, me regarde plus intensément et demande :

— Pourquoi on n'est jamais sortis ensemble, nous, donc ?

— T'étais en couple. Maintenant, on est amis.

— Je suis séparé. Et toi, tu ne veux pas d'engagement. On serait le match parfait.

Je le regarde. J'ai toujours trouvé Martin beau, intelligent, j'ai de l'admiration pour ce qu'il a accompli. C'est sûr qu'avec les années, quand on connaît beaucoup quelqu'un, on arrête de le voir réellement, et on se concentre sur le travail. Dans les dernières années, j'ai été témoin de pas mal de choses dans sa vie. Je repense à certaines de nos conversations et confidences. C'est étrange, d'aussi loin que je me souvienne, je m'imaginais avec un gars comme Martin, un homme d'affaires charmant qui a du succès partout dans le monde, qui fait du sport, dont l'ambition est aussi grande que la mienne. J'imagine le genre de vie qu'on aurait pu avoir, le genre de maison qu'on aurait eu les moyens d'acheter. Pas juste une maison, des résidences secondaires un peu partout. Puis, je repense à toutes les femmes qu'il a fréquentées, sans compter la sienne, avec qui ça s'est terminé. Il n'avait pas vraiment de temps à consacrer à ce pan de sa vie. Il y a sûrement des gens d'affaires qui réussissent à concilier le tout. Pas lui.

— Martin, je suis vraiment flattée. Pour vrai, tu es sûrement l'homme idéal pour plusieurs filles, pour plusieurs raisons. Mais on est de meilleurs partenaires d'affaires que de vie. Et je vais te faire un aveu de style *coming-out* : pour les relations, je penche plutôt du côté des monogames.

— Ouf ! Je vais réfléchir pour savoir si je suis capable de t'accepter dans ta différence.

Il rit, m'embrasse sur les joues et hèle un taxi.

Il fait soleil. C'est le printemps. Je décide pour ma part de marcher pour me rendre au bureau. Je tente une fois de plus d'appeler François, mais je tombe sur sa boîte vocale.

En arrivant, je vois Jean-Krystofe discuter avec les Bergeron, ce couple de créateurs de salières poivrières.

— Nous avons travaillé vraiment fort et nous vous avons chargé un prix concurrentiel, dit Jean-Krystofe d'un ton calme à monsieur Bergeron, qui m'a l'air un peu impatient. Vos salières poivrières ont été mentionnées, avec photos, dans tous les magazines déco. En plus, la meilleure blogueuse déco en a parlé.

— Une blogueuse.

— Les blogues ont beaucoup plus de visibilité que les magazines. C'est le maximum qu'on peut faire pour le moment.

— On sait ben ! Vous préférez les compagnies qui donnent le cancer à des petites compagnies familiales qui veulent le bien des consommateurs. Nous, on voulait passer à *Tout le monde en parle,* et là, la saison est terminée ! Vous n'avez pas fait votre job !

Je m'approche d'eux.

— Monsieur Bergeron, combien je vous ai chargé pour votre campagne ? C'était un rabais par rapport à mes honoraires habituels. Je vous en rembourse la moitié, pas parce que vous considérez que le travail n'a pas été fait, mais parce que je ne veux plus jamais entendre parler de vous. Je vous suggère d'investir cet argent dans un nouveau produit, pour vous diversifier en tant qu'entrepreneurs. Je vous ai offert de travailler avec le meilleur employé que j'ai jamais eu. Il s'est consacré corps et âme à votre produit. Au revoir, bonne chance dans votre compagnie de salières poivrières, et je vous souhaite… que tout le monde en parle.

Sans rien ajouter, ils se lèvent et s'en vont.

Jean-Krystofe me serre dans ses bras.

Un avis de courriel me fait plonger le regard vers mon téléphone, espérant que ce soit François. Ce n'est pas lui. Je relève la tête distraitement vers Jean-Krystofe et lui demande de me suivre à mon bureau.

Lorsque nous sommes assis, il dit d'emblée, comme s'il avait peur de ce que j'allais dire :

— Tu es une bonne *boss*. C'est vrai que je vais sur Tinder, Facebook ou autre, mais ça ne m'empêche pas de faire mes heures.

— Je sais. Je te jure, on n'a jamais autant entendu parler d'une salière poivrière que de celle-là. Mais dans ma compagnie actuelle, je ne suis pas capable de t'offrir plus que la job que tu as là.

Il baisse la tête. Je continue.

— Mais je suis en train de finaliser une association avec Hélène Melançon, pour que la compagnie prenne encore plus d'expansion. Et j'aimerais que tu me suives. Je t'offrirais un poste de relationniste senior, le salaire qui vient avec, et tu serais en charge d'aller chercher des clients. Ça veut dire plus de terrain, de sorties, du réseautage. Et la possibilité de monter dans la compagnie si tu amènes des clients payants, et un pourcentage sur les contrats que tu apportes.

Il bondit de sa chaise.

— Ne t'énerve pas trop vite, le contrat n'est pas encore signé.

— Mais Hélène Melançon, ce n'est pas la vieille *bitch* dont tu m'as parlé ?

— Chut ! Pas de gros mots. C'était ma vision de fille de vingt-quatre ans. Mais cette fille-là n'existe plus et c'est tant mieux. Je te laisserais piloter tes dossiers, mais je te demanderais des résultats concrets. Je ne te ferais pas de cadeaux.

Il saute en applaudissant et en émettant des petits bruits de souris.

— Regarde, je pourrais te jeter hors du nid, tu as la capacité de partir ta propre compagnie, de faire comme moi, de sacrifier plusieurs années à ton travail, et dans quelques années, tu deviendrais un féroce compétiteur. Je t'avoue que je ne comprends plus rien, je vieillis. Les promos avec les nouvelles technologies, ça m'échappe légèrement. J'ai besoin de toi.

— Et… ?

— Et ?

— Tu m'aimes un peu aussi, hein, avoue !

— Oui, je t'aime. Bon. Je t'aime. T'es content ?

Jean-Krystofe est ravi. Il me remercie tout en me promettant qu'il ne laissera pas sa vie amoureuse entraver ses nouvelles fonctions. Je lui réponds que ce n'est pas de mes affaires. Que tant qu'il fait son travail, il peut bien utiliser son temps libre comme il veut. Mais qu'avec mon expérience, je pourrais lui être utile. Il m'accorde alors la permission de lui donner des conseils non sollicités mais néanmoins bienveillants, si je les lui dis de façon moins agressive. Message reçu.

Je me trouve si sage. Puisque le contrat d'association n'est pas encore signé, je demande à Jean-Krystofe de se retenir avant de publier des statuts Facebook concernant la nouvelle, puis je le somme de retourner au travail, question de conserver une certaine autorité.

Je regarde mes courriels et mon téléphone à la recherche d'une réponse de la part de François, il devrait lui aussi se réjouir de la nouvelle à son sujet, mais il n'a rien répondu. Je l'appelle, prête à le réprimander, à lui rappeler qu'un simple merci serait apprécié. C'est Chantal qui répond, en pleurs.

-30-

Je n'ai pas souvent assisté à des funérailles, surtout pas aux funérailles de quelqu'un de mon âge. C'est aussi la première fois que j'en organise.

Le seul mot qui me vienne en tête pour qualifier la situation, c'est « surnaturel ». À cause de la mort de François. Mais également parce que personne n'agit normalement. Je les observe sans émotion. Certains pleurent, d'autres se serrent dans leurs bras, d'autres rient et quelques-uns discutent comme s'ils étaient dans un lancement. Il y a des gens qui sont ici parce qu'ils ont vraiment envie d'être là, parce qu'ils en ont besoin pour faire leur deuil. Mais il y en a d'autres qui sont ici pour se faire du capital politique. En fait, peut-être que j'imagine ça et qu'au fond, ce n'est que mon cynisme qui ressort. Et que la mort est plus rassembleuse qu'on pourrait le croire. Mais en ce moment, je les ferais tous disparaître.

Je détourne le regard vers l'urne.

Quand Chantal m'a appris que François était décédé, je n'y croyais pas. Quand elle m'a dit : « As-tu appris la nouvelle pour François ? », je me suis demandé de quelle nouvelle elle me parlait, puisque je suis celle qui crée la nouvelle au sujet de François. Alors j'ai pensé qu'elle m'annoncerait qu'il l'avait quittée pour une maîtresse, ce qui aurait été probable selon moi. Ou qu'il avait tout vendu et s'était acheté une île déserte pour y vivre en changeant d'identité, loin du stress. Mais elle m'a plutôt annoncé qu'il est mort. Je ne me souviens plus des mots qu'elle a utilisés. Mais j'ai vite compris qu'il s'agissait de ça. Au début, j'ai pensé à un suicide. Et j'ai immédiatement ressenti de la culpabilité. Je ne sais pas trop pourquoi. Parce que j'aurais aimé le sortir du pétrin plus vite, sans doute. Ensuite, j'ai soupçonné une crise cardiaque. À cause du stress. Mes pensées se bousculaient pendant que Chantal parlait.

Tout est arrivé subitement. On n'aurait pu le prévoir, ni le prévenir. Ça pourrait être le stress, mais les médecins lui ont dit que c'était plutôt sûrement dû au hasard. Le hasard. Elle s'est levée le matin et il était immobile par terre dans la cuisine. Elle-même a pensé à toutes sortes de causes: suicide, surdose, crise cardiaque. Elle a appelé le 911. Les ambulanciers sont venus le chercher. Et quelques heures plus tard, elle a appris qu'il s'agissait possiblement d'une rupture d'anévrisme. L'autopsie allait le confirmer. Les médecins lui ont dit qu'il n'a probablement rien senti et est décédé en une fraction de seconde. Il y a quelque chose de rassurant d'apprendre qu'il n'a pas souffert. Même si c'est terriblement angoissant de savoir que tout peut s'arrêter ainsi du jour au lendemain, sans que tu aies pu régler tout ce qui avait à être réglé. Sans que tu aies pu faire tes adieux. On ne peut trouver d'autre coupable que la vie elle-même.

J'étais sous le choc. Pendant quelques minutes, après avoir raccroché avec Chantal, je n'y croyais pas. Rupture d'anévrisme? Autopsie? C'était impossible. Puis, finalement, j'ai fondu en larmes. Je ne me souviens pas d'avoir autant pleuré. Mes grands-parents sont morts. Mais c'est la première fois que quelqu'un de mon âge meurt. J'ai appelé Anik. J'ai appelé Gabriel. Je me suis mise à délirer. Je lui ai demandé si on n'avait pas fait fausse route tous les deux. Je ne sais pas pourquoi j'ai fait ça. Sûrement parce que pendant un instant, je me suis souvenue de sa façon de me regarder quand j'avais quitté pour mon opération, dans ma civière, et de son sourire tendre quand les portes de l'ascenseur s'étaient refermées. Il m'a répondu que ça vaudrait la peine qu'on s'en reparle. Sa réponse m'a déçue. Je crois que j'aurais aimé qu'il dise: «J'ai toujours pensé qu'on avait fait fausse route, merci de t'en rendre enfin compte, on arrête ce niaisage et on se marie maintenant.» Je m'en veux d'avoir pensé ça. Comme si, au fond, en étant en contact avec la fragilité de la vie, des réflexions enfouies en moi ressortaient sans que j'y puisse rien. Mais était-ce vraiment ce que je voulais exprimer ?

Je suis au fond de la salle. Il y a un nombre incalculable de gens. Je n'ai pas encore terminé la trentaine et dans les dernières semaines, il y a eu ma tumeur, le burn-out d'Anik… et maintenant la mort de François. Mon entourage se fragilise, on dirait. Quand j'étais petite, il me semble que ce genre de situation n'arrivait qu'aux personnes âgées. J'entendais mes parents et leurs amis parler de leurs maladies, de leurs amis qui commençaient à décéder. Je les trouvais si vieux. Et j'en suis exactement à cette période de vie. Où les maladies se font de plus en plus fréquentes et où la mort commence à frapper. Où des gens de notre génération commencent à nous quitter et nous confrontent au temps, celui qui passe, celui qui nous reste et celui qu'on perd.

En marchant parmi les gens, j'arrive derrière une fille que je connais, Isabelle. Elle tient la main de son chum, un comptable qu'elle fréquente depuis quelques années. Il pleure. Il connaissait François depuis l'enfance, d'après ce que j'ai appris. Je me souviens d'Isabelle dans ma vingtaine, lorsque j'étais stagiaire en relations de presse. Elle était stagiaire comme recherchiste à la radio. Elle était considérée comme la fille la plus cool de toutes les soirées. Elle avait un look rebelle. Elle connaissait tout de la scène émergente. J'avais toujours un peu envié ce côté d'elle. Puis, au fil des années, elle a sombré de plus en plus dans la déchéance, allant même jusqu'à perdre des contrats parce qu'elle ne rentrait pas travailler le matin ou qu'elle était éméchée au bureau. Dans une soirée, elle m'avait même parlé d'une relation toxique qui la rendait malade et dont elle essayait de se sortir, mais je n'avais pas trop compris. Puis, elle est disparue du milieu pendant quelques années, pour réapparaître différente. Un visage plus serein, des yeux plus lumineux, des joues ravagées par la vie, pleines de petites crevasses, la seule marque de sa vie difficile qui soit visible sur son corps. Des cicatrices dues à la drogue ? À la génétique ? Au passage du temps ? Je ne sais pas. Je l'observe de dos. Elle a une jolie robe noire, simple. Et des *combat boots* vert kaki. Il porte un complet gris. Je souris. Parce que je me souviens de l'Isabelle qui frenchait avec deux rock stars en même temps dans une soirée et qui disparaissait sans arrêt dans les toilettes. Et maintenant elle est là, devant moi, tenant tendrement la main d'un homme différent d'elle, avec qui elle semble si bien. Ce qui me remplit de joie, ce sont ses bottes, preuve qu'elle est restée elle-même, peu importe le genre d'homme avec qui elle a choisi de passer sa vie. Il l'accepte comme elle est, avec son côté rebelle qui sera toujours là. Dans cet événement où je me sens dévastée par la perte d'un ami, cette image d'Isabelle sereine me fait du bien.

Je n'ose pas les déranger et m'avance vers Chantal, que j'ai aidée à organiser la cérémonie.

J'aperçois Pascal à l'entrée et j'arrête mon mouvement. Il regarde de gauche à droite. Je crois qu'il me cherche. Je fais un signe discret pour qu'il me repère. Il me voit et me salue de loin. Je m'approche de lui.

— Qu'est-ce que tu fais ici ?

— Tu as dit que ton ami était décédé et j'ai pensé que tu aurais besoin… d'un ami. Je ne savais pas que j'arriverais dans des funérailles de ce genre. Il y a quoi, trois cents personnes ici ?

Je regarde autour. Je ne sais pas quoi répondre. J'aperçois Martin, qui parle aux enfants de François. Je regarde Pascal et je suis contente de le voir.

— Merci d'être là.

— Je sais que tu as sûrement des choses à faire donc je vais aller dans le coin là-bas. Je serai là si tu as besoin.

Je voudrais lui répondre quelque chose, mais je ne sais pas quoi dire. Je me sens touchée. Je ne sais pas si c'est parce qu'il est là, ou parce qu'il accepte qu'on soit amis.

Je me dirige vers Martin, qui me prend dans ses bras. Nous avons du mal à cacher notre émotion. Et nous pleurons en nous remémorant des souvenirs de François. En ressassant les dernières journées, nous demandant si nous aurions pu faire quoi que ce soit qui aurait pu changer les choses. Je regrette de ne pas l'avoir laissé venir au Bal d'hiver, de peur qu'il croise des journalistes. J'aurais passé une dernière soirée avec lui. J'en parle à Martin et il me rassure, me dit que j'ai fait le mieux pour lui, qu'on ne pouvait pas savoir.

Rédiger un communiqué pour annoncer la mort de François était un défi de taille où je devais laisser ma tristesse de côté et penser aux conséquences de chaque mot. Évidemment, sa mort, survenue peu de temps après cette nouvelle sur un de ses produits vedettes, pouvait laisser place à des amalgames, des gens auraient pu penser qu'il a été lui-même tué par son propre produit. Je devais non seulement indiquer les raisons de sa mort, mais tenter de minimiser les risques qu'on fasse un lien entre son décès et cette ancienne nouvelle. Quand j'ai mis le -30- au bas du communiqué, chiffre qui précise sans ambiguïté la limite du texte à publier ou, si on veut, l'équivalent du mot « fin » à la fin d'une œuvre de fiction, je me suis mise à pleurer, inconsolable, dans mon bureau. Première fois que je démontrais une émotivité quelconque devant un employé. Jean-Krystofe a été extraordinaire, me suggérant de me reposer, et me disant qu'il prendrait tout en charge au besoin. Mais je me suis ressaisie. Car je devais faire ce dernier contrat pour François. Mon ami. Le seul homme que j'ai vraiment laissé entrer dans ma vie ces dernières années, parce que c'était une relation dépourvue de possibilité amoureuse et que ça me comblait. Je suis triste de penser qu'il est décédé sans qu'on ait eu l'occasion de prendre un moment pour parler d'autre chose que des derniers événements.

La cérémonie a commencé. L'officiant commence à énumérer les qualités de François en regardant sur son papier. Je vois sa mère et Chantal pleurer. Ses enfants sont sans expression. Je vais m'asseoir naturellement près de Pascal. Une onde m'envahit lorsque l'officiant mentionne la qualité « rassembleur ». C'est vrai que François était rassembleur. À preuve, tous ces gens qui sont ici pour lui, peu importe leur raison. Ce n'est pas la mort qui rassemble. C'est lui. Je ne peux pas croire que c'est fini. C'est trop absurde. Pascal me caresse le dos doucement. Sa douceur me fait du bien. Je me sens bouleversée. Mélange de tristesse face au départ de mon ami, et de bien-être à cause de la main de Pascal dans mon dos.

La cérémonie terminée, la plupart des gens partent et il ne reste que la famille, moi et quelques personnes. Pendant que je remercie Pascal d'être venu et que je le conduis à la porte, je vois ce qui ressemble à une altercation entre Chantal et une jeune femme. Celle-ci s'écrie :

— J'ai le droit d'être ici ! Il aurait voulu que je sois là !

Les responsables de la salle veulent l'escorter vers la sortie et je l'entends crier :

— Il m'a dit qu'il m'aimait ! Il me l'a dit ! Il allait se séparer et on serait partis vivre ensemble !

Je m'approche. Chantal me regarde. Je sens dans son regard qu'elle me supplie de faire quelque chose. Je ne comprends pas trop ce qui se passe. Et mes émotions sont trop chamboulées pour que je puisse réagir rapidement. Chantal me laisse avec les deux agents de sécurité qui tiennent la jeune femme par le bras, pour retourner dans la salle de cérémonie. Une fois seule avec eux, je leur dis de la lâcher et de nous laisser.

Je me place devant elle et je l'observe. Et je finis par comprendre qu'elle était la maîtresse de François. Il m'avait dit qu'il était « sobre de tout », qu'il ne voyait plus personne. Il m'avait menti.

Puis, un flot de colère s'empare de moi. Tout rejaillit à la surface. J'ai l'impression de ne pas la voir elle, mais de voir Daphnée. J'ai envie de crier tout ce que je retiens depuis tellement d'années. De lui demander pourquoi elle s'est accrochée à un homme qui avait une famille, comment elle a pu être assez naïve pour croire à un amour entre eux. De l'obliger à répondre à la question: «Depuis combien de temps ça durait, cette histoire?» De lui demander elle a quel âge. Et à quel âge elle a commencé cette histoire sans lendemain en croyant qu'elle serait éternelle. J'ai envie de lui cracher au visage des mots tellement durs qu'elle n'y survivrait pas. J'ouvre la bouche pour déverser ce fiel que je retiens depuis tant d'années, puis je m'arrête. Je regarde ses yeux, sa chair blanche, ses pommettes roses, ses lèvres rose foncé sous son maquillage. Je me revois à son âge. Attendant, pleine d'espoir, que celui que j'aimais m'aime autant que je l'aimais. J'attendais le conte de fées. Celui où le prince se fout de la princesse pendant toute l'histoire, sauf au revirement final. J'attendais ce *happy end* qui est présenté comme possible à la fin des contes, anciens comme modernes.

Une partie de moi veut la détester car je me vois en elle. Je vois mes méprises et mes déceptions, celles qui ont emporté toutes mes illusions.

Mais cette fille n'est ni Daphnée, ni moi.

Ma violence intérieure fait tranquillement place au calme. Et je l'observe quelques secondes.

Je vois une jeune femme naïve, pleine d'espoir, qui attendait celui qu'elle croyait être son prince, et qui est mort avant qu'elle puisse vivre pleinement cet amour qui n'était qu'illusion pour elle, amusement pour lui. Mon ami était une personne complexe. J'aimerais dire: un être très égoïste, et je le ferais s'il était vivant et que je pouvais le sermonner un peu, mais il est mort. À quoi ça me servirait de salir sa mémoire?

La jeune femme qui se tient devant moi est visiblement amoureuse et croyait sans doute qu'elle était davantage qu'une distraction. Parce que François devait lui dire des choses auxquelles elle s'accrochait.

Ses yeux transmettent une souffrance. La souffrance de la fille qui n'a pas le droit d'être là. Cet événement lui renvoie le reflet de son invisibilité, de l'indifférence qu'elle provoquait chez celui qu'elle aimait. Le testament de François en témoignera sûrement, car elle n'y sera même pas mentionnée. Comme si elle n'avait jamais existé pour lui. Apprendre qu'on n'est rien aux yeux de quelqu'un qui nous a fait croire à une certaine importance est terrible.

En continuant de l'observer, je me souviens d'un moment, dans un événement. J'étais autour du buffet de petites bouchées avec François et on revoyait son planning d'entrevues. Puis, cette fille est venue vers lui, j'ai cru qu'elle était une amie ou une employée, elle s'adressait à lui avec une certaine familiarité. Elle lui a demandé :

— Il y a quelque chose après ?

Je n'ai pas trop prêté attention. Après un lancement, il y a souvent un souper qui s'organise entre quelques personnes.

François a répondu, assez froidement :

— Oui, moi je vais souper.

Et elle a répliqué, de façon coquine :

— Ah oui ? Avec qui ?

Et il a lancé, comme une évidence assez tranchante :

— Avec ma famille.

J'avais cru percevoir une déception dans les yeux de la fille. Sur le coup, j'avais pris ça pour la déception typique de gens qui ont envie que la soirée ne se termine pas à dix-neuf heures. Aujourd'hui, je comprends que ce n'est pas un party qu'elle convoitait, mais lui. Et que la simple évocation de sa famille lui a fait un coup au cœur. Parce qu'elle avait le droit d'être à cet événement, à la condition de se montrer discrète. Elle n'avait donc pas le droit non plus de réclamer sa présence. Elle devait seulement accepter d'être disponible lorsque lui l'était.

La jeune fille me fixe toujours de ses yeux pleins de larmes. Je lui pose la seule question qui me semble appropriée :

— C'est quoi ton nom ?

— Chloé.

Puis, je la prends dans mes bras et je lui dis :

— Ce sera dur. Souffrant. Tu ne voudras plus jamais faire confiance à ton cœur pour choisir qui aimer. Sois douce envers toi-même. Choisis mieux la prochaine fois. Tout ira bien.

Je la libère de mon étreinte. Son regard plein d'eau semble interrogateur. Je dis aux hommes de la sécurité de la laisser partir. Pour qu'elle puisse s'en aller avec dignité.

Je pense que la fin de la vie de François était condamnée au drame. Puis, je me demande pourquoi il m'a menti en me disant qu'il était « sobre de tout », pourquoi il ne m'a pas confié ses dilemmes matrimoniaux, alors que je croyais que nous n'avions pas de secrets l'un pour l'autre. Notre amitié était-elle réelle ? Ou je me suis illusionnée sur ça aussi ? Et je me dis que moi aussi j'ai omis de lui parler de mes nouvelles réflexions, sur la lassitude que j'ai ressentie face au célibat après mon opération. Et je réalise que tous les deux, ce n'est pas aux autres que nous mentions, et que certaines choses doivent être assumées avant d'être dévoilées.

Je reviens dans la salle. Chantal me regarde. Je sens qu'elle sait que je savais.

J'ai honte.

LE TRAIN

Je ne me souviens plus exactement quand, mais ce serait facile de retrouver l'année parce que Chantal était enceinte de leur troisième enfant, ça ne faisait donc pas très longtemps que je les connaissais. Nous étions dans le train, François, Chantal et moi. Nous allions je ne sais plus trop où. On a tellement voyagé en train ensemble, pour toutes sortes de promotions qu'on a organisées, pour toutes sortes de nouveaux projets fous, que ma mémoire fait parfois défaut quant aux détails. François et Chantal étaient assis côte à côte. J'étais assise en face d'eux. Chantal lisait. François lui caressait parfois le ventre. Il la regardait amoureusement. Le soleil entrait par la fenêtre du train. Ou enfin, il pleuvait peut-être, mais dans mon souvenir, il fait soleil. J'étais témoin de cette scène pleine d'amour et de tendresse bien éclairée par la lumière du jour, avec les paysages qui défilaient en arrière-plan. Et j'avoue que j'ai peut-être à un certain moment ressenti de la jalousie. Pas parce que j'étais secrètement amoureuse de François, comme certains ont pu le penser parfois en voyant notre complicité, mais parce que j'aurais voulu qu'on m'aime comme ça. J'aurais voulu qu'on me regarde avec ces yeux. J'aurais aimé aussi, un jour, devenir mère. À mon âge, sans amoureux, mes chances diminuaient de plus en plus. Il arrivait parfois qu'on me suggère de faire ce projet seule, comme Anik, et je ne rejetais pas l'idée. Mais j'observais François et Chantal ce jour-là, et c'était ça que je voulais. Je voulais la totale. L'amour. La famille.

C'est quelque chose de voir ça défiler sur le fil d'actualités Facebook, le bonheur des autres, les petits plaisirs du quotidien, alors que dans ma vie, le quotidien se résumait à un souper mangé en vitesse devant un épisode d'une vieille série télé ou un film. Rarement une comédie romantique. J'en avais trop vu. Je n'y voyais plus que du sexisme, ou cette indifférence qu'on nous présente comme de la réussite amoureuse.

Souvent, la fille choisit un homme qui n'a jamais su s'il l'aimait ou non. La plupart du temps, ces films laissent croire que les pervers narcissiques peuvent un jour devenir des princes charmants, et ça donne de la crédibilité romantique à toute une légion de manipulateurs.

Dans le train avec François et Chantal, je n'étais pas devant une scène de comédie romantique. J'étais spectatrice du vrai amour.

Chantal s'est levée pour aller aux toilettes. François l'a regardée s'éloigner. Puis, il s'est emparé de son téléphone. Et je l'ai entendu dire ceci :

— Salut, *babe*. J'm'ennuie tellement.

Sur le coup, j'ai pensé qu'il appelait sa femme juste parce qu'elle avait changé de wagon. J'ai trouvé ça *cute*. C'était naïf.

Il a enchaîné :

— On se revoit dans deux jours, promis.

Et il a fait des sons qui me semblaient intimes, sensuels. Des « hum ». Des « Oh oui ». Des « Moi aussi ». Des « Je sais ». Des mystères.

Il paraît que l'état de choc est une réaction du corps après un traumatisme. Il survient un ralentissement du système circulatoire quand l'apport de sang aux organes est insuffisant. Et des cellules des organes vitaux comme le cœur, en manque de sang, finissent par mourir.

Je pense que mon cœur est mort plusieurs fois dans les dernières années. Jusqu'à ce qu'il ne reste plus rien en dedans de moi pour ressentir quoi que ce soit. Cette fois-là, ça a été le coup final. Pas celui qui est le plus fort nécessairement. Mais celui qui, cumulé aux autres, achève le travail.

François a raccroché. Il m'a regardée. Puis, il a dit :

— Hep. C'est comme ça.

« Hep, c'est comme ça. » Une phrase anodine, qui me fait encore un effet violent quand j'y repense.

Chantal est revenue. François a soutenu mon regard, faisant de moi une complice involontaire de ce qui venait de se passer. Prisonnière d'un secret que j'aurais préféré ne pas connaître. Elle n'a pas repris son livre tout de suite. Elle m'a demandé :

— Pis, Sarah ? Toujours célibataire ?

J'ai fait oui de la tête. Aucun son ne sortait encore de ma bouche.

— Ah les célibataires ! Vous devez avoir une vie excitante... comme dans les films !

J'ai souri. Le genre de sourire qui ressemble à une grimace de reflux gastrique, qu'on fait pour cacher ce qui se passe en dedans.

Chantal a commencé à me parler de sa vie avec François. Des difficultés qu'ils avaient surmontées. De cette troisième grossesse si désirée. François me regardait droit dans les yeux, sans émotion, sans anxiété, confiant que je ne le trahirais pas. Et je me souviens de l'avoir trouvé cruel. Envers elle. Mais envers moi, également. Parce qu'il avait raison : je ne le trahirais pas. Qu'est-ce que j'aurais pu dire à ce moment ? J'aurais dû dire à Chantal que j'avais entendu la preuve que son chum la trompait ? Était-ce d'ailleurs une preuve ? En justice, cette preuve serait-elle jugée valable ? Une conversation, ça ne prouve rien. J'ai du mal à me rappeler si cette journée-là, il faisait soleil ou s'il pleuvait. Et je me souviendrais parfaitement de quelques bruits supposément sensuels ? Ou s'il a vraiment appelé quelqu'un « *babe* » ? Étais-je la bonne personne pour dire ça à Chantal ? Rendu là, ce n'était même plus une question de protéger mon client ou non. Ce n'est pas pour le contrat que je n'ai rien dit. C'est que je n'avais aucune idée de ce que ça pourrait avoir comme impact de parler. Si elle perdait son bébé ? Si je détruisais une famille ? Si elle acceptait l'infidélité tant qu'on ne la mettait pas au courant ? Je n'avais aucune idée de ce que je pouvais me permettre de dire ou non.

Tout est devenu très confus. Alors j'ai écouté Chantal me parler de son bonheur. Mais je ne l'ai plus jamais enviée.

Quelques mois plus tard, François s'est confié à moi. Il a même pleuré. Il m'a dit qu'il aimait Chantal, qu'il ne voulait pas lui faire du mal, mais qu'il était incapable d'être monogame, fidèle. Il m'a même dit que tous les hommes étaient comme lui. Je ne sais pas si c'est vrai, ou s'il a dit ça pour se déculpabiliser. Mais je l'ai cru. Et à ce moment-là, je me disais que si je voulais sortir avec un homme, je devais accepter ce fait. Mais puisque j'en ai été incapable, j'ai préféré rester seule. Une décision prise en moi en ne regardant plus le couple devant moi, surtout pas en l'enviant, en me tournant vers le paysage nous menant vers je ne sais où. Parce que l'infidélité m'avait fait souffrir. Et j'ai pensé que j'étais inapte pour mon époque.

Mais peu importe, puisque j'étais déjà morte.

Et à partir de ce moment, c'était inutile de tenter de me réanimer.

PASSER À AUTRE CHOSE

Dans mon temps, le passé s'estompait. Maintenant, plus rien ne s'efface. Le temps ne parvient plus à chasser les souvenirs. Parce que les souvenirs reviennent nous hanter par les réseaux sociaux. Il suffit d'un seul *« like »*, d'un seul commentaire de quelqu'un du passé sur le statut de quelqu'un du présent, pour que tout remonte à la surface. Tout reste là. Et c'est facile de stagner.

Je pense que les gens ont décidé de mettre leurs émotions de côté parce que c'était trop difficile de gérer ces informations incessantes qui contribuent au surplace.

« Dans mon temps », ça veut dire ce temps qui est passé et dont on voudrait qu'il ne soit jamais révolu. Ça veut dire que tout est allé trop vite pour notre évolution naturelle. Ça veut dire qu'on n'a pas été capables de passer à autre chose alors que c'est ce qu'on exige de nous, qu'on fasse nos deuils à la vitesse qui est convenable pour les autres, au vu et au su de tous. Quand un sujet en remplace un autre. Que les drames en série de l'actualité nous font même oublier notre propre vie, nos propres émotions. C'est devenu culpabilisant de se plaindre pour nos propres drames, trop petits lorsqu'on les compare à l'échelle de la planète. On regarde le reste du monde souffrir et se faire plaindre par tout un chacun sur les statuts Facebook, et on trouve notre drame tellement peu tragique à côté qu'on ne se permet pas de vivre l'émotion qui nous habite. Je suis nostalgique de cette époque où on pouvait vivre son émotion sans qu'elle soit mise en perspective, et où elle s'effaçait avec le temps sans qu'on soit confrontés sans arrêt à ce qui fait mal.

Aujourd'hui, quand tu t'attardes plus de quelques jours sur un même sujet, les gens te conseillent de passer à autre chose. Et ceux qui n'y arrivent pas sont considérés comme lourds. On fait le vide autour d'eux. Quel est le délai acceptable pour régler nos tragédies personnelles sans mettre les autres mal à l'aise ?

J'ai trouvé plus facile de mentir. À moi-même comme aux autres.

La vérité, c'est que j'ai pris la décision d'être seule car c'était plus facile pour moi. Dire aux autres que je suis plus heureuse célibataire, plutôt que de vivre un mensonge de plus, un rejet de plus, ou de dire que je ne me suis jamais vraiment remise d'avoir été trompée et, donc, d'admettre que mon ego doit être démesuré pour ne pas être capable d'avaler ce qui est devenu si banal. Mentir aux autres pour éviter d'être jugée. Me mentir à moi-même pour éviter de souffrir.

Je me sens liée à mon passé. Sans être capable de passer à autre chose. Et j'aurais envie de tout effacer.

Je n'ai plus envie de faire semblant que rien ne m'atteint.

J'ai des choses à régler.

J'ai besoin de savoir ce que j'ai refusé de savoir, question de me faire croire que j'étais passée à autre chose.

Gabriel et moi nous sommes donné rendez-vous pour souper. On s'est installés au bar d'un resto qui a été coté comme un des meilleurs nouveaux rendez-vous gastronomiques de Montréal. J'ai commandé au serveur un blanc avec accents d'agrumes. Je voulais un Sancerre, mais je ne l'ai pas dit, au cas où il ferait une meilleure suggestion. J'ai réalisé qu'il y a quelques années, avec Gabriel, le choix d'un vin, c'était bien différent.

— Te souviens-tu quand on se contentait juste du vin le moins cher?

Il sourit. Je ressens une pointe de nostalgie. Pas d'avoir manqué d'argent. Mais tous ces sacrifices qu'on a faits ensemble nous ont rapprochés. À part ma famille et peut-être Anik, il est le seul qui m'a connue à cette époque et qui fait encore partie de ma vie.

— T'étais en feu, Sarah. Tout pour tes rêves. Tu as réussi. Ta compagnie, c'est exceptionnel.

— Et toi, associé dans une des meilleures agences de pub…

— Et on peut laisser le serveur choisir notre vin à l'aveuglette.

— C'est sûrement ça, notre plus grande réussite.

Parfois, certaines blagues sonnent amer. Ça ne devrait pas. Mais ce soir, devant lui, j'ai l'impression que tout se résume à ça. Et ma première gorgée de vin me brûle un peu l'œsophage. Comme ce n'est pas à cause du vin, je fais un signe de tête au serveur pour signifier qu'il me convient et qu'il est bien choisi.

Je regarde les couples autour. Certains sont clairement dans leurs débuts. Ils sont peut-être venus essayer le resto ici, ont fait leur réservation à l'avance, ont eu hâte à cet événement spécial.

Je regarde Gabriel, et je me demande si on nous voit comme des amoureux, ou comme des collègues de travail, ou comme des critiques culinaires puisque nous émettons un commentaire sur chaque plat comme si nous étions de grands connaisseurs gastronomiques alors que nous ne sommes rien de tout ça. Je ne regrette pas nos choix. Je ne serai jamais cette fille qui se sent coupable face à son ambition. Parce qu'au niveau professionnel, je me sens accomplie. J'ai juste l'impression qu'au niveau personnel, j'ai besoin d'une nouvelle direction.

Je ne sais pas trop comment j'ai fini par être anesthésiée sur le plan émotif par rapport à ce qui s'est passé entre nous. Quand on a repris contact après la rupture, les messages de Gabriel commençaient toujours par «Quoi de neuf?», et j'ai tranquillement appris à les prendre avec plus de légèreté, à les voir comme une prise de nouvelles sans conséquences, et à laisser s'installer une bonne entente entre deux ex qui ont laissé le passé derrière et qui, en hommage à ce qu'ils ont vécu de bien, savent se montrer courtois. C'est comme si, à force de recevoir des messages de Gabriel me demandant de mes nouvelles, j'avais abdiqué. Je n'ai plus vraiment cherché à comprendre ce qui l'avait poussé à aller voir ailleurs, avec mon assistante de surcroît. J'ai arrêté de chercher à comprendre pourquoi il m'avait fait ça, pourquoi il nous avait fait ça. Et au final, pourquoi il ne m'avait pas choisie. Pourquoi il ne nous avait pas choisis. J'ai décidé de ne retenir que le positif de nous. Je ne ressentais plus rien non plus quand il m'annonçait qu'il était avec quelqu'un.

— Comment va ta blonde?

— Bien.

— Est-ce que ça lui a fait quelque chose que tu sois venu à l'hôpital avec moi?

Il ne répond pas. Il mâche lentement sa bouchée en regardant dans son assiette. Puis, il pointe mon foulard et demande:

— Comment ça va, la plaie ?

— Ça guérit tranquillement. Mais… tu ne lui as pas dit ?

— Elle n'est pas obligée de tout savoir.

Je laisse passer un temps, puis je me lance. J'ai longtemps refusé de le faire, mais maintenant, c'est le moment.

— Je sais que ça fait longtemps, et que je devrais être passée à autre chose, mais… Pourquoi Daphnée ? Pourquoi l'infidélité ? Et pourquoi tu l'as choisie ?

— Ça ne m'a pas donné grand-chose.

Il rit.

— Mais tu ne réponds pas à la question.

— Ah, pourquoi on parle de ça après autant d'années ? Me semble qu'on est ailleurs, toi pis moi.

— Parce qu'on n'en a jamais vraiment parlé. J'ai mis ça de côté. En fait, la vérité, c'est que je pense que j'ai toujours eu peur d'entendre les réponses.

— J'sais pas. J'étais pas prêt. J'étais jeune. J'ai tout gâché. Mais j'ai pas de grosses explications à donner à part ça. J'ai des regrets, t'sais. Tu restes la fille la plus importante pour moi.

— Et là, maintenant, pourquoi elle ? Ta blonde, je veux dire ? Tu es prêt maintenant ?

— Qu'est-ce que tu veux dire ?

— Avec elle, ça fait un bout, non ?

— Je sais pas. Elle ne me demande rien. Elle me laisse vivre.

— Et moi, non ?

— Pas que tu me laissais pas vivre comme tel, la preuve je suis vivant. Héhé. Mais je sais pas, c'est pas compliqué, Sarah.

— J'ai toujours aimé ça comment tu dis mon nom.

— J'ai toujours détesté comment tu reprends les gens au sujet de ton nom…

Ça a toujours été ça entre nous. On ne voit pas les choses de la même manière.

Mais ça m'a pris du temps pour comprendre.

C'est bizarre que ce soit avec lui que je me suis le plus sentie moi-même, alors que c'est avec lui que j'ai vécu la plus grande illusion.

Il y a plusieurs années, Gabriel et moi avions loué un chalet. C'était un petit chalet en campagne. Nous n'avions pas beaucoup d'argent. Il y avait des trous dans les bras des divans pour déposer un verre de bière.

C'était rustique. On est sortis pour faire l'épicerie et on a vu qu'au village, tout près de là, il y avait une petite fête foraine, avec des kiosques d'artisans. On a décidé d'y aller. C'était le genre de vacances qu'on pouvait se permettre à cette époque, et on saisissait les opportunités.

On marchait donc parmi les kiosques. On a acheté de la confiture et un savon fait maison à la lavande. Puis, on est tombés sur une voyante. Pour rire, on a décidé de payer les cinq dollars la minute que ça coûtait pour se faire tirer aux cartes.

La voyante m'a beaucoup parlé de ma carrière. Et je n'ai pas vraiment retenu ce qu'elle a dit sur ma vie amoureuse. À ce moment, j'étais avec Gabriel. Je me croyais heureuse. En fait, je l'étais. Je ne m'attendais pas du tout à une rupture. Aujourd'hui, quelqu'un me raconterait ma propre relation et j'y verrais des signes évidents d'échec imminent. Mais je ne crois pas que la voyante aurait pu prédire que le gars à mes côtés finirait par m'emmener en voyage dans une destination où tout le monde est heureux pour mettre fin à notre relation.

Par contre, quelque chose m'avait marquée quand elle avait tiré les cartes de Gabriel. Ça me revient en tête en ce moment. Elle avait tiré une carte montrant une femme entourée de flammes rouges. Et elle avait dit :

— Ça, c'est votre dame de feu.

Et elle m'avait regardée. Gabriel avait ri, car il me disait souvent que j'étais « en feu ». Il répétait qu'il admirait mon aplomb, mon côté fonceur, même si parfois il trouvait que j'en faisais trop.

J'avais remarqué que juste à côté de la dame de feu, il y avait une autre carte, représentant une frêle petite blonde, toute de blanc vêtue, une robe légère au vent, les cheveux attachés et piqués de petites fleurs blanches, penchée pour cueillir des marguerites. J'avais pointé la carte et j'avais demandé :

— Et elle, c'est... ?

Les souvenirs, ça se transforme. On les réécrit selon ce qu'on ressent dans le présent, avec ce qu'on connaît du passé. Alors je suis persuadée que la voyante m'a regardée et qu'elle a baissé les yeux, mal à l'aise. Je ne le dirais à personne, car je ne voudrais pas avoir l'air de croire à des choses ésotériques, et cette dame qui me chargeait cinq dollars la minute n'a certainement pas vu mon avenir. Pourtant, à côté de la dame de feu qui me représentait, il y avait cette blondinette radieuse. À l'époque, je n'avais rien dit. Je n'avais même pas ressenti d'insécurité. J'étais dans un week-end romantique avec mon amoureux. On se faisait tirer aux cartes pour rire. J'étais heureuse. À ma question, la cartomancienne avait finalement répondu :

— Le calme.

Gabriel prend une bouchée. Il regarde toujours son assiette. Je lance :

— Je comprends, c'est la cueilleuse de marguerites.

En disant ça, je me fais un peu mal à moi-même. Lui ne semble pas comprendre. Il ne doit pas se souvenir de ce moment. Il se contente de me regarder plus intensément, intrigué. Et il demande :

— L'autre jour, tu disais qu'on devrait se laisser une autre chance. T'étais sérieuse ?

— François venait de décéder. Je délirais. Désolée.

Je me demande ce qui m'est passé par la tête, au juste. J'ai été nostalgique de lui, alors qu'il ne reste rien entre nous, à part une amitié basée sur des souvenirs que nous n'avons même plus en commun, puisqu'ils diffèrent dans nos esprits.

C'était une évidence que je n'ai pas vue, comme plusieurs autres. Je n'ai pas besoin de plus d'explications. Je suis la dame de feu, il a un faible pour les cueilleuses de marguerites. Lui et moi, ce n'était tout simplement pas dans les cartes.

FIDÈLE À LUI-MÊME

La bouilloire vient de se mettre à siffler. L'instant d'avant, Chantal m'a demandé si je savais. J'ai pris une grande inspiration. Et pendant une fraction de seconde, j'ai confondu mon inspiration avec le sifflement de la bouilloire. Alors elle m'a dit avec un clin d'œil :

— Je te laisse penser à ça, je reviens.

Et elle est allée à la cuisine verser l'eau bouillante dans la théière.

Dans leur maison, rien n'a changé. On dirait que François vit encore ici. De toute façon, comment les choses auraient-elles pu changer aussi rapidement ? Je pensais simplement qu'en venant ici, je sentirais son absence. Mais pas du tout. On dirait qu'il est là.

Je regarde le fauteuil devant moi. Un après-midi, François m'avait demandé de venir le voir, car il voulait un conseil. Il avait croisé quelqu'un au restaurant alors qu'il était avec sa maîtresse (était-ce Chloé ? Je ne sais pas). Quelqu'un d'assez influent qui aurait pu détruire sa vie. Étrangement, il a toujours pensé que c'étaient ses infidélités qui le couleraient. Il n'avait jamais vu venir que ce serait une fausse nouvelle concernant ses canettes. Ce jour-là, il était dans tous ses états. Il se prenait la tête à deux mains. Il me confiait ça, chez lui. Pendant qu'il me parlait, je pensais souvent à Gabriel et je me demandais si lui aussi avait déjà confié ses infidélités à quelqu'un dans notre appartement. J'avais l'impression que ça contaminait le lieu. Un lieu qui représentait un « nous ». Je me demande si c'était le fait d'avoir été pris en flagrant délit qui le mettait dans un tel état. Comme si le fait de se voir à travers des yeux surpris, peut-être même déçus, ou probablement contents de voir que tout n'était pas si parfait que ça dans sa vie, le confrontait à ce qu'il était vraiment. Et qu'il n'aimait pas cette image de lui. Il avait fini par dire après un long moment : « Chantal ne mérite pas ça. » Depuis toutes les années où je le connaissais, c'était la première fois qu'il exprimait ce sentiment. Cette peur qu'elle souffre si elle apprenait quoi que ce soit. Comme s'il n'avait jamais considéré cette option. Comme si, dans cette vie qu'il menait de façon parallèle, il n'y avait aucun risque qu'elle l'apprenne.

Chantal revient avec deux tasses de thé.

Je dépose ma tasse.

— Je savais.

— Depuis longtemps ?

— Depuis quelques années.

Je n'ose pas dire qu'elle était enceinte quand je l'ai appris. Y repenser me met encore en colère. Et je n'ose imaginer ce que ça lui ferait à elle.

Elle hoche la tête. Elle prend une gorgée de thé. Je continue :

— Je suis désolée, Chantal…

— Non, ça va. Je digère l'information.

— Je ne pouvais pas te le dire. Ça aurait gâché votre vie. Et il répétait toujours qu'il t'aimait. C'était mon ami.

Une émotion me traverse à ce moment-là. C'était mon ami. Et il ne sera plus jamais là. Et ce qui me perturbe, c'est que tout ne s'efface pas parce que quelqu'un meurt. Je serai obligée de faire la paix avec tout ce qui le concerne, par moi-même. Chantal baisse la tête.

— Il va nous manquer.

— Je n'ai pas d'excuse pour n'avoir rien dit. Je me suis souvent demandé ce qu'on devait faire dans ces moments. J'ai été trompée, moi aussi. Et quand je l'ai su, je n'ai plus jamais été la même. Je ne veux pas que ça arrive à d'autres.

Chantal reste silencieuse un moment.

— Cette fille. Venir faire une scène aux funérailles de François. Mon chum. Mon mari. Pourquoi faire ça à ce moment ? Maintenant, je suis en colère contre lui au lieu d'être triste parce qu'il est parti. Et je ne peux pas me chicaner avec lui. Je ne peux prendre la décision de rester ou de partir. C'est ça qui me fait le plus mal. De ne pas avoir eu le choix.

— Est-ce que je peux te faire part de quelque chose qui provient de mon expérience personnelle et des confidences de François ?

Elle opine de la tête. Je soupçonne qu'elle retient ses larmes. Je poursuis.

— Gabriel m'a trompée et il ne m'a pas choisie. S'il m'avait dit qu'il m'avait trompée et qu'il voulait travailler notre couple, j'aurais pu choisir de partir ou de rester. Mais moi non plus, je n'ai pas eu ce choix. Il m'a trompée et il est parti. Il a choisi la maîtresse, qui, elle, avait quatre autres amants.

Elle rit. Je ne le prends pas mal, c'est vrai que c'est drôle. J'en ris aussi, peut-être pour la première fois.

— Ok, oui, c'est un peu drôle. J'admets que j'étais satisfaite de ce revirement de situation. La différence avec François, c'est qu'il ne te trompait pas parce qu'il pensait te quitter et qu'il n'était pas capable d'y faire face tout seul. Il le faisait par… divertissement. Il ne parlait que de toi, que de son amour pour toi. Bon, je ne te dirai pas que je serais à l'aise avec ça. Mais il m'a fait voir les choses d'une autre façon.

— Tu crois que les enfants le savent ?

— Je ne sais pas.

— Ça me ferait honte.

— François t'aimait.

— J'écoute ce que tu dis et je pense réellement qu'au fond de moi, je savais ça sur lui. J'ai fermé les yeux sur certains signes parce que j'avais peur.

— Peur ?

— Peur de le perdre. Peur de perdre notre cocon familial. Notre équilibre. J'ai une belle carrière. Je suis une femme indépendante. Et pourtant, je n'ai pas parlé. Je ne me suis pas défendue. Je l'ai laissé faire. J'ai étouffé mes émotions quand j'avais un doute. Si ma fille me racontait qu'elle vit ça, je lui dirais de parler ou de partir.

— Tu l'aurais quitté si tu avais su?

— En ce moment je te dirais oui, mais dans les faits, je ne sais pas. Tu as raison. Si je m'étais sentie choisie, j'aurais peut-être décidé de traverser ça avec lui.

— Il t'a toujours choisie.

— Merci.

— Il n'avait juste pas la même façon de voir la vie que nous...

Nous plongeons toutes les deux dans nos pensées. Tout s'est passé très vite dans les deux dernières semaines. Nous vivons, chacune de notre côté, un deuil différent. Et plus les jours avancent, plus ça devient réel. Plus on réalise que c'est vrai, que François ne reviendra pas. Je brise le silence.

— Tu sais, au fond, je ne pense pas que tu n'as pas parlé par peur ou par faiblesse. Je pense que tu l'aimais comme il était.

— Peut-être... Je t'en reparlerai dans deux ans, après ma thérapie.

On rit. Puis, elle adopte un ton délicat pour annoncer:

— Sarah, je... J'ai décidé de vendre la compagnie. Je ne sais pas ce qui va arriver par la suite pour les relations publiques. J'espère que tu ne m'en voudras pas. Bien sûr, à cause des derniers événements, on n'obtiendra pas une si grosse fortune. Mais ce sera assez pour payer les dettes et être confortables.

— Je comprends. Ne t'en fais pas avec ça.

— Je sais que François était un de tes plus gros clients.

— J'en ai d'autres. As-tu déjà entendu parler de salières poivrières qui révolutionnent l'art de saler et de poivrer? Sans blague, j'ai de beaux projets. Ne t'en fais pas pour moi.

On continue à parler. On se raconte des souvenirs. On pleure toutes les deux. On rit quand on se rappelle que l'officiant des funérailles a inventé des qualités que François n'avait pas du tout, comme «philosophe» «lumineux» et «à l'écoute des autres».

Puis elle me dit qu'éventuellement, elle aimerait peut-être connaître des détails sur ses infidélités. Elle me demande si elle pourra me rappeler un jour à ce sujet, pour savoir qui était François lorsqu'il n'était pas avec elle. Je fais signe que oui.

Les enfants rentrent de l'école. Me saluent. Et je me lève pour partir. Chantal me demande d'attendre un moment. Elle va dans le bureau de François puis en ressort avec un tableau qu'elle me tend.

— Tiens, je te le donne. François disait souvent que ça lui faisait penser à toi.

Je regarde la toile. Sur le coup, je la trouve quétaine. C'est une toute petite toile, abstraite. Un petit trait blanc-rose, et plusieurs traits noir et gris sur fond blanc.

— À moi?

— Il disait qu'il te voyait, une ligne pure envahie par la tristesse.

— François était assez premier degré, non?

— Ah ça oui! Hahaha!

— Pourtant, je n'arrêtais pas de lui dire que j'étais bien.

— François avait plein de défauts. Mais il flairait les mensonges.

D'un coup d'œil, elle s'assure que les enfants sont assez loin et elle me dit plus bas:

— Peut-être parce qu'il était lui-même menteur.

Je souris sans répondre.

— Tu as raison, Sarah. Je l'aimais comme il était. Dans le fond, François, il était fidèle à lui-même. Et je le savais. Je l'aimais pour ça.

Elle regarde un peu autour, comme s'il était là et qu'il pouvait l'entendre.

J'observe un instant la toile. Je la retourne. Au dos, il y a une petite inscription : « Le magnolia. » Je suis émue.

HANTÉE

C'est ici qu'est morte celle que j'étais et qu'est née celle que je suis devenue.

Je suis devant l'appartement de la rue Saint-André. La dernière fois que j'ai vu un magnolia, c'était ici. Après, il est mort. Et je n'ai plus jamais remarqué les magnolias.

Une fois qu'ils ont fleuri et qu'ils ont perdu leurs pétales, on ne les reconnaît plus vraiment. Ils ont l'air d'arbres comme tous les autres arbres, ils se fondent dans le décor. Il est trop tôt pour la floraison de cette année, et par le passsé, je levais toujours les yeux un peu trop tard pour les remarquer. Trop préoccupée par je ne sais plus quoi. Depuis quelques années, j'ai l'impression que tout s'est passé vite. Je suis restée la même, mais j'ai changé. La vie a changé. Pas à la même vitesse que moi. J'ai fait un pas derrière pour me placer en observatrice de la vie des autres, non participante à ma propre vie. Comme si j'étais un fantôme.

Je suis devant cet appartement, où une partie de moi est morte. Il n'y a plus aucune trace de ce magnolia autrefois si majestueux. Même pas une racine. Celui-là, je le reconnaîtrais même sans ses fleurs, car je sais exactement où il était planté. Mais il n'en reste rien. C'est comme s'il n'avait jamais existé. J'essaie de regarder par la fenêtre de l'appartement, pour voir comment les nouveaux locataires ont décoré. Le reflet du soleil bloque ma vue. J'ai l'impression de nous voir encore, Gabriel et moi, collés sur le divan, en train de manger des chips devant la télé. Mon souvenir est vague. Comme si j'avais rêvé tout ça.

Le mieux serait de faire un pas en avant, pour rattraper un peu le temps.

De peur qu'on me voie rôder, je m'apprête à partir, lorsqu'un couple de septuagénaires sort de l'appartement. Ils me voient et me saluent. Et l'homme, avec une certaine bonhomie, en prenant sa femme par la main, ajoute aussitôt :

— Vous désirez ?

— Rien, je... En fait, j'ai déjà habité ici. Il y avait un magnolia... juste là.

— Oh, on vient d'emménager, me répond la femme. Vous savez, on voulait se rapprocher de nos enfants. On a vendu la maison et on vit ici, à loyer, comme des étudiants !

Ils rigolent. Je les trouve adorables.

— Vous êtes mariés depuis combien de temps ?

— Cinquante-deux ans, répond-elle.

— Comment vous vous êtes rencontrés ?

— À une soirée de danse.

Il regarde amoureusement sa femme.

— Je l'ai invitée à danser. Je trouvais qu'elle avait de belles jambes.

— Hihihi ! Arrête ça ! dit-elle en lui donnant une petite tape sur l'épaule. Pis on s'est mariés deux ans plus tard.

— C'est tout ? Est-ce que ça a été compliqué à un certain moment, pendant ces deux années-là ?

— Compliqué... ? demande-t-elle en le regardant.

— Je veux dire... Vous êtes-vous posé des questions sur l'engagement, sur vos options, la routine du quotidien, la peur de décevoir ? Vous êtes-vous demandé si vos cœurs étaient prêts pour ce saut vers le futur, si vous étiez certains d'avoir trouvé *the one,* si vous n'auriez pas un jour l'irrépressible envie de lire *Fifty Shades of Grey* en cachette pour mettre du piment dans votre vie pis toute la patente ?

Ils éclatent de rire.

— Qu'est-ce qu'elle dit ?

— Je sais pas.

— Je veux dire... Pourquoi vous vous êtes choisis ?

— On s'adonnait bien.

— Pis on s'adonne encore bien. Bonne journée, là !

Et ils partent, main dans la main, en marmonnant qu'ils adorent la vie en ville, car ils rencontrent toujours des « spécimens colorés ».

J'ai une pensée pour Pascal. On « s'adonne bien ». C'est un bon début, non ? Et il était là aux funérailles. Sans attentes. Amical. Je revois son regard doux. Un regard doux de gars qui n'aime pas les haricots rouges. Et j'ai une petite chaleur dans le ventre en pensant à ses yeux. Ce ne sont pas des papillons. Mais c'est quelque chose. Quelque chose qui ne fait pas mal.

J'enlève mon écharpe et la range dans mon sac. Il fait beau. Je me dirige dans une direction différente que le couple sympathique. Je sens le regard d'un passant sur mon cou. Je perçois du dédain lorsqu'il voit cette ligne rouge-mauve, un peu bariolée. Cette cicatrice en devenir que je n'ai plus envie de cacher. J'ai décidé d'en être fière. Parce que je me dis que toute cicatrice est le tatouage d'une histoire vécue par le corps, une preuve qu'on a survécu à quelque chose, vaincu un obstacle.

DÉPOSER LES ARMES

On habite la même ville, le même quartier, mais on ne s'est jamais croisés par hasard. Je pourrais passer devant chez lui, tout bonnement. Juste pour voir si c'est beau. C'est sûrement un de ces appartements qui se ressemblent tous, avec un interphone à l'entrée. Ça m'énerve, les interphones, ça fonctionne toujours mal. Si c'est le cas, s'il habite dans un condo générique avec interphone et qu'en plus il n'aime pas les haricots rouges, on n'a pas vraiment d'avenir de toute façon alors je ne penserai plus à lui. Ça va me le faire oublier rapidement. Barrières barrières. Je me mets encore des barrières. On s'en fout des appartements génériques et des haricots rouges. On « s'adonne bien », c'est tout ce que ça prend au début. Après, on verra.

Je me rends jusqu'à sa rue. Je passe devant chez lui. Mais suis-je au bon endroit ? Je n'arrive pas à voir l'adresse... Oui, c'est bien là. Ça a l'air charmant. Pas du tout générique. Mes divagations sont stoppées par une masse énorme qui bloque mon chemin. Paf! Je fonce dans quelqu'un. Ce n'est pas lui, bien sûr, ce serait trop comme dans les films que je n'aime plus.

Je regarde mon téléphone et je me demande si je devrais le texter.

J'approche de chez lui. Je vois un interphone. Ça me fait grogner un peu. Je vois son nom à côté d'un bouton. Je sonne. Ça fait toujours un bruit vraiment horrible, ces appareils, en plus.

— Allo ? fait la voix de Pascal, pleine de friture à cause de l'interphone.

— Salut, c'est Sarah.

J'entends le buzz et j'ouvre la porte. Je monte les marches et en haut, Pascal est là, l'air un peu surpris.

— Euh... Je... Je revenais de...

Pourquoi je n'arrive pas à trouver d'explication rapidement? Je suis une fille de mots, de vente, de marketing. Je devrais avoir un sens de la répartie à toute épreuve en ce moment. Mais en ce moment je n'ai rien à dire. Je n'ai rien préparé.

— Allo.

— Allo.

Il sourit et m'embrasse sur les joues. Son odeur. C'est la première chose que je remarque en m'approchant de lui. Il sent bon. Étrange que je ne m'en sois jamais rendu compte avant.

— Qu'est-ce que tu fais ici?

— Je... mon esthéticienne habite près d'ici. Euh, je veux dire, son bureau est près d'ici. Et j'avais un rendez-vous. En fait, je voulais te dire merci d'être venu aux funérailles. J'aurais peut-être dû te texter au lieu de passer.

— Non, c'est cool que tu sois venue. Tu as enlevé ton foulard?

— Oui.

Il regarde mon cou. Je suis un peu gênée.

— T'es belle.

— Écoute... Parmi tous les gars que j'ai rencontrés dans ma vie, pis j'ai fait le calcul, ça fait trente-huit ans que je suis sur la terre, mettons une moyenne de cinq gars par année... ça fait...

— C'est beau, je suis pas obligé de savoir ça.

— Tu es probablement le gars avec qui j'ai passé les meilleurs moments. J'aime ça être avec toi. J'ai une certaine lucidité qui m'empêche de croire à la fidélité et au couple monogame, et qui m'empêche surtout de croire qu'on se fera pas mal à un certain moment. C'est juste... difficile pour moi de m'ouvrir.

— J'avais vraiment pas remarqué! Tu caches bien ça.

— Ok, je recommence du début. Bonjour, je m'appelle Sarah Dufour, je suis une fille qui a été blessée. Mon passé n'est pas totalement réglé. Et je ne sais pas si je suis capable d'être en couple parce que ça fait trop longtemps que je suis bien toute seule.

— Bonjour, je m'appelle Pascal Dion. Je suis capable de *dealer* avec ça.

— Je ne sais pas ce que j'ai à offrir… Mais j'aimerais ça, essayer.

— Ok. C'est un début.

— Euh ? Facile de même ?

— Je ne veux pas trop me vendre, pour ne pas passer pour un harceleur, mais ta lucidité, elle semble concerner un style de gars en particulier. Ça se peut que je sois différent. Mais il n'y a pas de garanties pour ça. C'est en apprenant à me connaître que tu vas pouvoir savoir si tu as le goût d'aller plus loin ou non. Mais si on « essaie quelque chose », comme tu dis, va falloir que t'arrêtes de me rejeter avant qu'on ait commencé.

— J'voudrais surtout pas que tu te sentes obligé… ou que tu penses que je suis un genre d'œuvre de charité.

Il éclate de rire.

— Allez, entre.

— Ok, mais c'est à tes risques et périls.

— Pourquoi ? Parce que tu vas me faire mal ? Parce que t'es tellement une fille blessée pis toute ?

— Ben… en fait, c'est parce que c'était pas vrai, l'affaire de l'esthéticienne. Je ne suis pas épilée…

Il rit. M'attire chez lui. M'embrasse.

Pendant qu'on s'embrasse, il caresse doucement mon dos. On enlève nos vêtements. Une fois qu'il est torse nu, je me presse contre lui et je l'embrasse plus férocement. Bientôt, son corps glisse sur le mien, tandis que mes mains parcourent sa peau. Mes sentiments s'entremêlent. Est-ce que je me sens bien ? Est-ce que j'ai mal ? Est-ce que je me sens comblée ? Est-ce que j'ai peur ? Quelle profondeur aura le vide que je vais ressentir lorsque tout ça sera terminé ? Combien de temps faudra-t-il avant que je passe à autre chose ? Je décide de chasser ces pensées et de simplement vivre le moment. Il sera toujours temps de composer avec le reste plus tard.

ÉTINCELLES

21 juin 2015

Sarah, 15 h 44

Hâte de te voir tantôt.

Pascal, 15 h 45

Hâte de me voir ? Serais-tu rendue dépendante affective ?

Sarah, 15 h 46

J'ai entendu dire que c'était immature de faire des émoticônes. Paraît que les gars qui en font attirent moins les femmes. Je dis ça de même.

Pascal, 15 h 47

Sarah, 15 h 48

Pascal, 15 h 50

Hâte de te voir aussi…

2 juillet 2015

Pascal, 10 h 15

Je n'arrête pas de penser à hier…

Sarah, 10 h 16

Chut ! Tu me déconcentres de mon travail.

Pascal, 10 h 20

Tes mains, ta bouche, ton odeur… Je ne passerai pas au travers de la journée.

Sarah, 10 h 25

Petits frissons dans mon ventre.

Pascal, 10 h 27

On dîne ensemble ce midi ? J'pense pas que je peux attendre ce soir.

Sarah, 10 h 28

Je peux arranger ça. 😉

Pascal, 13 h 58

Vraiment désolé pour les jeunes.

Sarah, 14 h 01

C'est la chose la plus *cute* du monde.

Pascal, 14 h 02

Je pense qu'ils ont remarqué.

Sarah, 14 h 03

Remarqué quoi ?

Pascal, 14 h 04

Que je suis amoureux.

Sarah, 14 h 05

You Don't Know What Love Is (You Just Do as You're Told)
http://www.youtube.com/watch?v=8xsF9fHdAfo

Pascal, 14 h 07

Madame essaie encore de me mettre des bâtons dans les roues ?

Sarah, 14 h 07

Madame fait des blagues et doit aller travailler.

Pascal, 14 h 08

Pffff.

Sarah, 14 h 08

I don't want anybody else, when I think about you I touch myself https://www.youtube.com/watch?v=wv-34w8kGPM

Pascal, 14 h 10

Hahaha ok à plus tard!

24 juillet 2015

Sarah, 9 h 08

Désolée pour hier… Ma mère, avec toutes ses questions.

Pascal, 9 h 10

Ben non, c'était drôle!

Sarah, 9 h 12

J'aimerais ça te mentir et te dire qu'elle est pas tout le temps de même. Mais… elle est tout le temps de même.

Pascal, 9 h 13

Elle est super. Penses-tu que ton père va lui aussi me parler de « la fois qu'ils ont fait ça dans un spa au clair de lune pendant une croisière » ?

Sarah, 9 h 14

Je suis vraiment gênée…

Pascal, 9 h 15

Attends de rencontrer mes parents et on s'en reparle. 😉

13 août 2015

Pascal, 9 h 02

Hey! Bon matin la campeuse! Voici des photos de notre fin de semaine!

Sarah, 9 h 03

Je ne sais pas si je vais être capable de cliquer sur les photos étant donné la quantité étonnante de calamine que j'ai sur les doigts!

Pascal, 9 h 04

Hahaha ! Bon, je ne ferai peut-être pas de toi une *happy camper* mais j'ai vraiment aimé mon week-end. Ça devient de plus en plus dur de te quitter le dimanche soir.

Sarah, 9 h 05

Moi aussi…
À part les bibittes, la pluie, le fait qu'il n'y avait pas de toilettes à proximité, les saucisses calcinées… c'était pas mal un des plus beaux week-ends que j'ai passés depuis longtemps. Sûrement parce que c'était avec toi.

Pascal, 9 h 05

☺

24 septembre 2015

Sarah, 14 h 05

Je t'aime !!!

Pascal, 14 h 05

Que me vaut l'honneur ?

Sarah, 14 h 06

Élan spontané. Je t'aime, c'est tout. Ah et j'ai une super bonne nouvelle ! Un gros client qu'Hélène et moi avons signé. J'apporte du champagne et je te raconte ça !

Pascal, 14 h 07

Bien hâte de savoir ! À ce soir ! Ah et je t'aime aussi ☺

17 novembre 2015

Sarah, 17 h 04

Mon amour, pourrais-tu rapporter du lait, s'il te plaît ?

Pascal, 17 h 04

D'ac ! À tantôt !

C'EST JUSTE ÇA

— Sarah ?

Pascal est sous la douche, pendant que je me prépare pour ma photo de passeport. Il sera valide pour dix ans et j'aimerais projeter la joie de vivre et l'équilibre que je ressens maintenant, pour les dix prochaines années. Mais pour projeter ça, malgré l'éclairage et le fond blanc, ça prend un peu de préparation. Ce que je ressens véritablement, je dois un peu le mettre en scène pour la photo. Bon, je l'admets, c'est complexe. Mais c'est comme ça. Une belle mise en plis. Un maquillage naturel qui rehausse les traits. Et m'exercer à faire un sourire qui n'en est pas un. La gravité fait que mon visage descend naturellement. Et ça me donne un air semi-bête. On n'a pas le droit de sourire sur la photo, mais si je monte juste un peu en demi-lune, je n'ai pas l'air de sourire, mais je n'ai pas l'air d'une évadée de prison. J'avais fait ça la dernière fois, et ma photo des cinq dernières années était parfaite. Et puisque ce nouveau passeport sera celui de ma quarantaine, je veux quand même être à mon meilleur. Je sursaute lorsque j'entends mon nom pendant mes préparatifs. Habituellement, Pascal sort de la douche après deux ou trois minutes (notre niveau d'intimité me permet de connaître plein de petits détails de ce genre sur lui). Une angoisse s'empare de moi, je m'imagine qu'il a glissé et qu'il gît sur le sol et que, trop absorbée par ma préparation pour ma photo de passeport, je ne l'ai pas entendu tomber. Il faudra que je sois plus vigilante. La vie à deux requiert de ma part d'être un peu plus alerte à mon environnement. Devrais-je appeler 911 tout de suite ou attendre de voir ce qui est arrivé ? Je me précipite vers la douche.

— Qu'est-ce qu'il y a ?

Pascal ne gît pas par terre dans un bain de sang. Il est juste en train de se laver. Il dégouline d'eau. Je le trouve assez sexy.

— Il n'y a plus de shampoing.

— Mais voyons, il y en a une bouteille pleine que je viens d'acheter!

— Ouain, mais je ne peux pas prendre ça… C'est écrit que c'est pour ne pas décolorer les brunettes. Et je ne suis pas une brunette.

J'éclate de rire.

— Mais voyons! Ça ne change rien!

— Si ça ne change rien, pourquoi tu achètes ça?

— Euh…

— Et 21,95 $, c'est cher pour quelque chose qui ne change rien.

Je lorgne du côté du shampoing. Il pointe la bouteille.

— L'étiquette est encore là.

Je ris et je le regarde avec ce sentiment qui m'habite depuis que… Depuis que quoi exactement? Depuis que je le connais? Non. Depuis que je l'ai choisi? Non. Depuis que j'ai accepté que l'amour, c'est juste ça. Rien de plus. Ça ne m'a pas surprise dans le détour. Ça n'a pas été les coups de foudre que j'ai vécus quelques fois. Ça n'a pas changé ma conception du monde. Ça ne m'a pas transformée. Ça ne m'a pas transpercée comme une épée. Ça ne m'a pas causé d'angoisse. Ça ne m'a pas placée dans un état d'insécurité et de questionnements. Quelque chose qui, lorsque c'est là, n'est rien de plus que des moments partagés avec quelqu'un, avec qui tu peux inventer ta façon de les vivre. Pour chacun, c'est différent. Pour moi, le chaos destructeur qui m'a attirée à une certaine période de ma vie ne pouvait plus convenir, me tuant à petit feu. J'ai cru à tort que ça représentait toutes les relations, et j'ai fermé la porte à tout, alors que je n'avais qu'à fermer la porte à ça. Aux relations qui me coûtaient mon intégrité.

L'autre nuit, j'étais dans ma chambre, la fenêtre était ouverte et le vent agitait le rideau. Je l'ai regardé bouger pendant quelque temps. J'étais dans les bras de Pascal, on ne parlait pas. Je n'en avais pas besoin. J'étais bien.

Ma lucidité ne me permet pas de croire à un bonheur qui dure toujours, sans embûches. On peut l'espérer, mais la réalité, c'est qu'on ne connaît pas l'avenir. Ce que je sais, c'est que bien qu'une relation peut conduire à la souffrance si elle se termine, je préfère qu'elle ne me fasse pas souffrir pendant que je la vis.

Je regarde Pascal commencer à se laver les cheveux avec le savon, « pour ne pas gaspiller mon shampoing beaucoup trop cher selon lui ». Il me voit l'observer et il m'attire vers lui.

Un peu plus tard, j'arrive au bureau des passeports en vitesse et un peu dépeignée, avec la photo que je viens de faire prendre dans mes mains. Tant pis pour le look qui a complètement été détruit par Pascal et son incompréhension de mon plan de photo réussie pour les dix prochaines années. Je n'ai pas le choix d'arriver tôt, car j'ai une grosse journée de travail. Jean-Krystofe nous fait rencontrer un gros client, à Hélène et moi, et je n'aurai pas le temps de revenir de toute la semaine à cause de lancements et de premières qui s'enchaînent. Et je dois absolument avoir mon passeport à temps pour partir en vacances. Anik, Alexandra et Romy nous ont proposé de louer avec elles une petite maison dans le Maine pour l'été, et mon horaire est tellement chargé que je n'ai pas eu le temps de m'en occuper avant. Depuis que nous nous sommes associées, Hélène et moi, les contrats pleuvent. Mais surtout, on a tellement de plaisir ensemble à élaborer des stratégies.

Plus rien n'est comme avant. Je ne suis plus seule.

Quand c'est mon tour, la dame regarde mon formulaire et me dit :

— Vous n'avez rien coché à « statut social ».

— Oui, en fait, c'est que premièrement, je ne comprends pas pourquoi on appelle ça un « statut social ». J'ai un chum, mais je ne pense pas que ça me définisse socialement.

— Vous êtes conjoints de fait ?

— Sûrement pas ! Je déteste cette expression. Mais... que faut-il faire pour être conjoints de fait officiellement ?

— Vivre ensemble depuis un an.

— Nous habitons ensemble depuis seulement quelques semaines.

— Je vais cocher célibataire.

— Mais non, je ne suis plus célibataire. J'ai travaillé sur moi, j'ai accepté plein de choses, je suis sortie de ma zone de confort et j'ai fait tout ce que les thérapeutes à cinq cennes recommandent de faire, je fais des compromis... Vous savez, comme ne plus dormir en diagonale dans mon lit ou partager la salle de bain quand on est pressés...

— Rien ne vous unit.

— Sans vouloir sonner quétaine comme ce genre de couples qui m'ont toujours tombé sur les nerfs, je dirais que ce qui nous unit, c'est l'amour...

— Je veux dire que légalement, ça ne vaut rien.

Elle me demande de lui donner tous les documents. Et regarde ma photo. Puis me regarde. Elle semble esquisser un petit sourire narquois.

Cheveux ébouriffés, encore un peu mouillés par la douche. Pas de maquillage. Et on voit la longue cicatrice dans mon cou. La seule chose que j'ai réussie, et probablement malgré moi, c'est le semi-sourire. Je ne blâme pas la dame pour ce qu'elle peut penser de ma photo. Car je n'ai peut-être plus l'air d'une évadée de prison, mais j'ai certainement l'air d'une fille qui a perdu le contrôle.

L'autre jour, alors qu'avec Anik, on se disait qu'on était fières de nous, fières de nos choix qui nous rendaient heureuses, je lui ai sorti :

— À regarder vers l'horizon pour voir ce qu'on peut gagner, on avance, car on arrête de regarder derrière pour voir ce qu'on pourrait perdre et qui nous retient sur place.

Et elle m'a dit que je sonnais comme un biscuit chinois. Ou comme une fille qui fait trop de yoga. Que c'était vraiment énervant et de ne plus jamais répéter ça en sa présence.

Je coche célibataire et je remets le document à la dame.

Les mots, c'est un détail. Tout le reste est là.

COMMUNIQUÉ POUR DIFFUSION IMMÉDIATE

Objet : Manifestations amoureuses publiques
Statut : Urgent

Nous avons appris que certaines de nos concitoyennes avaient fait une « balade romantique » dans le parc, main dans la main, avec leur partenaire de vie. Certains témoins les auraient même entendues prononcer des mots doux. De plus, ces gestes n'auraient pas été faits dans une intention ironique.

Comme vous le savez, le Service de police du mode de vie (SPMV) de votre quartier vous a à l'œil.

Vous devez savoir qu'en élisant domicile dans le quartier le plus hip en Amérique du Nord (*Wallpaper*, décembre 2007), tout citoyen accepte de se soumettre à l'obligation de nourrir le cynisme ambiant face aux relations de couple. Tout dérapage pourrait être considéré comme la manifestation d'un trait « matante » de personnalité, inacceptable dans notre milieu branché.

Nous invitons fortement les contrevenantes à remédier à cette situation en explorant un type de relation beaucoup plus ouvert, qui les ferait sentir plus libres dans leurs choix de vie, et à accepter que fidélité et monogamie constituent des barrières psychologiques rétrogrades qui ne cadrent pas avec notre société moderne.

Nous sommes persuadés que l'absence d'ouverture et de modernisme dans le couple de ces citoyennes est involontaire, mais leur rappelons que toute récidive de cet ordre pourrait faire l'objet de discussions au sein de notre comité et les rendre passibles d'expulsion dans un quartier satellitaire et/ou sur la ligne verte.

Contact :
Roze-Alexye Desjardins-Bellavance
Officier de prévention
div. Votre Quartier

-30-

REMERCIEMENTS

Judith Landry, Elsa Lafon.
Liette Mercier, Geneviève Thibault, Élyse-Andrée Héroux.
Nathalie Brunet, Sofie Handfield, Geneviève Thiffault.
Lise Giguère, Gina Desjardins, Gérard Desjardins.
Olivier Bernard.
Simon Olivier Fecteau.
Emily Brunton, Maude Vachon, Claudia Larochelle, Sylvie Savard, Pascale Lévesque, Nadine Bismuth, Mélanie Campeau, Annie Lemieux-Gaudreault, Mélanie Robichaud, Anne-Marie Dupras, Marianne Verville.

Ainsi que toutes les relationnistes de presse qui m'ont raconté des anecdotes secrètes et anonymes (et désolée pour les quelques libertés artistiques que j'ai prises par rapport à votre métier).

Suivez-nous sur le Web

Consultez nos sites Internet et inscrivez-vous à l'infolettre pour rester informé en tout temps de nos publications et de nos concours en ligne. Et croisez aussi vos auteurs préférés et notre équipe sur nos blogues!

EDITIONS-HOMME.COM
EDITIONS-JOUR.COM
EDITIONS-PETITHOMME.COM
EDITIONS-LAGRIFFE.COM

Imprimé chez Marquis Imprimeur inc.
sur du Rolland Enviro, contenant 100%
de fibres postconsommation, fabriqué à partir d'énergie biogaz
et certifié FSC®, ÉCOLOGO, Procédé sans chlore et
Garant des forêts intactes.